桂文我上方落語全集

第六巻

四代目
桂文我

Pan Rolling

ごあいさつ

「人間五十年」と言われていた時代であれば、還暦を過ぎた私は、あの世へ旅立っていても不思議ではなかったでしょうが、未だ若手気分で高座を務めているのですから、厚かましいのか、無神経なのか……。

先日、この全集の発行元・パンローリング㈱の岡田朗考部長が笑いながら、「文我師匠が生きている間に、全巻を纏めることは出来るのでしょうか?」と聞かれ、「さァ、どうでしょう?」と答えましたが、その実は「まだまだ、大丈夫！　今からが本番ですから、安心して下さい！」と、喉の所まで出掛かったのも事実です。

しかし、人間の寿命ほど、予測出来ない物は無いでしょう。

先日の参議院選挙で、投票日の二日前、元総理・安倍晋三氏が奈良市西大寺の駅前で暴漢に襲われ、他界された映像をテレビで見て、「人間の一生は、急に絶たれることもある」と、深く考えた次第です。

落語には、人間の生死を題材にしたネタも数多くありますが、切実な内容は少なく、笑いのオブラートで包まれ、気楽に聞ける噺になっていることが多いと言えましょう。

しかし、それらの中には、ピリッとした緊張を感じる落語もあり、それらは仏教説話から採り入れたネタが大半だと思います。

『桂文我上方落語全集』第六巻でも、「肝つぶし」「三年酒」「出歯吉」「伊勢松坂扇屋怪談」「左甚五郎猫餅」「五両残し」「数珠繋ぎ」「狼講釈」と、半分以上のネタに、人間の生死が絡んでおり、落語全体で言えば、二百席以上あるでしょう。

これからの日本は、どこへ向かって進んで行くか、多少不安もありますが、取り敢えず、それらの仕事や作業は、国を動かす立場の方へ任せ、私は高座の充実と、全集などの執筆へ全力を注ぐ上、後進の育成も努力して行きたいと考えています。

以前から落語の稽古の依頼を受けることもありましたが、最近は殊に多くなり、上方落語界は元より、東京落語界の後輩や、東京で上方落語の面白さを伝えている笑福亭鶴光一門の面々にも稽古を付けることが増えてきました。

私も先輩から、丁寧な稽古を付けていただきましたから、後輩へ伝えて行くことが使命だと思っています。

後輩が演じるネタを聞き、新たな発見や、行き届いていなかった穴も見つかるだけに、噺を伝える面白さを感じ出しました。

先輩から数多くのネタを習い、本当に良かったと思っています。

師匠（二代目桂枝雀）は申すに及ばず、大師匠・三代目桂米朝、三代目桂春團治、三代目桂文我、四代目桂文紅、四代目林家染丸、二代目桂歌之助、桂吉朝などの各師に教えていただいたことが何よりの宝であり、『桂文我上方落語全集』の解説にも、習った当時のエピソードや、ネタのコツなども記すことが出来ました。

ある程度の芸歴になると、落語の修業を怠っていた者が、自分勝手に覚えることも多いのですが、それらしく演じても、深い所まで演じるのが難しいことこそ、落語が伝統芸能である所以だと思います。

最後になりましたが、『桂文我上方落語全集』第六巻へ、大阪府立上方演芸資料館の二代目館長で、平成八年から開催した「桂文我落語百席」を含め、いろんな企画でお世話になりました関西大学名誉教授・井上宏氏が一文を寄せて下さいましたことは本当に有難く、当時の思い出を甦らせていただきました。

数多くの方々の御支援・御鞭撻により、牛歩ながら前進して参りますので、今後も引き続き、宜しくお引き立て下さいませ。

そして、長生きしましょう！

令和四年八月吉日　　桂文我

目次

はかり餅

はかりもち

昔は大晦日《おおみそか》になると、「掛け取り・借金取り」という鳥（※取り）が来る。
一夜明け、元日になると、鳥追いという者が来て、悪い鳥を追い払《はろ》たそうで。

熊「今、帰った」
咲「さア、此方《こっち》へ入りなはれ！　どこをノラクラと、ノタくってる？」
熊「おい、蛇の野垂れ死にやないわ。ノラクラと、ノタくる奴があるか」
咲「今日は、何日《いっか》やと思てる？」
熊「今日は大晦日で、明日は元日。その後は、節分・雛祭り・端午の節句」
咲「コレ、誰が年中行事を聞いてる！　気が揉《も》めて、仕方無いわ」
熊「気を揉むぐらいやったら、肩を揉んでくれ」

咲「ほんまに、あんたは生まれ付きのアンニャモンニャや。お隣りは、ペッタリコン、ペッタリコンと、餅搗《つ》きを始めはった」
熊「毎年、餅が搗けたら、ウチへ持ってきてくれるわ」
咲「もらうのは有難いけど、毎年は気兼ねや」
熊「有難う頂戴する方が、餅も成仏する。(合掌して)南無阿弥陀仏、南無阿弥陀仏」
咲「コレ、大晦日に念仏を唱えなはんな！」
熊「呉れる物は、もろた方がええ。餅をもろたら、雑煮にしょう」
咲「親戚から小豆をもろたよって、雑煮より善哉だわ！」
熊「何が、だわや。だわという顔やのうて、水の泡みたいな顔をしてるわ。隣りから呉れる餅は一寸《ちょっと》だけやよって、雑煮がええ！」
咲「誰が何と言うても、善哉！」
熊「亭主が雑煮と言うてるのに、いつまでも善哉と吐《ぬ》かすな！」
咲「こんな時だけ亭主風を吹かしてからに、キョロンケツのオッペッペ！」
熊「一々、言い種《ぐさ》を替えやがって。ド多福は、亭主を馬鹿にしてけつかる！」
咲「ド甲斐性無しの、ヒョットコ！」
熊「罰当たりの、死に損ない！」

○「コレ、一寸待った！　熊はん、嬶をドツくのは良うない。お咲さんも、亭主を蹴飛ばしなはんな。（頭を叩かれて）あァ、痛い！　それは、わしの頭じゃ」
熊「あァ、お隣りの旦那。嬶の頭にしては滑ると思た」
○「コレ、阿呆なことを言いなはんな。大きな声を出して、どうした？」
熊「餅を雑煮にすると言うてるのに、このドスベタが善哉と吐かすよって！」
咲「（涙を拭いて）まァ、聞いとおくなはれ。善哉がええと言うてるのに、ヒョットコが雑煮やと言うて。（泣いて）エェーン！」
○「お咲さんが泣いたら、朕《ちん》がクシャミしたみたいな顔になるわ。（口を押さえて）いや、此方のことじゃ。餅搗きしてたら、隣りが騒々しい。何が始まったかと思たけど、善哉と雑煮の喧嘩か。両方拵《こしら》えたら、喧嘩せんでもええわ」
熊「大晦日になると、餅を呉れる家があるけど、ケチ臭《くそ》て、一寸しか呉れん。その家が遠い所へ宿替えするか、死に絶えたら、喧嘩せんわ」
○「人へ物を上げる時は、その家の間に合うように持って行く。揉め事になるぐらいやったら、持って行かん方が宜しい」
熊「そう思たら、もっと仰山持ってきなはれ！」
○「コレ、一寸待った！　ケチ臭い家とは、ウチのことか？」

熊「あァ、気が付くのが遅いわ！　嬶《かか》も、そう思わんか？」
咲「ほんまに、ボンヤリした年寄りやこと」
○「ウカウカ聞いてたけど、ウチとは思わなんだ。最前、『遠い所へ宿替えするか、死に絶えたらええ』と言うた。餅をもろて、悪態を吐《つ》く奴があるか」
熊「へェ、仰る通り！　毎年、結構な餅をいただきまして」
○「正月に餅が無《の》うては気の毒と思て、近所の誼《よしみ》で届けてた。ボロカス言われるぐらいやったら、今年は持ってこん！」
熊「どうぞ、堪忍！　最前のことは、夢を見てたと思て」
○「一々、都合の良えことを言いなはんな！」
熊「ほな、ウチで善哉と雑煮を煮《た》いて届けます。それで上げたり、もろたりになりますわ」
○「正月の支度で忙しいよって、それは都合が良え」
熊「ほな、お宅から五升の餅をもろて、お碗で二杯返します」
○「それやったら、ウチが大損じゃ。何を言うても腹が立たんのが、お宅の人徳。餅を届けるよって、善哉と雑煮を持ってきとおくれ」
熊「ほな、そうします。この頃、狂歌に凝《こ》ってるよって、『餅欲しい　ねばった上の　雑

煮なら　初春めでとう　善哉善哉』という歌を思い付きました」
○「中々、面白い歌じゃ。ほな、わしが返歌するわ」
熊「お隣りと喧嘩するのは、具合悪い」
○「喧嘩やのうて、返歌。こんな歌は、どうじゃ？　『杵と臼　夫婦で搗いた　重ね餅
　雑煮の下地　豆で善哉』」
熊「ほな、『お隣りは　甘く呑んだと　思えども　晦日・醤油の　辛《から》さ汁まい』と」
○「中々、隅へ置けんな。ほな、餅搗きで拵えた。『お隣りに　上げよと思う　はかり餅
　どうも此方が　はかられ餅かな』」
熊「(膝を打って) ほゥ、お見事！」
○「お隣りに面白い夫婦が住んでると、飽きが来んで宜しい」
熊「飽き（※秋）は来んはずで、明日から初春ですわ」

解説「はかり餅」

夫婦喧嘩《げんか》に他人を巻き込み、大騒動へ展開する落語も数多くあり、「喧嘩長屋」「天狗裁き」などは、その代表と言えましょう。

昔の夫婦は辛抱強かったか、令和の今日なら、すぐに離婚成立という揉め事も、いつの間にか沈静化し、穏やかな日々の暮らしへ戻ることも多かったようです。

口喧嘩なら大したことではありませんが、近所へ罵《のの》り合いが聞こえたり、暴力沙汰になると、穏やかではありません。

落語の世界では、夫婦の罵り合いが近所へ聞こえ、仲裁へ入った者も巻き込まれ、新しい揉め事へ発展し、それが爆笑につながるという場合が多いと言えましょう。

小噺程度の洒落《しゃれ》た落語もありますが、第二次世界大戦前に刊行された速記本の中へ冷凍保存されたネタも数多くありました。

それを上手に解凍し、高座へ掛けられるネタに仕上げることが、ネタの復活や再生になりますが、噺家自身が構成し直し、実際に何度も高座へ掛け、少しずつ改良するのが一番でしょう。

私の経験上、落語作家や演芸研究家がまとめ直しても、地に足が着いていない構成や演出になったり、奇抜なギャグで誤魔化《ごまか》すことが多いように思います。

それは一体、なぜでしょうか？

実演者の体験は、落語作家や演芸研究家では出来ないことであり、人の心へ張り付くような、粘着性のある納得が得られる構成・演出は、机上の空論や、一人の頭の中から生まれるものではないからだと思います。

無論、噺家が抜群の腕を有し、作家がまとめた台本の要素を増幅させ、面白い世界を構築する場合もありますが、噺家の頭の中へ優秀なトランジスターとコンデンサーが内蔵されている場合に限ると言えましょう。

あくまでも、噺家の力量にゆだねられる所が大きいのです。

それだけに噺家自身が奮起し、細心の注意を払いながら、冷凍保存されているネタを解凍し、もう一度、使用可能な状態にすることが肝心です。

「はかり餅」という珍品も、その一つと言えましょう。

この落語には、微笑ましい近所付き合いの様子や、年末の風情《ふぜい》を感じますし、後半が狂歌の言い合いになる所などは、唐突とは言え、いかにも落語の世界らしい、ドラマとコントを兼ねています。

この落語へ登場する者同士の付き合いが、いつも穏やかなればこそ、年末に餅を進呈する気になるのでしょう。

何でもないことですが、人間はカッとすると何を言い出すかわからず、一番押してはいけな

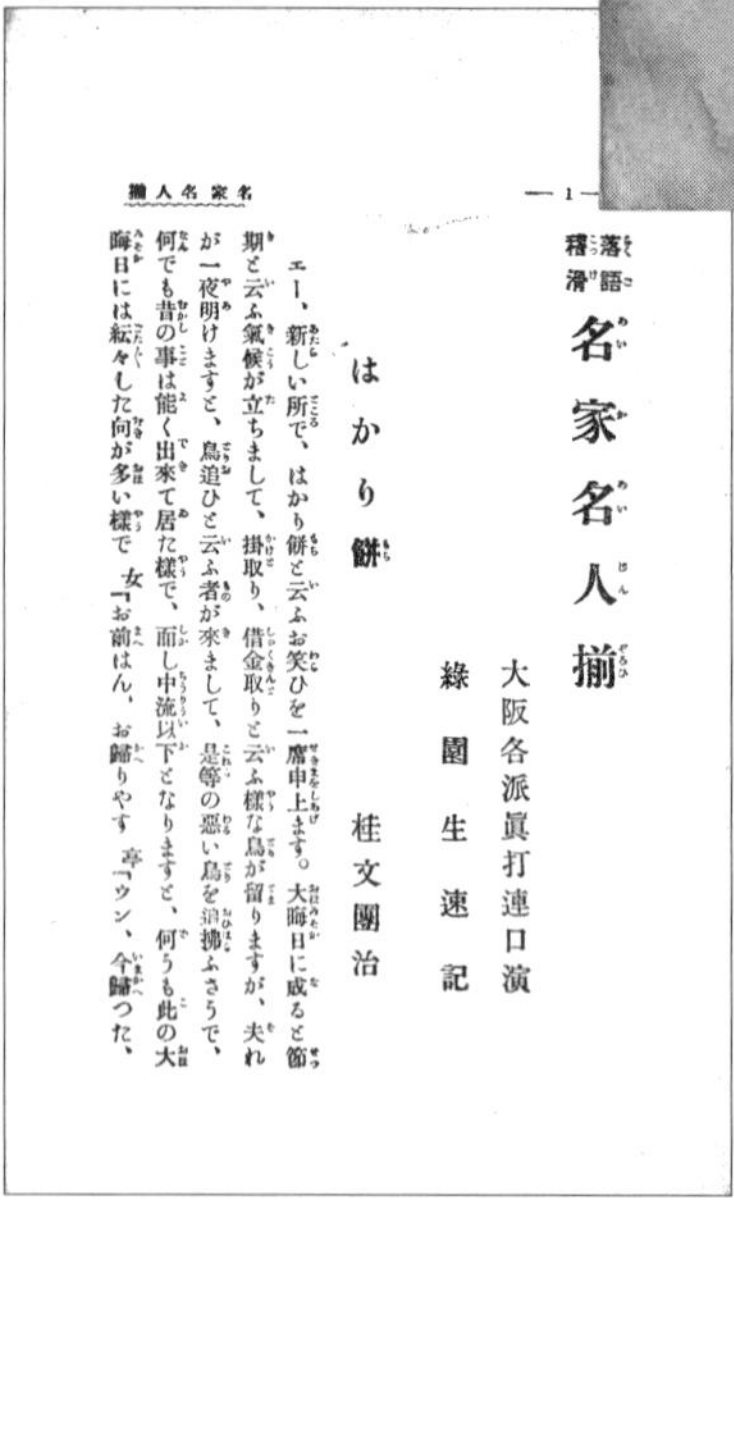
名家名人揃　— 1 —

落語《らくご》滑稽《こつけい》
名《めい》家《か》名《めい》人《じん》揃《ぞろひ》

大阪各派眞打連口演
綠園生速記

はかり餅《もち》　桂文團治

エー、新《あたら》しい所《ところ》で、はかり餅《もち》と云《い》ふお笑《わら》ひを一席申上《せきまをしあげ》ます。大晦日《おほみそか》に成《な》ると節《せつ》期《き》と云《い》ふ氣候《きこう》が立《た》ちまして、掛取《かけと》り、借金取《しやくきんと》りと云《い》ふ様《やう》な鳥《とり》が留《とま》りますが、夫《そ》れが一夜明《やあ》けますと、鳥追《とりお》ひと云《い》ふ者《もの》が來《き》まして、是等《これら》の惡《わる》い鳥《とり》を追拂《おひはら》ふさうで、何《なん》でも昔《むかし》の事《こと》は能《よ》く出來《でき》て居《ゐ》た様《やう》で、而《しか》し中流以下《ちうりういか》となりますと、何《ど》うも此《こ》の大晦《おほみ》日《そか》には紜々《ごたごた》した向《むき》が多《おほ》い様《やう》で　女「お前《まへ》はん、お歸《かへ》りやす　亭「ウン、今《いま》歸《かへ》つた、

『滑稽落語名家名人揃』（明文館書店、大正13年）の表紙と速記。

いボタンへ手を掛けてしまう場合があることを、この落語は如実に表しています。

短編でも、さまざまな角度から検証すると、興味深いことが満載のネタと言えましょう。

平成二十四年十二月二十六日、大阪梅田太融寺で開催した「第五五回・桂文我上方落語選（大阪編）」で初演しましたが、隣りの主人が夫婦へ絡《から》んでから、予想以上の盛り上がりになりました。

全国各地の落語会や独演会で上演しても、他のネタに負けないほどの手応えがあるだけに、今後も改良を加えながら、大切に演じていこうと考えていますが、ラストの狂歌を間違える場合が多いのが、悩みの種です。

ちなみに、戦前の速記本では、三代目桂文團治の速記で、『滑稽落語名家名人揃』（明文館書店、大正十三年）へ掲載されました。

肝つぶし

きもつぶし

松「おい、竹。忙して、よう来《と》なんだ。悪いそうやけど、医者は何と言うてる？」
竹「あァ、『患い付いたよって、病気やろ』と言うて」
松「おい、その医者は頼りないことを言うてるな。病いは、何じゃ？」
竹「病いを言うたら、笑うわ」
松「笑わんよって、言え」
竹「実は、『お医者さんでも、有馬の湯でも』という病いや」
松「（吹き出して）プッ！」
竹「あァ、やっぱり笑《わろ》た！」
松「すまんけど、一遍だけ笑わして。患うほど惚《ほ》れるのは、並大抵やないわ。一体、どうした？」

竹「ほな、聞いてもらう。こないだ、呉服屋の前を通ったよって、晒木綿《さらし》を七尺買いに入った」
松「晒木綿を七尺とは、ケッタイやな。一体、何に使うつもりじゃ？」
竹「あァ、褌《ふんどし》にしょうと思て」
松「褌やったら、六尺五寸でええわ」
竹「六尺五寸は褌にして、後の五寸を布巾にしょうと思て」
松「別に構わんけど、褌と布巾を一緒にせんでもええわ。それで、どうした？」
竹「布巾が小そならんように、番頭に『一寸、ゆっくり目に計って』と言うたら、『僅《わず》かな晒を買うのに、偉そうに言いなはんな！』とボロクソ言うた。仰山の人が見て笑てる。ムカついたよって、番頭へ噛《か》み付こと思て、ウゥと睨《にら》んで」
松「まるで、犬じゃ」
竹「別嬪《べっぴん》のお嬢さんが出てきはって、『コレ、番頭。お客様へ何ということを言いなはる！さァ、尺《さし》と晒を持ってきなはれ』と言うて、一丈五尺も計ってくれはって」
松「ほゥ、お嬢さんが？（鼻息を荒くして）フン、フンフンフン！」
竹「まァ、一寸落ち着いて。上等の御召《おめし》を一反出してきはって、『只今は、番頭が失礼なことを申しました。お身丈がわかりましたら縫わしていただきますけど、宜しかったら誰方《どなた》かに縫うていただいて、寝巻にでもしとおくれやす』と」
松「何ッ、お嬢さんが？（鼻息を荒くして）フン、フンフンフン！」
竹「あァ、またや。嬉しかったよって、近所へ見せて歩いた。その日の夜中、表で『どうぞ、開けとおくれやす』という女子《おなご》の声がする。戸を開けたら、昼間の呉服屋のお嬢さんが『お昼間は、失礼致しました。お帰りになった後、女子衆《おなごし》に追わせて、此方《こちら》と知れまして。番頭と夫婦になるように押し付けられて、辛抱出来ませんよって、店を飛び出して参りました。今晩は、此方へ泊めとおくれやす』と」
松「（鼻息を荒くして）フン、フンフンフン！」
竹「あァ、またや。『ウチは布団が一枚で、煎餅《せんべい》の柏で寝てます』と言うて、断った」
松「煎餅の柏とは、何じゃ？」
竹「煎餅みたいな薄い布団を、柏餅の葉みたいに二つに折って寝ることや。下へ敷くと、掛け布団が無い。上へ掛けると、敷き布団が無いわ。わしの着物を下へ敷いて、『さァ、お休みやす』『お宅が、お休み』『いや、お嬢さんが』『いえ、お宅』。埒《らち》が明かんよって、二人並んで横になって」
松「（鼻息を荒くして）フン、フンフンフン！」
竹「いや、もうええ。暫《しばら》くして、戸を蹴破って入ってきたのが、昼間の番頭や。『もし、お嬢さん、こんな所で何してなはる。さァ、店へお帰り』『あァ、嫌や！』と言うて、しがみ付くのを無理に引き離して、番頭が『改めて、礼に来るわ！』と言うて、お嬢さんを連れて行った。腕に覚えがあったら助けられたのに、『あァ、悔しい！』と歯軋《はぎし》りしたら、チンチンという時計の音がして、目が覚めたら二時や」
松「二時とは、何じゃ？」
竹「あァ、今のは夢」
松「何ッ、夢か！　あァ、そやろな。最前から、話が上手《うま》過ぎると思た。別嬪のお嬢さんが、こんな汚い長屋へ押し掛けてくるとは思えん。唯患うほど惚れるのは余程のことじゃ。ほな、わしが話をしに行くわ。その呉服屋は、どこにある？」
竹「それが、わからん」
松「その日の昼間、呉服屋へ買い物に行ったやろ？」
竹「あァ、それも夢」
松「呉服屋へ行ったのも、上等の御召の反物をもろたのも、全部が夢か？　途中で一遍、目を覚ませ！　あァ、長い夢を見やがった。医者は何と言うてる？」
竹「あァ、『何方《どっち》みち冥土《めいど》へ行くのやったら、此方から突っ掛けて行ったらどうや』と」
松「わァ、医者も無茶言うわ」

竹「昔、唐土《もろこし》で、夢で逢《お》うた人に恋患《わずら》いした者が、干支の年月が揃た女子の生き肝を煎じて呑んだら、病いが治ったそうな。その薬を手に入れるには、女子を一人殺さなあかん。自分が助かるために、誰か殺すことは出来ん。こうなったら、口の中へ唐辛子を放り込んで、足許へ電球をブラ下げて、尻へ錠前を付けて死のと思て」
松「一体、どういうことじゃ？」
竹「この世知辛《せち》い世の中、足許の明るい内に、往生ケツジョウ仕《つかまつ》る」
松「コレ、何を気楽なことを言うてる。とにかく、その薬があったら助かるか？　三日の内に、何とか手廻してくる。ほな、また来るわ！　（表へ出て）あァ、難儀な病いになった。取り敢えず、干支の年月が揃た女子を捜さなあかん。一体、どうしたら知れる？そう言えば、母親が今際《いまわ》の際《きわ》、『妹のお梅は、干支の年月が揃てる。戌《いぬ》の年・戌の月・戌の日に生まれてるよって、迂闊《うかつ》に人に言うな』と言うてた。あァ、えらいことを思い出したわ。（家へ帰って）今、帰った」
梅「兄さん、お帰り」
松「今日は、誰も来なんだか？」
梅「酒屋さんが来て、お酒を一升置いて行った」
松「あァ、丁度良え。ほな、この湯呑みへ注《つ》いでくれ」

梅「まァ、珍しいこと。小さな盃《さかずき》で呑んでも、真っ赤な顔になるのに、大きな湯呑みで」
松「いや、大丈夫。酒は好きやけど、お前を大きするために辛抱してただけや」
梅「ほな、お燗《かん》を付けるわ」
松「いや、このままでええ」
梅「冷やで呑んだら、身体に悪いわ」
松「心配してくれるのは嬉しいけど、冷やでええ。（酒を呑んで）ほな、もう一杯」
梅「まァ、大きな湯呑みで何杯も」
松「一々、心配せんでもええ。（酒を呑んで）お梅、幾つになった？」
梅「兄さん、もう十八や」
松「あァ、十八か。ほんに思えば、昨日今日じゃな。〔ハメモノ／夕顔。三味線で演奏〕親が居《お》ったら良かったけど、何の因果か、死に別れ。今日まで兄親と思て、慕てくれた。この兄に甲斐性があったら、簞笥《たんす》・長持は持たせずとも、風呂敷包みの一つも持たして、どこかへ嫁にやれたのに。兄に甲斐性が無いために、女子衆同様の小間遣い。どうぞ、堪忍してくれよ」
梅「兄さん、何を言いなはる。私は両親の顔も知らんよって、兄さんを親同様に思てるわ。どうぞ、いつまでも兄さんの傍へ置いて」

松「そう言うてくれるのは嬉しいけど、人間は老少不定《ろうしょうふじょう》。年上の者が先に逝《い》き、若い者が残るとは限らん。万一、お前が先に逝ったら、草葉の陰の父母へ『兄に甲斐性が無いために、未だ貧しい暮らしをしてる』と伝えてくれ」
梅「兄さん、縁起《げん》の悪いことを言いなはんな！」
松「あァ、すまん。どうやら、酒が言わした。わしのことは放っといて、先へ寝てくれ」
梅「ほな、休ましてもらいます」
松「あァ、寝たらええわ。おい、呉々も風邪を引かんように。あァ、もう寝てしもた。こないだまで溝を跨《また》いで小便してた妹が、もう十八か。それにしても、竹の病い。一体、どうしたらええ？」

暫く考えてたが、何を思たか、湯呑みの酒を呑み干し、スッと立ち上がる。
台所へ行き、出刃包丁を手に取った。

松「(包丁を研ぎ、見込み、〔ハメモノ／銅鑼《どら》〕お梅の枕許へ座って)コレ、お梅。寝耳ながらに、よう聞けよ。〔ハメモノ／四つの袖。三味線で演奏〕竹に深い義理は無いけど、あいつの親には恩がある。思い返せば、十五年前。野崎参りの帰り掛けに、フとしたことで喧嘩になり、人を殴って殺《あや》めてしもた。わしが仕置きへ出たならば、三つの妹を育てる者が無くなると、わしの因果を被《かぶ》ってくれたわ。その時の恩は、寝た間も忘れたことが無い。恩返しせん内に、あの世の人になってしもた。ここの道理を聞き分けて、お前の命を兄に呉れ。兄も後から行くほどに。妹を殺す兄が因果か、兄の手で死ぬ妹が因果か、因果同士の兄妹《きょうだい》じゃ。迷わず、成仏してくれよ。あァ、南無阿弥陀仏！」

出刃包丁を振り上げたが、今まで一緒に暮らした妹へ、刃物が下ろせる訳がない。

ハラハラハラッと零《こぼ》れた涙が、妹の頬へ落ちた。

梅「兄さん、何しなはる！」
松「(出刃包丁を、後ろへ廻して) いや、違う！　まァ、安心せえ」
梅「出刃包丁を振り上げられて、何で安心出来ます！」
松「いや、これには訳がある。今度の祭りで、芝居をすることになった。女子を出刃包丁で殺す役が当たったよって、お前が寝てるのを幸いに、芝居の稽古をしてただけや」
梅「それやったら宜しいけど、目を開けたら刃物を振り上げてるよって、肝が潰《つぶ》れた」
松「あァ、薬にならん」

解説「肝つぶし」

桂米朝師が高齢になり、高座へ掛けるネタが減ってきた頃も、大阪サンケイホールで開催された「桂米朝一門会」などの落語会で、このネタを上演し続けたことが印象的でした。

私は四代目桂文紅師から教わりましたが、古くは二代目立花家花橘や、文紅師の師匠・四代目桂文團治が得意にした演目です。

四代目文團治は、明治二十七年、二代目桂米團治（三代目桂文團治）へ入門し、麦團治となりましたが、当時の上方落語界では特異な活動をした方で、後に大阪森之宮杉山町へ住んだことから、杉山文山という講釈師にもなり、噺家と講釈師の両方で旅興行をこなしましたが、その間、今日では訴訟されそうなインチキ芸「霊狐術《れいこ》」「取り寄せ」などで、お茶を濁していました。

昭和二十四年頃（※当時は襲名披露を行わずに大看板の名前を継ぐこともあり、いつから名乗ったか不明な場合も多い）、四代目桂文團治を襲名し、大阪朝日放送の「上方落語を聞く会」などに出演したことで、「らくだ」「船弁慶」「いかけや」「島巡り」「肝つぶし」「帯久」「初天神」「寝床」「鬼薊」などの録音が残ることになったのです。

四代目文團治の自慢は、春團治三代へ「いかけや」の稽古を付けたことで、確かに初代桂春團治は麦團治時代の文團治から譲られた後、十八番の爆笑ネタに仕上げ、二代・三代の春團治も文團治へ稽古を依頼しました。

高座の録音を聞くと、粗削りで、伝法（※言行が乱暴な様のこと）な口調に聞こえますが、ネタのポイントは外すことなく、上演時間の伸縮は自由自在だったそうです。

四代目文團治の「肝つぶし」を、そのまま受け継いだのが弟子の文紅師で、私は「島巡り」「鬼薊」「怪談お紺殺し」「尿瓶の花括け」「たけのこ」「天王寺詣り」などを教わった後、平成十五年九月六日から「肝つぶし」の稽古となりましたが、その日は文紅師の体調が悪く、「仰山教えてきたから、録音でも大丈夫やろ。取り敢えず、それで覚えてきて」と仰り、ＭＤへ録音して下さいました。

早速、覚えたネタを聞いていただき、上演の許可が下りたのが、九月二十四日。

しばらくは高座へ掛ける機会がなく、平成十六年十一月三十日、三重県伊勢市内宮前・おかげ横丁の料理店・すし久で、毎月末に開催されている「みそか寄席」の第一六二回目で初演し、それから後は全国各地の落語会や独演会で上演しています。

ある日のこと、米朝師が「わしは外してるけど、文團治さんの『肝つぶし』で、ケッタイなギャグがあるのを知ってるか？」と仰ったので、「『この世知辛い世の中』から始まる、訳のわからん台詞《せりふ》と違いますか？」と答えると、満面の笑みを浮かべ、「おぉ、そうや！　あんなケッタイなギャグは他のネタにはないし、あれを言うには勇気が要るで。そやけど、捨て難い面白さがあるわ。文紅が演ると、何とも言えん可笑《おか》しさが出る」。

上方落語の面白さを全国各地へ伝えるため、ネタの構成や演出へ神経を尖らせていた米朝師だけに、あのようなギャグを抜くのは当然とも思いますが、文紅師の演り方に面白さを感じ、不快なギャグではないと思っておられることが面白く、嬉しくもありました。

昔から東京落語でも演者が多く、第二次世界大戦後は六代目三遊亭圓生師が得意とし、三枚組三〇巻で発売された『圓生百席』（ＣＢＳソニー）へも収録しましたが、圓生師へ稽古を付けた初代立川ぜん馬について、劇作家・宇野信夫氏は、その解説の中で「しっかりした芸風でありながら、可笑しみに乏しく、愛嬌の無い芸風だった」という感想を記し、六代目柳亭燕路師は「ぜん馬師が前座の頃、三遊亭圓朝の高座を片付けた話を聞いたし、稽古台としても古く、師匠の五代目柳家小さんが前座時代も、そうであったし、私も随分稽古を付けてもらった」と述べています。

古くは初代三遊亭圓左が上演していますが、圓左は明治三十八年、四代目橘家圓喬・初代三遊亭圓右・二代目三遊亭小圓朝・四代目橘家圓蔵・三代目柳家小さんらと、第一次落語研究会を立ち上げたことが有名な噺家で、楽屋内では名人と言われながら、地味な芸風で、一般受けしにくく、中看板止まりでした。

初代三遊亭圓歌も得意とし、弟子の二代目三遊亭円歌（※新作落語を得意にしたため、古さを感じる圓の字を使わず、円にしたという）へ伝わり、妹を手に掛ける時、「昨日の花は、今日の夢」という端唄入りで演り、オチも芝居もどきで言いましたが、六代目圓生師は「あのオチは、自然な口調で言った方がよい」という感想を述べています。

年月日の揃った者の生き肝を取り出し、呑めば薬になるというのは、歌舞伎の演出の一つ。元をたどれば残酷な迷信で、当時は即身仏などの木乃伊《みいら》を削って呑んだのと同じように、墓場の遺骸や、罪人の死体から取り出した肝を、起死回生の薬と信じていました。

人間や動物の肝へ霊力を求める信仰は、原始アニミズム（※目に見えない、意識的存在を感じながら暮らす文化のこと）時代の狩猟族が、自分より優れた人間や動物の生命力を身に付けるための呪術に発したことから始まったと言われています。

その後は呪術医的手段（※医療効果の根拠を、自然現象では説明が出来ないことに求めること）へ変わり、日本では古浄瑠璃・義太夫・歌舞伎へも採り入れられました。

一例を挙げると、浄瑠璃「摂州合邦辻／合邦庵室の段」へ登場する玉手御前は、寅の年・寅の月・寅の日の生まれで、毒を呑まされた俊徳丸の病いを治すため、自らの肝の生き血を呑ませれば本復すると、わざと父親に刺されるという設定です。

「肝つぶし」の原話は、お伽話や講釈ネタと言われていますが、判然としません。

友人の命を助けるため、それも夢の中で見た女性に惚れたことで、妹の命を取ろうという設定は納得しにくいのですが、この落語に接している時は、それが嫌悪へ変わるほどの矛盾を感じないのは、なぜでしょうか？

恐らく、落語の根本に宿る馬鹿々々しさと、あり得ない話を聞いているという安心感で、切実にならないのでしょう。

しかし、包丁を持ち、妹の前へ進み出て、芝居仕立てになる場面は、それなりの緊張感が必要で、ハメモノ（※噺の中に入る囃子のこと）が効果的に入ります。

酒を呑み、妹と思い出話をするシーンで入るハメモノは、幕末頃から唄い出された本調子の端唄「夕顔」で、歌詞は「昨日まで眺めし花もいつしかに、今日は我が身と夏草の、日にぞ萎るる憂き思い。せめて哀れと夕顔の露の命と予ては知れど、知らで儚き、夢の世や。袖は涙に乾く間も、泣いて明かして山不如帰。一声、空に冴え渡る。月の鏡は照りながら、曇りがちなる胸の闇。えェ儘ならぬ、娑婆世界。早や更け渡る鐘の音に、迷いも晴れて死出の旅。急ぐ心か夏の夜の、涼しき方の道もせを、照らし給まれ三つの灯火《ともしび》」。

三味線と唄は「昨日まで眺めし花もいつしかに。今日は我が身と夏草の」までを、しっとり演奏し、太鼓類や当たり鉦は入れず、篠笛は曲の旋律通りに吹きますが、いつも入れる訳ではありません。

寝ている妹へ言う台詞で使用されるハメモノが、三下りの「四つの袖」で、明和期に河内屋勘兵衛（※勘四郎とも。霜来）が作詞し、鶴山勾当《こうとう》が作曲したと言われている地唄「四つの袖」の合いの手が歌舞伎下座音楽となり、それを寄席囃子へ採り入れた曲で、歌詞は「憂き中の習いと知らば（知れど）、かくばかり。花の（に）夕べの契りとなるも初めの情、今の仇。いっそ逢わねば（逢わずば）、こうしたことも、ほんにあるまい、よしなや辛や。徒に暮らせし月日の程も（を）、言わで（言わず、言わぬ、言わず）思いの涙の雨に。いとど朽ちなん、四つの袖」。

深く契った仲の者が、別れた後の悲しみを唄った曲で、「四つの袖」の名称は、二人の袖が涙で朽ちることを表しており、歌舞伎では「義経千本桜／鮓屋の場」で弥左衛門の台詞へ使われたり、「女殺油地獄／豊島屋の場」で母親・おさわの述懐のシーンや、「妹背山婦女庭訓／御殿の場」で官女に苛《いじ》められたお三輪の台詞での使用例もありました。

「肝つぶし」の他では、「仔猫」で女子衆が猫の生き血を吸うことを白状する場面や、「腕喰い」で墓を荒らして赤子の腕をかじる嫁が、身の因果を語るシーンで使用されます。

また、「ふたなり」では、家出娘が栴檀の森で身の上を語る場面に「青葉」を使用しますが、それを「四つの袖」にする場合もありました。

三味線は後ろ髪を引かれるように、遅れ気味に弾く方が、味わいが深まるでしょう。

鳴物は太鼓類や当たり鉦は入れませんが、演奏が始まるキッカケや、曲の半ばで銅鑼を打ち、夜の不気味さや、場の凄惨さを増大させます。

篠笛は曲の旋律通りに吹きますが、いつも入れる訳ではありません。

このネタが古い速記本で採り上げられたことが多いのは、読み物にしても想像しやすいという理由ではないでしょうか。

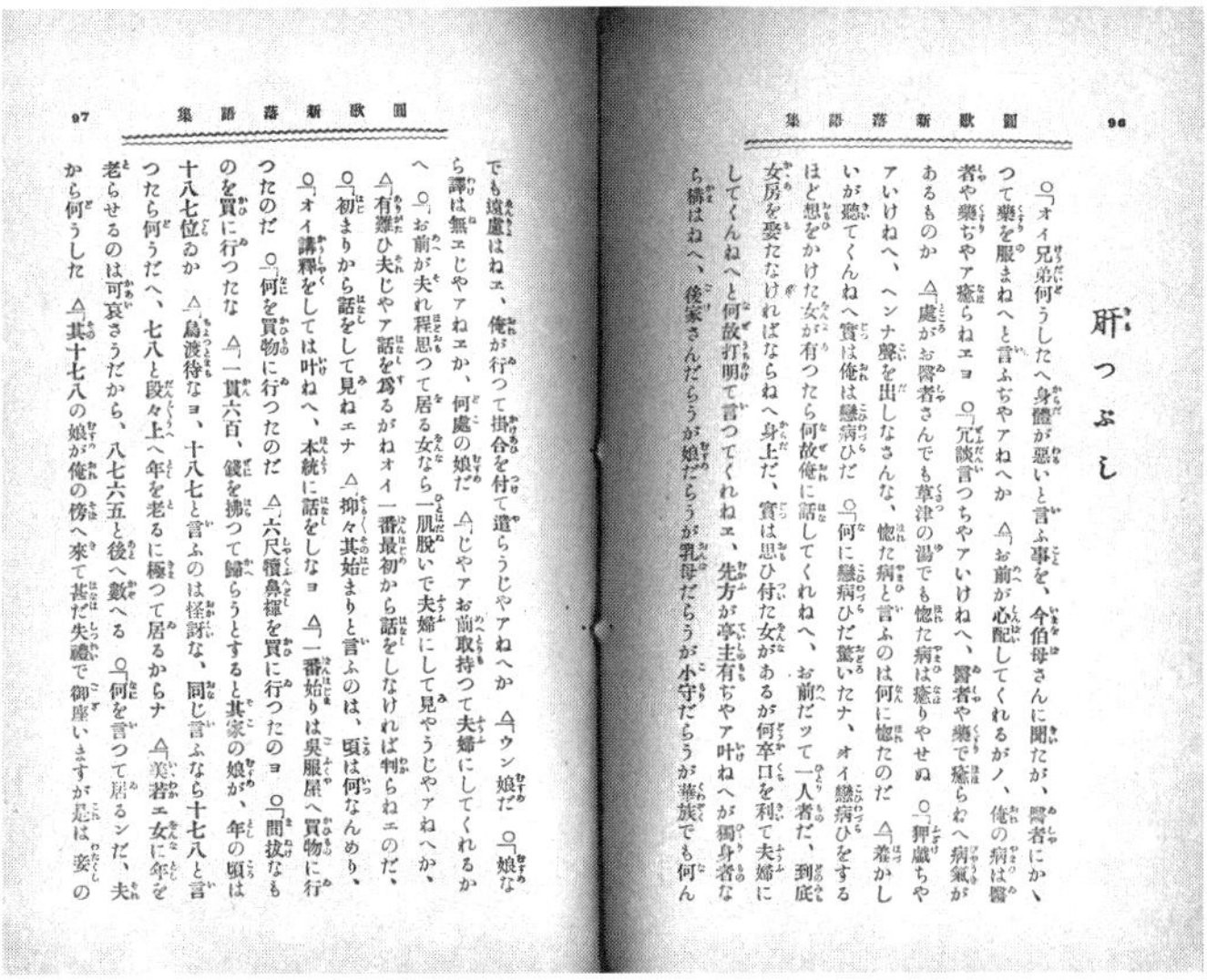

96　圓歌新落語集

肝つぶし

○「オイ兄弟《けうだいぶ》何うしたへ身體《からだ》が惡《わる》いと言《い》ふ事《こと》を、今伯母《いまをば》さんに聞《き》たが、醫者《いしや》にか、つて藥《くすり》を服《の》まねへと言《い》ふぢやアねへか　△「お前《めへ》が心配《しんぱい》してくれるがノ、俺《おれ》の病《やまひ》は醫者《いしや》や藥《くすり》ぢやア癒《なほ》らねエヨ　○「冗談《ぜうだんい》言つちやアいけねへ、醫者《いしや》や藥《くすり》で癒《なほ》らねへ病氣《びやうき》があるものか　△「處《ところ》がお醫者《いしや》さんでも草津《くさつ》の湯《ゆ》でも惚《ほれ》た病《やまひ》は癒《なほ》りやせぬ　○「押戯《ふざけ》ちやアいけねへ、ヘンナ聲《こゑ》を出《だ》しなさんな、惚《ほれ》た病《やまひ》と言《い》ふのは何《なん》に惚《ほれ》たのだ　△「羞《はづ》かしいが聽《き》いてくんねへ實《じつ》は俺《おれ》は戀病《こひわづら》ひだ　○「何《な》に戀病《こひわづら》ひだ驚《おどろ》いたナ、オイ戀病《こひわづら》ひをするほど想《おもひ》をかけた女《をんな》が有つたら何故《なぜ》俺《おれ》に話《はな》してくれねへ、お前《めへ》だツて一人者《ひとりもの》だ、到底《とてい》女房《かゝあ》を娶《め》たなければならねへ身上《かんだ》だ、實《じつ》は思《おも》ひ付《つい》た女《をんな》があるが何卒《どうか》口《くち》を利《きい》て夫婦《ふうふ》にしてくんねへと何故《なぜ》打明《うちあけ》て言《い》つてくれねエ、先方《かゝふ》が亭主有《ていしゆもち》ちやア叶《いけ》ねへが獨身者《ひとりもの》なら構《かま》はねへ、後家《ごけ》さんだらうが娘《むすめ》だらうが乳母《おんば》だらうが小守《こもり》だらうが華族《くわぞく》でも何《な》ん

97　圓歌新落語集

でも遠慮《ゑんりよ》はねエ、俺《おれ》が行《い》つて掛合《かけあひ》を付《つけ》て遣《や》らうじやアねへか　△「ウン娘《むすめ》だ　○「娘《むすめ》なら譯《わけ》は無《ね》エじやアねエか、何處《どこ》の娘《むすめ》だ　△「じやアお前《めへ》取持《とりも》つて夫婦《ふうふ》にしてくれるかへ　○「お前《めへ》が夫《そ》れ程思《ほどおも》つて居《ゐ》る女《をんな》なら一肌脱《ひとはだぬ》いで夫婦《ふうふ》にして見《み》やうじやアねへか、△「有難《ありがた》ひ夫《それ》じやア話《はなし》を爲《す》るがねオイ一番最初《ばんはじめ》から話《はなし》をしなければ判《わか》らねエのだ、○「初《はじ》まりから話《はなし》をして見《み》ねエナ　△「抑々其始《そもそものはじ》まりと言《い》ふのは、頃《ころ》は何《いつ》なんめり、○「オイ講釈《かうしやく》をしては叶《いけ》ねへ、本統《ほんとう》に話《はなし》をしなヨ　△「一番始《ばんはじま》りは呉服屋《ごふくや》へ買物《かひもの》に行《い》つたのだ　○「何《なに》を買物《かひもの》に行《い》つたのだ　△「六尺犢鼻褌《しやくふんどし》を買《かひ》に行《い》つたのヨ　○「間抜《まぬけ》なものを買《かひ》に行《い》つたな　△「一貫六百《かん》、錢《ぜに》を拂《はら》つて歸《かへ》らうとすると其家《そこ》の娘《むすめ》が、年《とし》の頃《ころ》は十八七位《ぐらゐ》か　△「鳥渡待《ちよつとま》ちなヨ、十八七と言《い》ふのは怪訝《おかしい》な、同《おな》じ言《い》ふなら十七八と言《い》つたら何《ど》うだへ、七八と段々上《だん〳〵うへ》へ年《とし》を老《と》るに極《きま》つて居《ゐ》るからナ　△「美若《いゝわか》エ女《をんな》に年《とし》を老《と》らせるのは可哀《かあい》さうだから、八七六五と後《あと》へ數《かぞ》へる　○「何《なに》を言《い》つて居《ゐ》るンだ、夫《それ》から何《ど》うした　△「其《その》十七八の娘《むすめ》が俺《おれ》の傍《そば》へ來《き》て甚《はなは》だ失禮《しつれい》で御座《ござ》いますが是《これ》は妾《わたくし》の

『圓歌新落語集』（三芳屋書店、明治44年）の表紙と速記。

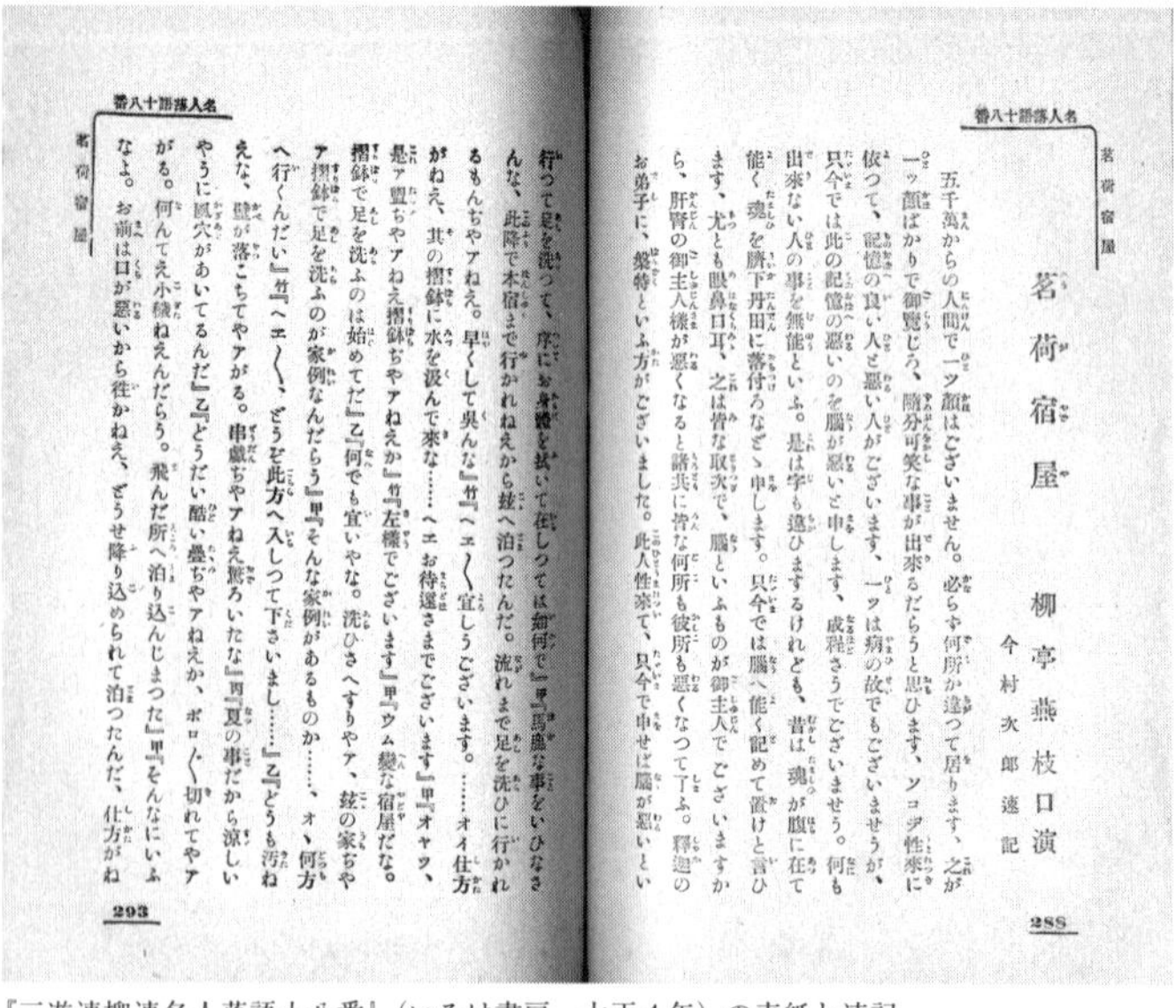

名人落語十八番

茗荷宿屋

茗荷宿屋《みやうがやどや》

柳亭燕枝口演
今村次郎速記

五千萬《まん》からの人間《にんげん》で一《ひと》ッ顔《かほ》はございません。必《かな》らず何所《どこ》か違《ちが》つて居《を》ります、之《これ》が一《ひと》ッ顔《かほ》ばかりで御覧《ごらん》じろ、随分可笑《ずゐぶんをかし》な事《こと》が出來《でき》るだらうと思《おも》ひます、ソコヲ性來《しやうらい》に依《よ》つて、記憶《ものおぼへ》の良《い》い人と惡《わる》い人《ひと》がございます、一《ひと》ッは病《やまひ》の故《せい》でもございませうが、只今《たゞいま》では此《こ》の記憶《ものおぼへ》の惡《わる》いのを腦《なう》が惡《わる》いと申《まを》します、成程《なるほど》さうでございませう。何《なに》も出來《でき》ない人《ひと》の事《こと》を無能《むのう》といふ。是《これ》は字《じ》も違《ちが》ひまするけれども、昔《むかし》は魂《たましひ》が腹《はら》に在《あ》つて能《よ》く魂《たましひ》を臍下丹田《さいかたんでん》に落付《おちつけ》ろなざゝ申《まを》します。只今《たゞいま》では腦《なう》へ能《よ》く記《おぼ》めて置《お》けと言《い》ひます、尤《もつ》とも眼鼻口耳《めはなくちみゝ》、之《これ》は皆《み》な取次《とりつぎ》で、腦《なう》といふものが御主人《ごしゆじん》でございますから、肝腎《かんじん》の御主人様《ごしゆじんさま》が惡《わる》くなると諸共《もろとも》に皆《みん》な何所《どこ》も彼所《かしこ》も惡《わる》くなつて了《しま》ふ。釋迦《しやか》のお弟子《でし》に、槃特《はんどく》といふ方《かた》がございました。此人性來《このひとうまれつい》て、只今《たゞいま》で申《まを》せば腦《なう》が惡《わる》いとい

288

名人落語十八番

茗荷宿屋

行《い》つて足《あし》を洗《あら》つて、序《ついで》にお身體《からだ》を拭《ふ》いて往《い》しつては如何《いかゞ》で』甲『馬鹿《ばか》な事《こと》をいひなさんな、此降《こゝより》で本宿《ほんしゆく》まで行《ゆ》かれねえから茲《こゝ》へ泊《とま》つたんだ。流《なが》れまで足《あし》を洗《あら》ひに行《い》かれるもんぢやアねえ。早《はや》くして呉《く》んな』竹『ヘエ〳〵宜《よろ》しうございます。……オイ仕方《しかた》がねえ、其《そ》の摺鉢《すりばち》に水《みづ》を汲《く》んで來《き》な……ヘエお待遠《まちどほ》さまでございます』甲『オヤツ、是《これ》ア盥《たらひ》ぢやアねえ摺鉢《すりばち》ぢやアねえか』竹『左様《さやう》でございます』甲『ウム變《へん》な宿屋《やどや》だな。摺鉢《すりばち》で足《あし》を洗《あら》ふのは始《はじ》めてだ』乙『何《なん》でも宜《い》いやな。洗《あら》ひさへすりやア、茲《こゝ》の家《うち》ぢやア摺鉢《すりばち》で足《あし》を洗《あら》ふのが家例《かれい》なんだらう』甲『そんな家例《かれい》があるものか……、オヽ何方《どつち》へ行《い》くんだい』竹『ヘエ〳〵、どうぞ此方《こちら》へ入《はひ》しつて下《くだ》さいまし……』乙『どうも汚《きた》ねえな、壁《かべ》が落《お》ちこちてやアがる。串戯《ぜうだん》ぢやアねえ撚《よ》ろいたな』丙『夏《なつ》の事《こと》だから涼《すゞ》しいやうに風穴《かざあな》があいてるんだ』乙『どうだい酷《ひど》い疊《たゝみ》ぢやアねえか、ボロ〳〵切《き》れてやアがる。何《な》んてえ小穢《こぎたな》ねえんだらう。飛《と》んだ所《ところ》へ泊《とま》り込《こ》んじまつた』甲『そんなにいふなよ。お前《まへ》は口《くち》が惡《わる》いから往《い》かねえ、どうせ降《ふ》り込《こ》められて泊《とま》つたんだ、仕方《しかた》がね

293

『三遊連柳連名人落語十八番』（いろは書房、大正４年）の表紙と速記。

『三遊柳新落語集』（春江堂、大正６年）の表紙と速記。

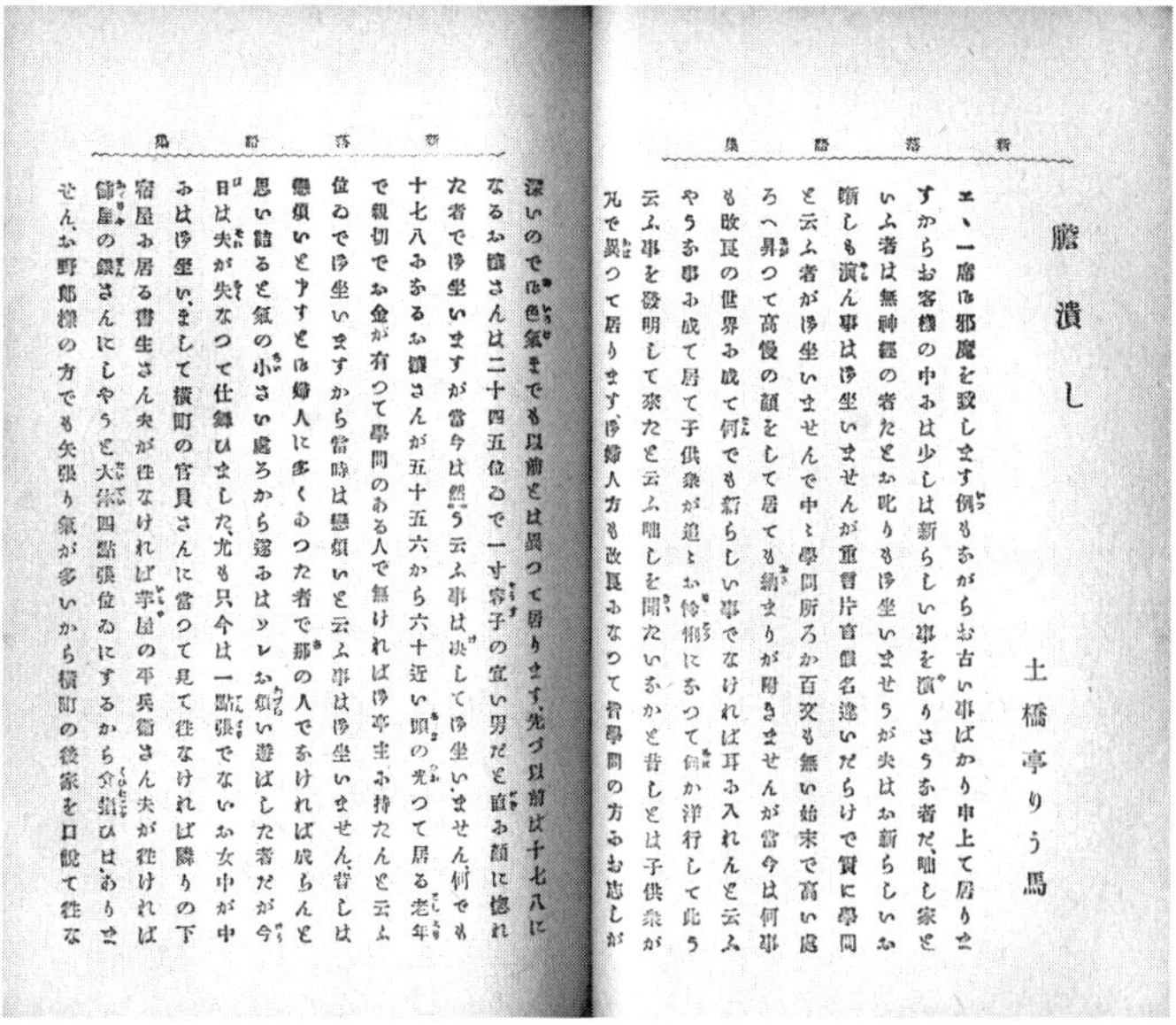

新落語集

膽潰し

土橋亭りう馬

ヱ、一席は邪魔を致します例ながらお古い事ばかり申上て居りま
すからお客様の中には少しは新らしい事を演りさうな者だ、噺し家と
いふ者は無神經の者だとお叱りも御座いませうが夫はお新らしいな
噺しも演ん事は御座いませんが重箱片言假名違いだらけで實に學問
と云ふ者が御座いませんで中々學問所ろか百文も無い始末で高い處
ろへ昇つて高慢の顔をして居ても納まりが附きませんが當今は何事
も改良の世界に成て何でも新らしい事でなければ耳に入れんと云ふ
やうな事に成て居て子供衆が追々お伶悧になつて何か洋行して此う
云ふ事を發明して來たと云ふ噺しを聞たいなかと昔しとは子供衆が
丸で異つて居ります、御婦人方も改良になつて皆學問の方にお志しが

新落語集

深いので御色氣までも以前とは異つて居ります、先づ以前は十七八に
なるお孃さんは二十四五位ゐで一寸容子の宜い男だと直ぐお顔に惚れ
た者で御座いますが當今は然う云ふ事は決して御座いません何でも
十七八になるお孃さんが五十五六から六十近い頭の光つて居る老年
で親切でお金が有つて學問のある人で無ければ御亭主に持たんと云ふ
位ゐで御座いますから當時は戀煩いと云ふ事は御座いません、昔しは
戀煩いと申すと御婦人に多くあつた者で那の人でなければ成らんと
思い詰ると氣の小さい處ろから遂にはツレお煩い遊ばした者だが今
日は夫が失なつて仕舞ひました、尤も只今は一點張でないお女中が中
には御座いまして横町の官員さんに當つて見て往なければ隣りの下
宿屋に居る書生さん夫が往なければ字屋の平兵衛さん夫が往ければ
飾屋の銀さんにしやうと大概四點張位ゐにするから食違ひはありま
せん、お野郎様の方でも矢張り氣が多いから横町の後家を口說て往な

戦前の速記本は『圓歌新落語集』（三芳屋書店、明治四十四年）、『三遊連柳連名人落語十八番』（いろは書房、大正四年）、『三遊柳新落語集』（春江堂、大正六年）、『三遊柳名人落語』（日本書院、大正八年）、『滑稽落語集・名人落語集』（春江堂、昭和五年）などに掲載され、古い雑誌では『文藝倶楽部』一四巻七号（博文館、明治四十一年）、『大福帳』第二巻邯鄲号（文芸社、明治四十四年）があります。

また、ＳＰレコードは二代目立花家花橘が吹き込み、ＬＰレコード・カセットテープ・ＣＤは六代目三遊亭圓生・二代目三遊亭円歌・三代目桂米朝・二代目桂ざこばの各師の録音で発売されました。

ちなみに、「肝が潰れる」という言い廻しは、「肝が抜ける」とも言い、古くは『徒然草』にも出てくるだけに、かなり昔から使用されていたのでしょう。

軒付け

のきづけ

甚「さァ、此方へ入り。暫く顔を見せなんだが、どうしてた？」
○「この頃、凝ってることがあって」
甚「ほゥ、肩か？」
○「肩やのうて、（右手を開き、口の横へ当てて）これや」
甚「あァ、歯痛か？」
○「いや、歯痛に凝る人は無い。大抵、この恰好《かっこう》でわかるわ。今、浄瑠璃に凝って」
甚「ほゥ、えらい物に凝ったな。大分、上がったか？」
○「こないだ、五段目が上がって」
甚「へェ、もう五段も上がったか？」
○「忠臣蔵の五段目が、一つだけ上がって」

甚「五段目が上がったと言うよって、五つも上がったかと思た。五段目は、山崎街道じゃ」

○「へェ、その通り！　こないだ、会へ出て」

甚「山崎街道が一つ上がっただけで、会へ出た？　出る方も出る方やが、出す方も出す方じゃ。ほゥ、それで当たったたか？」

○「いや、当てられた」

甚「コレ、お前は言葉の数を知らんな。浄瑠璃は『当たる・当たらん』と言うて、『当てられる』とは言わんわ」

○「これには訳があって、語る所は御簾内《みすうち》や」

甚「大抵、初めの頃は御簾内じゃ」

○「『お客の顔が見えんよって、都合が良え』と思たけど、御簾は透けてるよって、ヒョイと座って前を見たら、お客の顔がハッキリ見えた。田中さんも来てるし、小林さんも来てると思たら、胸がドキドキドキ、頭がジャンジャンジャン、目がチカチカチカ！」

甚「急《せ》わしない身体じゃが、それでは具合悪い」

○「横を見たら、鉄瓶へ白湯《さゆ》が入ってたよって、湯呑みへ注いで、ガブッと呑んで、ギュッと腹帯を締めたら、一寸落ち着いたわ。これは良えと思たよって、またガブッと呑んで、ギュッ！　ガブッと呑んで、ギュッ！　気が付いたら、鉄瓶に二杯」
甚「コレ、そんなに呑む奴があるか」
○「お師匠はんが横で『ヨッ、ハッ！』と声を掛けてくれるけど、頭の中が真っ白になって、何を語ってええかわからん。山崎街道の文句は、『またも降り来る雨の足。人の足音トボトボと。道は闇路に迷わねど、子故《こゆえ》の闇に突く杖も、直ぐなる心、堅親爺《かたおやじ》』と言うわ」
甚「それぐらい、お前に言われんかて知ってる」
○「ところが、『またも降り来る』の、『ま』の声が出んわ。三味線が行きつ戻りつして、お師匠はんの『ヨッ、ハッ！』という声が頭へ響いて。『どこからでもええよって、声を出したれ』と思たら、頭の天辺《てっぺん》から声が出た。（調子外れの声を出して）またも降りくる雨の足！」
甚「一体、どこの浄瑠璃じゃ？　それでは、節も何も無いわ。ケッタイな声で、（調子外れな声を出して）『またも降りくる雨の足』と言うたか？」
○「ほな、前の客が、ヨイヨイ！　（調子外れな声を出して）『人の足音トボトボと』、コラコラ！　『道は闇路に迷わねど』、ドッコイ！　これが、よう合《お》うて」
甚「コレ、阿呆な浄瑠璃を語りなはんな。それで、どうした？」

○『『子故の闇に突く杖も、直ぐなる心、堅親爺』という所まで行ったけど、ウロが来てるよって、『直ぐなる心』と言うのを、『直ぐなる親爺』と言い間違《まちご》て」
甚「文句ぐらい、間違わんと言いなはれ。『直ぐなる親爺』の後、どう言うた？」
○「また、『堅親爺』と」
甚「ほな、親爺を二遍も言うてるわ。それで、お客は黙ってたか？」
○「皮肉な客やよって、黙ってないわ。『もし、太夫さん。今日の山崎街道は、親爺が二人も出ますか？』と言うよって、負けられんと思て、（浄瑠璃を語って）この街道は物騒故、隣り村から応援を頼んで！」
甚「コレ、阿呆なことを言いなはんな」
○「お師匠はんも、プッと吹き出して、『コレ、何を言うてなはる。飛ばしなはれ、飛ばしなはれ！』と言うよって、ええ加減に本を掴《つか》んで、パッと捲《めく》ったら、『駆け来る猪《しし》は、一文字《もんじ》』という所が出てきた」
甚「また、仰山飛ばしたな。猪の出で、後は何ぼも無いわ」
○「ここから後戻りも出来んよって、何とか取り返そと思て、一調子張り上げて、（浄瑠璃を語って）駆け来る猪はアーッ！」
甚「そこは、そんな節やないわ。猪が出てくる場やよって、ツツンツンツン、『駆け来る猪は、一文字！』と、勢いの良え所じゃ」
○「それを、（浄瑠璃を語って）『猪はァーッ』と言うてしもた。お師匠はんもケッタイな顔をしながら、ツンと受けてくれて、（浄瑠璃を語って）『一文字ィーッ』」
甚「わァ、艶《いろ》っぽい猪じゃ。それで、お客は黙ってたか？」
○「いや、黙ってるかいな。『もし、太夫さん。今日の猪は、えらい艶っぽいな』と言うよって、（浄瑠璃を語って）この猪は女形《おんながた》！」
甚「コレ、そんな阿呆な浄瑠璃があるか」
○「前の客が怒り出して、『置け、置け！　こんなケッタイな浄瑠璃は、見たことも聞いたことも無いわ。おい、語ってる奴の顔が見たい！』と言うよって、『ほゥ、御希望とあらば！』と言うて、御簾を持ち上げて、『へェ、こんな顔です！』と言うて、顔を出したら、芋のヘタや、蜜柑《みかん》の皮が飛んできて、それで『当てられた』と言うた」
甚「あァ、それで『当てられた』か。この町内も浄瑠璃の好きな連中は仰山居るが、そんな頼り無い浄瑠璃を語ってる者は居らん。この頃、軒付けに出掛けてるわ」
○「ほゥ、それは何や？」
甚「余所《よそ》の軒下へ立って、浄瑠璃を語らしてもろてる」
○「そんな乞食みたいな真似は嫌や」

甚「コレ、何が乞食じゃ。暗い軒下へ立ったら、本を見ることが出来ん。無本で語るのが、一番の修業じゃ。下手な浄瑠璃を語ってたら、『コレ、向こうへ行け！』と追い払われるよって、良え稽古になる。辛いことだけやのうて、浄瑠璃の好きな家へ当たると、『そんな結構なお浄瑠璃を、軒下で語ってもろては気の毒な。どうぞ、此方へ』と奥の座敷へ通されて、浄瑠璃を一段ずつ語らしてもろた後で、鰻のお茶漬をよばれて帰ってきたこともあるわ」

○「えッ、鰻の茶漬！　ヌクヌクの御飯の上へ、鰻の佃煮を置いて、熱いお茶を掛けて食べる？　好きやよって、軒付けへ行くわ！」

甚「鰻のお茶漬を食べに行くのやのうて、浄瑠璃の稽古へ行くのじゃ」

○「取り敢えず、軒付けへ行く！」

甚「ほな、表へ出なはれ。軒付けの連中が、ボチボチ集まってると思う。（表へ出て）わァ、えらい蚊柱（※蚊などの虫が、柱状に群集すること）じゃ。水溜まりがあるよって、気を付けなはれ。向こうの辻へ集まってるのが、軒付けの連中じゃ。わしが頼むよって、待ってなはれ。もし、また軒付けですか？」

●「いや、面目無い。『コレ、そんな阿呆げなことは止めなはれ』と言われてますけど、好きな物は止められん。日が暮れになると、皆で集まって」

甚「やるとなったら、それぐらいが結構で。実は、この男も連れて行ってもらいたい」
●「一人でも多い方が心強いよって、一緒に行ってもらいます」
甚「ほな、宜しゅうに」
●「へェ、わかりました。また、(酒を呑む仕種《しぐさ》をして) こんなことを。軒付けへ行くのは、お宅ですか? さァ、此方へ来なはれ。どうやら、お宅も好きと見えますな?」
○「へェ、好きです! 味といい、香りといい。脂《あぶら》濃い中に、サッパリした。あァ、鰻の茶漬が食べたい!」
●「もし、鰻の茶漬の噂を聞いて来なはったか? そんなことは、三年前に一遍あっただけや。あァ、面白い人が来た。顔が揃た所で、ボチボチ出掛けるということで」
△「肝心の三味線が、まだ来てませんわ」
●「三味線の鶴さんは、どうしました?」
△「親戚の法事があって、今日は行けんらしい」
●「あァ、難儀や。私らの浄瑠璃は、三味線が無かったら聞いてられん」
△「鶴さんが気を利かして、代わりの三味線を頼んでくれました」
●「えッ、太のヅル (※太棹の三味線のこと) の代わりがありましたか。一体、誰です?」
△「へェ、天さんを頼みまして」

●「紙屑《かみくず》屋の天さんが、太のヅルが弾けますか？　ほゥ、嬉しい話や。『まさか、あの人が？』と思う人が、こんなことが出来るとは。それで、いつ来てくれます？」
△「へェ、もう来ると思いますわ。あァ、向こうから来た。三味線を担《かた》げて、商売物のチギ（※秤《はかり》のこと）を担げるのと同じ恰好や。天さん、此方です！」
天「あァ、えらい遅なりまして」
△「一体、どこへ行ってました？」
天「一寸、お師匠はんの所へ」
△「ほゥ、何しに行ってました？」
天「へェ、三味線の調子を合わしてもらいに」
△「三味線の調子ぐらい、御自身で合いませんか？」
天「まだ、そこまで行ってない」
△「わァ、難儀な三味線や！　いつも天さんは冗談言うて、皆を笑わしてくれますけど。もし、天さん。大分、上がってますか？」
天「三つは、キッチリ上げてもらいました」
△「あァ、やっぱり冗談や。三つも上がったら、後は探りながらでも弾けると言うわ。一体、どんな物が上がりました？」

天「テンツテンテンというのが、一つです」
△「冗談やのうて、ほんまに弾けんわ。へェ、それから？」
天「トテチントテチン、チリトテチンの三つは、キッチリ弾けますわ」
△「皆、どうします？　テンツテンテン、トテチントテチン、チリトテチンやそうで」
天「他からも頼まれてますよって、何なら其方《そっち》へ」
△「いえ、一緒に行ってもらいます！　わァ、開き直るとは思わなんだ。さァ、天さんの気の変わらん内に行こか。ほな、一番手前の家から行きなはれ。天さん、宜しゅうに」
天「へェ、わかりました。立って三味線を弾いたことが無いよって、待っとおくなはれ。

（三味線の胴を、右腕の肘《ひじ》で支えて）アノ、誰方ぞ？」
△「へェ、何です？」
天「胴の所がクネクネして、三味線が支えられん。誰方か、胴の所を持ってもらいたい」
△「ほな、松っつあんが持ったげなはれ」
松「（三味線の胴を持って）天さん、これで宜しいか？」
天「へェ、おおきに。（三味線の棹《さお》が、クネクネして）アノ、誰方ぞ？」
△「はァ、何です？」
天「胴が落ち着いたら、棹が彼方《あっち》へ行ったり、此方へ行ったりしますわ。誰方か、棹の先

を持ってもらいたい」
△「あァ、難儀な三味線や。ほな、竹やんが持ったげなはれ」
竹「（三味線の棹の先を持って）ほな、これで宜しいか？」
天「へェ、おおきに。これやったら、両手を離しても大丈夫」
竹「コレ、離しなはんな！」
天「（腹へ力を入れ、後ろへ引っ繰り返りそうになって）アノ、誰方ぞ？」
△「一体、何です？　用があったら、一遍に言いなはれ」
天「腹へ力を入れると、後ろへ引っ繰り返りそうになりますわ。誰方か、腰を支えてもらいたい」
△「今からでも、天さんだけ帰ってもらおか？　何ッ、そうは行かん？　ほな、徳さんが支えたげなはれ」
徳「（腰を支えて）天さん、これで宜しいか？」
天「へェ、おおきに。（屁を落として）プゥ！」
徳「コレ、しょうもないことをしなはんな！」
天「ほな、一生懸命弾かしてもらいます。（三味線を弾いて）テェーン！　テェーン！」
☆「えェ、紙屑ゥーッ」

△「コレ、しょうもないことを言いなはんな」
天「アノ、何ぞ？」
△「いや、何でもない。天さんの気が変わらん内に、早《はよ》う語りなはれ。一番初めは、誰が語ります？」
☆「こないだは一番終いやったよって、今日は初めに語りますわ。天さん、宜しゅうに」
天「ヘェ、力一杯弾きますわ。(三味線を弾いて)テンツテンテン！　テンツテンテン！」
☆「(咳をして)ゴホン、ゴホン！」
一「定吉、表へ出てみなはれ。誰か表で、ヘドを吐《つ》いてはる」
△「一寸、此方へ来なはれ！　浄瑠璃を、ヘドと間違てるわ」
天「(三味線を弾いて)テンツテンテン！」
△「コレ、弾きなはんな！」
○「アノ、鰻の茶漬は出ませんか？」
△「コレ、出るかいな！　さァ、次へ行こか。せめて、ヘドと間違えられなはんな。こんな時は、先へ断っといた方がええわ。天さん、宜しゅうに」
天「ほな、弾きますわ。(三味線を弾いて)テンツテンテン、テンツテンテン」
△「(浄瑠璃を語って)一寸、お尋ね致します」

二「はい、誰方？」
△「（浄瑠璃を語って）素人が慰みに、浄瑠璃を語らしてもらいます」
二「いえ、お断り！」
△「えッ？　（浄瑠璃を語って）決して、お金はいただきません」
二「いや、ウチは病人が居るよって」
△「（浄瑠璃を語って）誰方が、お悪うございます？」
二「あァ、煩《うるさ》いな。こないだから、母親が病気で寝てますわ」
△「それは、それは。（浄瑠璃を語って）随分、大事に御介抱！」
★「もし、浄瑠璃で見舞いを言う人があるか」
天「（三味線を弾いて）テンツテンテン！」
★「コレ、弾かんでも宜しい！」
○「アノ、鰻の茶漬は出ませんか？」
★「コレ、出んと言うてるわ！　さァ、次へ行こか。最前、断られたのは誰方？　一々断わらんと、ポォーンと語ったら、『ほゥ、何かいな？』と耳を貸す。そこで良え節をポンポンとかますと、『これは、お浄瑠璃やな』。そこで良え声を聞かすと『あァ、何と結構なお浄瑠璃。どうぞ、此方へ、鰻の茶漬』となる。天さん、宜しゅうに」

天「ヘェ、わかりました。一体、何をお語りで？」
★「もし、ようそんなことを聞きなはる。何を語っても、テンツテンテン、トテチントテチン、チリトテチンですわ」
天「時代物と世話物では、腹の入れ方が違います」
★「あァ、そうですか。『菅原伝授手習鑑』の春藤《しゅんどう》源馬の出の所を、お願いします」
天「ほゥ、時代物ですな。（三味線を弾いて）テンツテンテン！　テンツテンテン！」
★「（浄瑠璃を語って）掛かる所へ春藤玄蕃！　シィーンとして、ちゃんと聞いてるわ。（浄瑠璃を語って）首見る役は、松王丸。その内に、鰻の茶漬です。（浄瑠璃を語って）病苦を助くる駕籠乗物、門口に貸家。何ッ、貸家？　御用の節《せつ》は東へ三軒、近藤まで。アノ、間取りだけでも見ますか？」
□「コレ、何を言うてなはる。どこの世の中に、貸家へ語る人があるか」
天「（三味線を弾いて）テンツテンテン！」
□「もし、弾きなはんな！」
○「アノ、鰻の茶漬は？」
□「コレ、出るかいな！　さァ、次へ行こか。これぞ浄瑠璃という物を語るよって、見ときなはれ。『鎌倉三代記』の三浦之助の戻りの所を語りますよって、宜しゅうに」

天「ヘェ、わかりました。（三味線を弾いて）テンツテンテン！　テンツテンテン！」
□「（浄瑠璃を語って）先立つ涙、案内にて。物音響かば、驚き給わり。静かに静かにと、心静めて病床の口。立ち寄れば、母の声。『嫁女、嫁女』『おォ、嬉しや、お目が覚めましたか。三浦様のお帰りぞや』、吉村参上仕る！」
三「（大声を出して）ええい、喧《やかま》しい！」
□「一生懸命、浄瑠璃を語ってる。喧しいとは何じゃ！」
三「あァ、今のは浄瑠璃か？　一体、どこのだだけもん（※無茶をする者のこと）が暴れ込んできたかと思て」
□「何ッ、だだけもん！　一生懸命に、浄瑠璃を語ってるわ。これだけの浄瑠璃を、暗い軒下で語れりゃ語ってみい！」
三「その浄瑠璃を、明るい所で聞けりゃ聞いてみい」
□「あァ、なるほど」
△「コレ、納得しなはんな」
天「（三味線を弾いて）テンツテンテン！」
△「もし、弾きなはんな！」
○「アノ、鰻の茶漬は？」

△「お宅は、もう帰りなはれ！　私らの浄瑠璃は、誰も嫌がって聞いてくれんわ。いつものように、私らが語って、私らが聞くことにしょう」
★「ほな、お宅へ行こか」
△「コレ、阿呆なことを言いなはんな。半年前に皆を連れて、ウチで浄瑠璃を語った後、どんなことになったと思う？　嫁が子どもを連れて、大和の親許へ帰ったわ。こないだ、やっと帰ってきた所や。仰山で行ったら、もう帰ってこんようになるわ」
★「ほな、どうしょう？」
△「長屋の一番奥、糊屋のお婆《ば》ンの家の、奥の六畳を借りたら宜しい」
★「お婆ンは嫌がって、貸さんと思う」
△「いや、大丈夫！　お婆ンは、耳が遠い」
★「あァ、なるほど。耳が達者やったら、どこも貸さんわ」
△「皆、私に随いてきなはれ。（糊屋の家の中を覗《のぞ》いて）あァ、お婆ンは御飯を食べてる。お婆ン、こんばんは」
婆「おォ、何じゃ。誰じゃと思たら、町内の若い衆。あァ、何か用かえ？」
△「時分時《じぶんどき》に、すまんな」
婆「宵に御飯を食べ損ねて、今頃、金山寺《きんざんじ》味噌を出してきて、お茶漬一膳食べてるわ」

△「実は、頼みがあって」
婆「何ッ、浄瑠璃？　あァ、やりなされ。ほな、わしも後で聞かしてもらう」
△「ほゥ、耳の遠いお婆ンも聞いてくれるか。ほな、上がらしてもらうわ。お婆ンの許しが出たよって、挨拶して、奥の座敷へ通れ」
●「おォ、こんばんは」
★「お婆ン、すまんな」
■「奥の座敷へ通ったら、座布団を配って。天さんは、ここへ座っとおくなはれ」
天「座らしてもろたら、誰のお手伝いも要らん」
■「あァ、当たり前や。次は確か、私の番ですな。ほな、『朝顔日記／大井川の段』を語らしてもらいます。天さん、宜しゅうに」
天「へェ、わかりました。（三味線を弾いて）テンツテンテン、テンツテンテン」
■「いや、どうも語りにくい。確か、他にもありましたな？」
天「あァ、違う手ですか。（三味線を弾いて）トテチントテチン、トテチントテチン」
■「いや、これも具合悪い。他に、もう一つありましたな？」
天「（三味線を弾いて）チリトテチン」
■「あァ、あかんわ。やっぱり、初めのテンツテンテンテンにしてもらいます」

天「私も、これが一番得意の手になってますわ。（三味線を弾いて）テンツテンテン、テンツテンテン」

■「（浄瑠璃を語って）追うて行くゥーッ。名に高き、街道一の大井川」

天「（三味線を弾いて）テンツテンテン」

△「（浄瑠璃を語って）篠を乱して降る雨も、打ち交じりなるハタタガミ（※激しい雷のこと）」

天「（三味線を弾いて）テンツテンテン」

△「（浄瑠璃を語って）漲《みなぎ》り落ちる水音は、物凄くも、また！」

天「（三味線を、力一杯弾いて）トテチィーン！」

△「わァ！（浄瑠璃を語って）凄まじきィーッ！」

天「（三味線を弾いて）チリトテチン、チリトテチン、チリトテチン」

△「あァ、とても語ってられんわ！　私らの浄瑠璃が下手《へた》でも、この三味線では」

婆「あんたら中々、浄瑠璃が上手《じょうず》じゃ。あァ、上手い！」

△「お婆ン、ドヤしたろか！　耳の遠いお婆ンが、そんな所で聞いてて、私らの浄瑠璃が上手か下手か、ようわかるな」

婆「何じゃ知らんけど、最前から食べてる味噌の味が一寸も変わらん」

解説「軒付け」

師匠（二代目桂枝雀）の「軒付け」を初めて見たのは、昭和五十二年九月九日、ＮＨＫが放映した「金曜招待席」でした。

昭和五十二年八月十九日、東京イイノホールでの「第二一八回・東京落語会」で収録された映像で、当日の落語会の番組は「大山詣り」春風亭小柳枝改め春風亭扇昇、「唐茄子屋政談」三遊亭金馬、「扇風機（作／栗山進）」春風亭柳昇、「軒付け」桂枝雀、（休憩）「猫と金魚」桂伸治、「お化け長屋」三遊亭圓楽という、ＮＨＫの日曜日の人気寄席番組「お好み演芸会」の大喜利コーナー（司会／柳家小三治、三遊亭金馬、桂伸治、三遊亭圓弥、桂文朝、桂枝雀、三遊亭歌奴、春風亭小朝）の出演者が半分を占めた番組だったのです。

当時、高校二年生だった私は、桂枝雀の許へ入門するとは夢にも思っていませんでしたが、この時の「軒付け」で浄瑠璃という芸能に興味を持ち、昭和五十四年三月、桂枝雀の許へ入門した後、師匠から浄瑠璃の話を聞くことも数多くありました。

師匠は大阪池田市在住の女流義太夫・竹本角重《かくしげ》師の許へ稽古に通い、「生写《しょううつし》朝顔日記／宿屋の段」などを習い、その後は枝雀一門の桂南光兄（当時、桂べかこ）、桂雀三郎兄が稽古へ通い出しました。

私が内弟子を明け、しばらく経った頃、茨木市の唯敬寺《ゆいきょうじ》本堂で、長年稽古へ通った雀三郎兄が落語と浄瑠璃を演じる「寝床の会」という、無料の会を開催。

つまり、お客様に浄瑠璃を聞いていただくので会費を取らず、落語はオマケで、落語の「寝床」へちなみ、休憩後、客席へ酒・肴《さかな》をふるまい、浄瑠璃の「御所桜堀川夜討／弁慶上使の段」を聞いていただくという、洒落た趣向の会でした。

その時、私が竹本角重師の送り迎えをさせていただいたことで、私も稽古へ通うことになり、それから二十年以上、浄瑠璃や、太棹の三味線まで習うことが出来たのですから、縁をつないでもらった雀三郎兄には、今でも深く感謝しています。

師匠は前名の桂小米時代から、「軒付け」を頻繁《ひんぱん》に上演していたそうで、「ここ一番という時は、番組へ組み込んでいた」と、先輩から聞きました。

確かに、東京・大阪で開催された「第一回／小米・春蝶二人会」（大阪／昭和四十四年七月十二日、大阪心斎橋日立ホール。東京／昭和四十七年九月十四日、日本橋三越前第一証券ホール）や、「第一回／桂枝雀独演会」（昭和五十一年十月一日、大阪サンケイホール）など、ここ一番という会の番組へ組み込んでいます。

その上、昭和四十八年十月一～十日まで大阪道頓堀角座で開催された「笑福亭枝鶴・桂枝雀・桂福團治襲名披露公演」を記念し、ローオンレコードから発売された二枚組のＬＰレコードへも吹き込んでいるだけに、当時は一番自信を持って、世に送り出せるネタと考えていたことが推し量れるでしょう。

しかし、私が入門した昭和五十四年以降は、全国各地で開催された「桂枝雀独演会」などで上演することは少なくなりました。

時代がズレたからか、自らが目指す落語の世界と掛け離れたのか、その理由を聞くことが出来なかったのは、今となれば残念です。

この落語を後輩へ伝え、十八番にしていたのが橘ノ圓都で、桂米朝師が習ったことが、決定的なネタの延命となりました。

米朝師は、現代につながるような構成にし、マクラを工夫し、この落語の美味《おい》しさを十二分に伝えたのです。

『続・米朝上方落語選』（立風書房、昭和四十七年）でも一席目に据え、昭和四十六年から始まった大阪サンケイホールの「桂米朝独演会」では、第八回・第一五回・第四二回に上演し、昭和六十年に東京歌舞伎座で開催された「米朝枝雀の会」でも、トリネタ（※会のラストで演じるネタのこと）へ据えました。

それでは、ネタの内容について述べましょう。

元来、浄瑠璃は三味線などの伴奏を使う語り芸全般であり、新内・常磐津・清元なども含みますが、関西で浄瑠璃と言えば、義太夫節を指します。

昔から「浄瑠璃は、音曲の司」と言い、義太夫節は音曲の最高芸と言われていました。

私が浄瑠璃を習った竹本角重師や、上方舞の楳茂都《うめもと》梅咲《うめさき》師は、浄瑠璃を「じょうろり」と仰いましたが、これは関西の古い言い廻しと言えます。

「軒付け」という浄瑠璃の修業方法は、語る方は良いとして、勝手に軒下や玄関先で語り込まれる方は迷惑極まりないことで、近所の顔見知りであればこそ許されたのでしょうが、令和の今日、こんなことをすると警察へ通報され、検挙されるでしょう。

橘ノ圓都が物心が付いた頃には、実際に軒付けへ行ってる人は無かったと述べているだけに、明治二十年代までに廃《すた》ったと思われます。

『上方演芸辞典』（東京堂出版、昭和四十一年）によると、「軒付け」とは「門付け」と同様と考えてもよく、夕方から人家の門口へ立ち、義太夫を語ったり、長唄を唄ったり、三味線を弾いたりすることを言ったそうですが、これには二種類あり、一つは素人が音曲を修業する場、もう一つは物乞いであり、京都では「軒付け」、大阪では「けた」と呼ぶのが普通だったとのこと。

その後、「軒付け」がわからなくなったため、昭和へ入ってからは二代目立花家花橘・桂文治郎・橘ノ圓都以外は演る人がなかったようです。

上方落語で浄瑠璃に関する落語は、「二一八浄瑠璃」「浄瑠璃息子」「浄瑠璃乞食」「猫の忠信」「後家殺し」「寝床」「胴乱の幸助」「片袖」「不動坊」などがあり、芝居噺や音曲噺まで範囲を拡げると、「小倉船」「質屋芝居」「七段目」「昆布巻芝居」「浮かれの屑より」と、数多く創作されました。

「軒付け」には、令和の今日では使わない言葉や諺《ことわざ》が数多く出てくることが、演者としては難儀な所と言えましょう。

チギは棹秤《さおばかり》のことで、私の育った三重県松阪市の山間部では、チギを持ち、針金などを買いに来る人がありましたが、私の祖母も道を歩く時、よく下を見て、針金を探していました。

五十年以前は舗装道路が少なく、砂利道や土道ばかりでしたが、不思議なことに、道には時折、針金が落ちていたのです。

私の祖母だけではなく、昔は地面を見ながら歩き、落ちている物を拾っていた人も多かったことから、「地見屋」という落語まで出来、近年では四代目三遊亭金馬師も上演していました。

「だだけもん」は気儘者《きままもの》・我儘者《わがままもの》のことを言い、上方では「者」を「もん」と言う場合も多く、無理を言ったり、我儘をする、つまり、だだをこねることが「だだける」になった訳で、「だだけもん」は「だだけることをする者」という意味になります。

「屑は溜まってェーん」という屑屋の建前は、「らくだ」などでも出てくるだけに、落語ファンにはお馴染《なじ》みと言えましょう。

紙屑屋のテンさんという名前は、「屑は溜まってェーん」の「てェーん」から来ており、「テェーン」「紙屑ゥーッ」というギャグは、「心中天網島／北新地河庄の段」へ出てくる「三間かしてんか、三を」「オット、三じゃな。アテンテンテンテン」「ア、まるで、紙屑屋のおんごくじゃな」のパロディになっています。

「おんごく」とは、子どもたちが紐を輪にした物の中へ入り、行列を作って、町内を歩き廻る、夏の夜の子どもの夜遊びで、詳しくは「盆唄」（『桂文我上方落語全集』第四巻）の解説へ記してありますので、そちらをご参照下さい。

オチに使われている「味噌が腐る」という言葉ですが、昔から下手な唄や浄瑠璃をひやかすことで、「味噌が腐る・糠味噌が腐る・漬物の味が変わる」と言いましたが、これは上方だけの言葉ではなく、全国的に言われているようです。

このネタの原話は『夕涼新話集〔十八公〕』（安永六年、大坂版）で、内容を紹介しておきましょう。

＊　＊　＊　＊　＊

「かわる事もござんせぬか」

「ヲヲお出なされ」

「イヤ主は留守かの」

「ハイ上町まで往かれました。マア上りなされ。聞けばお前きつう浄瑠璃にこつてぢやげな。チトきかしんか」

「語つても見よかの」

と懐中より本取いだし、いけもせぬ声はり上げ語り出す。

近所の内儀がどやどやと四五人、「おしげさんよい音がする」と入れば、調子にのつて大音のうち、がつくりそつくり聞きに入つた内儀達もゐにしほなく、もも尻にて「おしげさん、そこにある味噌桶やぬかみそ樽を、ちやつと表へなと出しんか」と小声で云ふを、太夫聞付け、

「へへそう大勢見へてはつらいぞ」

＊＊＊＊＊

私が初演したのは、昭和五十六年十一月二日、大阪茨木市の唯敬寺本堂で開催した「雀の会・桂枝雀一門会」でした。

学生時代から台詞は覚えていたので、師匠に聞いてもらい、高座へ掛け、当時は頻繁に演っていましたが、その内に全く受けなくなったのです。

三味線のテンさんが演りにくいため、剣術の鉄之助先生に替え、下手な浄瑠璃を語る者を叱ることで、少しは受けるようになりましたが、これも次第に受けなくなりました。

噺家であれば、誰でも経験するでしょうが、稽古を重ねれば重ねるほど、泥沼へはまる気がするだけに、そういう時は、しばらく演らずに置いておくのです。

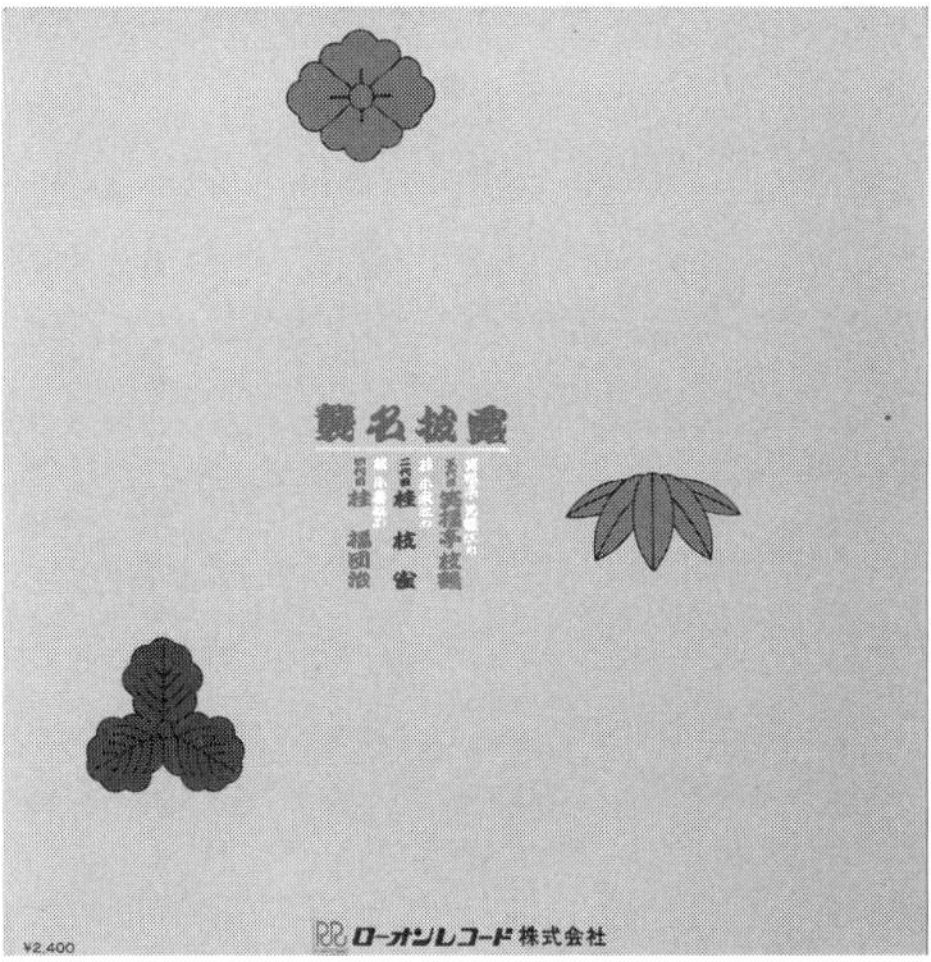

五代目笑福亭枝鶴・二代目桂枝雀・四代目桂福團治襲名披露のLPレコード（ローオンレコード）。

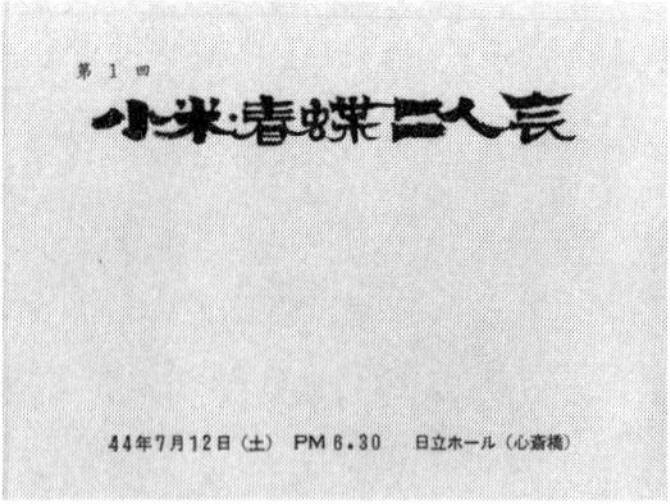
第1回
小米・春蝶二人会
44年7月12日（土） PM 6.30 日立ホール（心斎橋）

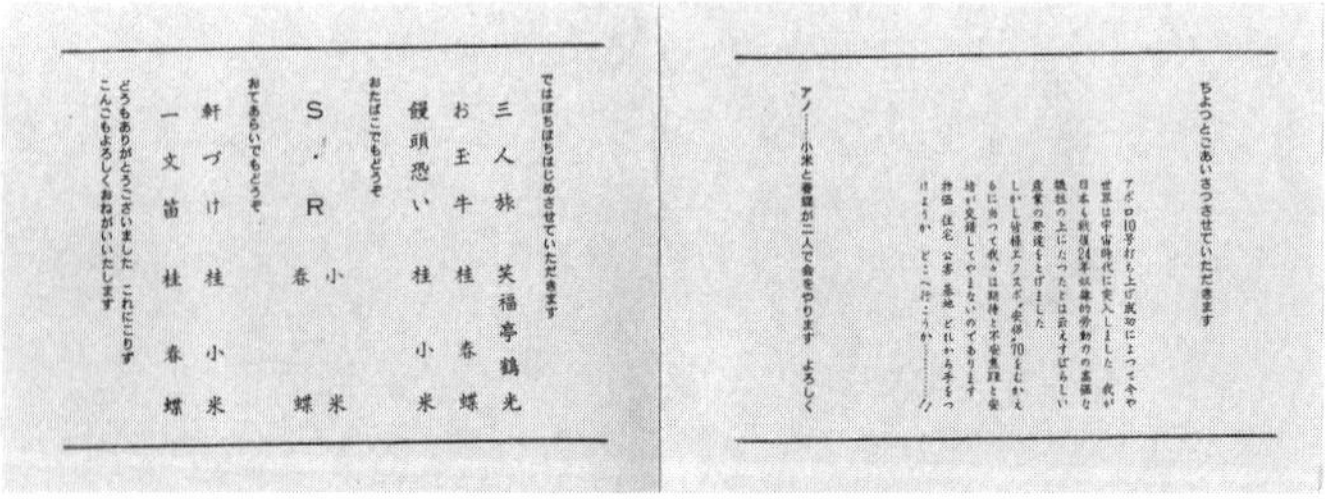
ちょっとごあいさつさせていただきます

アポロ10号打ち上げ成功によって今や
世界は宇宙時代に突入しました 我が
日本も戦後24年奴隷的労働力の基盤な
犠牲の上にたったとは云えすばらしい
産業の発展をとげました
しかし皆様エクスポ'70をむかえ
るに当って我々は期待と不安焦躁と安
堵が交錯してやまないのであります
物価 住宅 公害 基地 どれから手をつ
けようか どこへ行こうか……!!

アノ……小米と春蝶が二人で会をやります よろしく

ではぼちぼちはじめさせていただきます

三人旅 笑福亭鶴光
お玉牛 桂春蝶
饅頭恐い 桂小米

おたばこでもどうぞ

S・R 小米 春蝶

おてあらいでもどうぞ

軒づけ 桂小米
一文笛 桂春蝶

どうもありがとうございました これにこりず
こんごもよろしくおねがいいたします

第１回「小米・春蝶二人会」プログラム（昭和44年）。

数年後に演ってみると、不思議に演りやすくなり、ネタの世界が見えてくることがあり、私も「軒付け」で、それを体験しました。

一度、とても恥ずかしい思いをしたことがあります。

平成二十年十二月十三日、京都府立文化芸術会館で開催した「第六四回・桂文我上方落語選（京都編）」で、会のラストに上演したのですが、オチ前の「生写朝顔日記／大井川の段」の浄瑠璃の文句を間違えてしまい、ネタがストップし、高座で謝り、会を閉じたことがありました。

かなり数をこなしてきたという慢心がなせる業であり、落語の神様からお叱りを受けたのでしょう。

橘ノ圓都・桂米朝・桂枝雀という師匠連が評判を取ってきたネタだけに、今後も丁寧に、面白い世界を描きたいと思っています。

ＳＰレコードは二代目立花家花橘が吹き込み、ＬＰレコード・カセットテープ・ＣＤは橘ノ圓都・三代目桂米朝・二代目笑福亭松之助・二代目桂枝雀などの各師の録音で発売されました。

東京落語界では、大阪生まれだった四代目古今亭今輔が得意にしていたそうです。

後には、私の師匠から林家正雀兄が受け継ぎ、その時の稽古の様子をダビングしたカセットテープも頂戴しました。

また、東京三宅坂の国立劇場小劇場で開催されたＴＢＳ主催の「落語研究会」で、橘ノ圓都が上京して上演した時、不仲説が噂されていた六代目三遊亭圓生師と八代目林家正蔵師が客席で並んで見ていたという、微笑ましいエピソードが残っていることも付け加えておきましょう。

口入屋

くちいれや

昔の三月と九月、明治時代から暦が替わり、四月と十月が奉公人の出替り月。

その世話をするのが口入屋という、只今のハローワークの個人営業所のような所。

奉公人は年期証文があり、男の奉公人は丁稚から番頭まで出世するが、女子衆は半年や一年・二年の契約で、期限が切れたら更新。

口入屋は、帳場格子・結界《けっかい》の後ろへ大福帳をブラ下げ、奉公人を頼みたい店と、奉公へ行きたい者の名前を書くと、番頭が捌《さば》き、双方から手数料を取る。

唯、親切なこともあって、親許が遠い者の親代わりや、身元引受人になったり、契約が切れて、次へ行く所が無い者も、僅かな雑用《ぞうよう》（※細々した費用のこと）で寝泊まりをさせてやったりしたそうで。

三代・四代前の奉公人でも、口入屋へ行ったらわかるというほど、老舗には値打ちがあった。
女子衆が顔を見せに行くことを「目見え」と言い、先方で気に入られると、その店へ奉公することが決まる訳で、女子衆も長《なご》う勤め上げると、嫁入り支度まで調え、嫁入りさせてくれる店もあったそうで。
出替り月になると、口入屋の店の間・奥の間・二階まで女子が溢《あふ》れ、番頭が一段高い所で、女護ケ島《にょうがしま》の頭取みたいな顔で帳面付けをしてる。
口「コレ、静かにしなはれ！　『女三人寄ったら、姦《かしま》しい』と言うけど、喧しい。コレ、豆の皮を散らすな！　蜜柑を食べたら、皮を片付けて。一寸、納まる所を考えなはれ」
一「私らも好きで、ここに居る訳やないよって、早う行きたい所へ納めて」
口「ほな、行きたい所を言いなはれ。あんたは、どんな店がええ？」
一「私の行きたい所は、なるべく仕事が楽で、お給金を仰山呉れて、月に一遍、芝居を観に連れて行ってくれる所がええわ」
口「そんな店が、どこにある。其方の子は、どんな所へ行きたい？」
二「なるべく旦さんが達者で、御寮人《ごりょん》さんの病弱な店がええわ」
口「ケッタイな注文やけど、何で？」

二「御寮人さんが病弱やったら、どうしても旦さんが箸豆（※好色のこと）になるわ。私みたいな別嬪が奉公へ行って、手を握ったり、袖を引いたりするのは、知らん顔して、さしときます。ほな、御寮人さんに悋気・焼き餅が起こる。病いに悋気は一番悪いよって、その内に死んでしまう。後はズルズルベッタリ入り込んで、御寮人さんの着物や簪《かんざし》をもろて、女子衆の二人も顎《あご》で遣《つこ》て、左団扇《ひだりうちわ》で暮らすわ」

口「こいつは、お家横領を企んでる！　そんな恐ろしい女子は、ウカウカ世話も出来ん。あんたは、どんな所へ行きたい？」

三「私は、小商人《こあきんど》の家がええわ」

口「ほゥ、えらい！　お家横領、前へ出え。今、この子が言うことを聞いたか？　いつまでも女子衆をしてる料簡やよって、浮わついたことを言うてる。何《いず》れ、身を固めなあかん。亭主が外で働く間、自分は家で小商いの一つもしたら、家計が助かる。小商人の家へ奉公するのは、小商いのコツを覚えるという、先々まで気を廻した考えや」

三「いえ、違うわ。小商人の家やったら小銭を触るよって、小遣いに不自由せん」

口「コレ、盗人や！　あァ、碌《ろく》な奴は居らん。一寸、まともな料簡の女子は居らんか」

番頭が一人で気を揉んでる所へ入ってきたのが、生意気盛りの丁稚。

定「もし、口入屋のオッさん！」

口「ソレ、来よった。あァ、布屋の丁稚や。『出来るだけ、別嬪の女子衆を頼む』という店は、チョイチョイある。あんたの店の注文は、いつも変わってるわ。『なるべく不細工な、山から這い出しの、人間三分・化け物七分という女子衆を頼む』という注文で、それも陰へ廻って、ソッと言うてくれたらええけど、店へ入るなり、『化け物みたいな女子衆をお願いします！』と言うやろ。皆、聞いてるわ。『ほな、あんたが行って』と言うたら、気を悪する。そんな注文は、一番適《かな》わん」

定「心配せんでも、いつもと違て、今日は一番別嬪の女子衆を連れて帰るわ」

口「ほゥ、風向きが変わったな」

定「何も番頭はんに十銭もろて、頼まれてないわ」

口「番頭に十銭もろて、頼まれたな？」

定「いや、頼まれてないと言うてる」

口「隠しても、ちゃんと顔へ書いてあるわ」

定「えッ、書いてるか？　一体、誰が書きよった。（顔を拭いて）さァ、取れた？」

口「いや、そんなことで取れるか。言わんでも、何でもわかるわ」

定「これは、どや。杢兵衛どんは若布《わかめ》が嫌いやけど、昼のおかずが若布で、これでは飯が食えんと言うて、五銭で揚げ昆布《こぶ》を買《こ》うてきて、飯を食べたのはわかるか？」
口「あァ、わかる。杢兵衛どんは若布が嫌いやけど、昼のおかずが若布で、五銭で揚げ昆布を買うてきて、飯を食べた。あんたが買いに行って、一寸摘んで食べたやろ」
定「あァ、怖ァ！　番頭はんは、何でもわかるな。一寸、手相を見て」
口「コレ、阿呆なことを言うな。気に入った女子衆が居ったら、連れて帰り」
定「あァ、さよか。（見廻して）皆、ペケ！」
口「コレ、そんなことを言うな！　もっと、ちゃんと見なはれ」
定「向こう向きに座ってる女子衆は別嬪や」
口「顔を見んと、別嬪かどうかわかるか？」
定「いや、後ろ姿が良え」
口「コレ、生意気なことを言うな！」
定「もし、向こう向きに座ってる女子衆さん。一寸、顔を見せとおくなはれ。（吹き出して）プッ！　もし、オッさん。あの女子衆は、一名・鼓の掛け声と言うわ」
口「鼓の掛け声とは、何や？」
定「後ろから見たら、イョーッ！　前から、ポン！」
口「コレ、阿呆なことを言うな！」

定「柱へ凭《もた》れて座ってる女子衆が一番別嬪や」
口「ほゥ、あの子が気に入ったか。あァ、あんた。行き先は布屋という古手屋で、良え店や。ウチから何人も女子衆を入れてるよって、心配要らん。話が決まったら、証文を巻きに行く。定吉っとん、頼むわ」
定「へェ、ちゃんと提げて行きます」
口「コレ、漬物みたいに言うな。ほな、頼むわ」
定「へェ、おおきに。(表へ出て) これからは朋輩《ほうばい》になりますよって、宜しゅうに」
○「此方こそ、お願い致します」
定「ウチの番頭は別嬪が好きやよって、『よし、この人に決めた!』と言うに決まってますわ。大分前に丹波の園部から、おもよどんという女子衆が来てまして。その時も、私が連れて帰りました。その時、『どうぞ、宜しゅうに』と言うて、いきなり十銭呉れはったわ」
○「まァ、さよか。(銭を出して) ほな、私も十銭上げます」
定「わァ、何やら催促したみたいで」
○「いえ、したはりますがな」
定「これを言うて断られたら困るけど、お願いがありますすわ」

○「改まって、何です？　私に出来ることやったら、何でもさしてもらいますわ」
定「ほな、思い切って言います。ウチは旧弊な家で、御飯のおかずは一日と十五日しか、お魚が付かん。その時、魚屋が尾っぽの所を大ぶりに切ってくれます。お魚が好きやよって、私に尾っぽの所を付けとおくなはれ」
○「まァ、どんなことかと思いました。それぐらいやったら、さしてもらいます」
定「あァ、良かった！　この辺りを女子衆と歩いてたら、丁稚仲間から省かれます。布屋と染め抜いた暖簾《のれん》の掛かってる店が、ウチですわ。先へ帰りますよって、お宅は後から来とおくなはれ。（店へ帰って）只今、帰りました」
番「さァ、此方へ入れ！　遣われ上手とは、貴様のことじゃ。せんど外で油を売って、店へ入る時だけ、バタバタ駆け込んでくる。一体、どこへ行ってた？」
定「もし、何を言いなはる。番頭はんの遣いで、口入屋へ女子衆を迎えに行きました」
番「コロッと忘れてたけど、別嬪の女子衆は居ったたか？」
定「ヘェ、間違い無しの別嬪ですわ。さァ、十銭おくなはれ」
番「いや、顔を見てから」
定「決して、品物に間違いございません」
番「コレ、商人みたいに言うな。ほな、ちゃんと後でやる」

定「後でやると言うて、呉れなんだよって、お上《かみ》へ告訴するという訳にも行かん。当節は誰方様に限らず、現金でお願い致しております」

番「コレ、生意気なことを言うな。ほな、十銭やるわ。女子衆は、いつ来る？　何ッ、そこまで来てるか。おい、それを先に言いなはれ。亀吉、わしの羽織を放って。（羽織を着て）久七っとん、夜店で買うた手鏡を貸しとおくれ。一々、惜しそうな顔しなはんな。見ても減らんのに、セチベン（※世智弁。ケチや、気が狭いこと）な奴や。（手鏡で、顔を見て）あァ、髭《ひげ》を剃るのを忘れてた。皆が並んで、鼻の下伸ばして、何してる？　初めて来た店で若い男が並んでたら、入りにくい。わしが応対するよって、引っ込んでなはれ！」

番頭は、まるで見合いでもするような料簡で居る。

初めての店は入りにくいようで、女子衆は暖簾の間から店の中を覗いては、袖を顔へ当て、覗いては引っ込む。

頭とお尻を七三に振り、ボウフラが水害に遭《お》うたみたいな恰好で。

番「暖簾の間から覗いてるのは誰方？　あァ、女子衆さんか。此方へ入って、お座布を当てなはれ。お女中は、お尻《いど》が冷えたらどんならん。わァ、別嬪や！　あァ、直に奥へ通ってもらう。旦那と会う前に、店先で番頭が呼び止めて、妙に思うか知れんけど、わしの話を聞いといても損は無いと思う。ウチは気楽な店で、お上は旦那と御寮人さんの二人切り。店一切、この番頭が仕切ってる。ウチは誠に給金が安て、半期で五円。あんたみたいな綺麗《きれい》な女子はんは白粉《おしろい》代にもならんやろけど、辛抱して勤めてもろたら、五円が十円、二十円になったりする。こんなことを言うと、もらいや、落ち零れでもあると思うか知れんけど、そやない。ウチは古手屋で、女子の欲しそうな物が並んでる。例えば、ここに帯が一本あるわ。あんたが締めたら、よう似合うやろ。店へ出すと、十円より下では無いという品。帯の端に付いてる布へ、メチヤと書いてある。これは店の符丁で、元値が四円八五銭。あんたが欲しかったら、一文の口銭も取らず、五円足らずで譲れる。『五円の給金で、そんな買物は出来ん』と思うか知れんけど、そこは良え手があるわ。大分前、丹波の園部から、おもよどんという女子衆が来てた。この店へ来る時、小さな風呂敷包みだけ持ってきたけど、その内に葛籠《つづら》へ二杯の着物や帯を拵えて、そのまま嫁入りしたわ。おもよどんは暇があると店へ出てきて、着物や帯を見てた。これに似た帯があった時、『あんたが欲しかったら、五円に負けたげる』『今、五円というお金がございません』『一遍に払わんでも、一寸ずつ入れ掛けにしたら、知らん内に片付いてる』『ほな、そうさしていただきます』と言うて、自分の部屋へ持って行った。暫くすると、『昨日、御本家へお遣いに参りましたら、おためをいただきました。五円の内入れに、十銭だけ』。五円の内入れが十銭とは邪魔臭いけど、仏みたいな番頭やよって、『あァ、よしよし』と言うて、帳面の端へ『おもよどん、十銭入り』と書く。その内に八銭入り、七銭入り、五銭入り、三銭入り、二銭入り、一銭入り。五、六遍も入ったら、後は筆の先で、ドガチャガドガチャガドガチャガドガチャガ、済み！　ここが一番肝心やよって、よう聞いときなはれ。この店で、こんなことが出来るのは番頭一人ということを、頭の隅へ置いといてもらいたい。そう言えば、こんなこともあった。おもよどんが手紙を前へ置いて、浮かん顔をしてる。『母親が病気で入院させなあかんよって、十円送ってくれという手紙が届きましたけど、十円というお金がございません』『そんな手紙が来るのは、よくせき（※余程）のことや。店には遊んでる金があるよって、それを廻したげる。一寸ずつ、入れてくれたらええ』『まァ、有難うございます』。早速、親許へ十円送ったら、折り返し、嬉しそうな返事が届いた。『生まれて初めて、親孝行さしていただきました。就きましては、要らん物を売りましたら、二十銭になりましたよって、こないだの十円の内入れに』。十円の内入れが二十銭とは邪魔臭いけど、仏みたいな番頭やよって、『あァ、よしよし』と言うて、帳面の端へ『おもよどん、二十銭入り』。

その内に十五銭入り、十銭入り、五銭入り、三銭入り、二銭入り、一銭入り。五、六遍も入ったら、後は筆の先で、ドガチャガドガチャガドガチャガ、済み！　ここが一番肝心やよって、よう聞いときなはれ。こんなことが出来るのは、この店では番頭一人！　若い者も仰山居るけど、案山子《かがし》同様。上から食べて、下から出す、人間の製《せい》糞器《ふんき》みたいな奴ばっかりや。この店で頼りになるのは番頭一人ということを、頭の隅へ置いといてもらいたい。もう一つ肝心なことは、来年になったら、別家・暖簾分けをさしてもらうことになった。そうなると、さしずめ要るのが女房。気立ての良え、別嬪の嫁を探してることも、頭の隅へ置いといてもらいたい。それから、わしにはケッタイな癖があって、夜中に寝惚《ねぼ》けることがある。夜中、お手水《ちょうず》へ行った帰りに、人の布団へ入って行くことがあることも、頭の隅へ置いといてもらいたい。あんたの布団へ入って行くことは無いと思うけど、ひょっと間違て入って行った時、キャッとか、スゥとか言われたら、来年の別家もオジャンポコペンになる。帯と十円の一件もあるよって、布団の中で、ドガチャガドガチャガしてもらいたい。昔から、『魚心あれば水心、水心あれば魚心』と言うやないか。（笑って）わッはッはッは！」

定「もし、番頭はん！　一体、何を言うてなはる？」

番「今、女子衆へ給金の決めをしてるわ」

定「女子衆やったら、早うに奥へ入ってしまいました」
番「お辞儀してるのは、誰や？」
定「杢兵衛どんが風呂敷を被って、俯《うつむ》いたはります」
番「コレ、杢兵衛！」
杢「(風呂敷を上げ、笑って) わッはッはッは！　裏の塩梅《あんばい》は、そんなことになってますか。帯はええよって、十円だけ、ドガチャガドガチャガしてもらいたい。その代わり、お好きやったら、毎晩でもお越し」
番「お前の所へ、誰が行くか！　(煙管《きせる》を吸って) コレ、子ども。煙管が詰まってるよって、通しときなはれ！」
定「番頭はん、それは筆ですわ」
番「あァ、筆か！」

番頭は、目も見えんようになってる。
奥の方では、御寮人さん。

寮「定吉、此方へ来なはれ。『ウチは若い男はんが多いよって、なるべく不細工な女子衆を連れてきなはれ』と言うてるのに、何で綺麗な子を連れてきなはった？」
定「私も不細工な女子衆と言いましたけど、口入屋のオッさんが『今年は梅雨に降って、土用に照ったよって、どこも女子衆の出来が良え』と」
寮「まるで、お米や。もうええよって、向こうへ行きなはれ。いえ、あんたを嫌がってる訳やない。ウチは若い男はんが多いよって、綺麗な女子衆が来やったら、お店がゴジャ揉めるの。実は、下《しも》の女子衆が欲しかった。あんたやったら、上の方を勤めてもらいますけど、お針が持てなあかんの。お針の方は、どうえ？」
○「まァ、御寮人さん。お針のことを聞かれますと、穴があったら入りたいように存じます。亡くなった母親から手解きを受けただけで、唯、袷《あわせ》が一通り、単衣《ひとえ》物が一通り、綿入れが一通り、羽織に袴《はかま》、襦袢《じゅばん》に十徳、被布コート。トンビにマント、甲掛け。針の掛かる物は、網抜きから雪駄《せきだ》の裏皮、畳の表替え、蝙蝠傘《こうもり》の張り替え」
寮「蝙蝠傘まで、ペタペタと張り替えてか！　まァ、器用なお子やこと。それから、これは無けりゃならんことはないけど、ウチの旦さんは御酒を召し上がると、直に三味線弾きんかと仰る。私は、三味線が下手。三味線の方は、どうえ？」
○「お三味線のことを聞かれますと、消え入りたいように存じます。これも母親から糸道を付けてもらいましただけで、唯、地唄が百五、六十に、江戸唄が二百ほど上がりましただけで。義太夫が三十段余り、常磐津、清元、新内、荻江、薗八、一中節。大津絵、都々逸、トッチリトン、追分、よしこの、騒ぎ唄。祭文、チョンガレ、阿呆陀羅経《あほだらきょう》」
寮「まァ、阿呆陀羅経！　そんな物まで、チャカポコと演れるの？」
○「鳴物も少々齧《かじ》りまして、大鼓《おおかわ》・小鼓は申すに及ばず、大太鼓、〆太鼓、甲《かん》太鼓。篠笛尺八、笙《しょう》、篳篥《ひちりき》。月琴、木琴、リン、チャンポン。銅鑼に半鐘に、四ツ竹、法螺《ほら》貝」
寮「まァ、法螺貝！」
○「お子達が夜習いでも遊ばすようでございましたら、卒爾《そつじ》ながら、お手本ぐらいは書かせていただきます。書はお家流、仮名は菊川流。盆画・盆石、香も少しは利き分けます。お手前は裏千家、花は池坊。お作法は小笠原流、謡曲は観世流、剣術は一刀流、柔術は渋川流、槍は宝蔵院流、馬は大坪流、軍学は山鹿流、忍術は甲賀流。鉄砲の打ち方、地雷の伏せ方、大砲の据え方、狼煙《のろし》の上げ方！」
定「フェーイ！　番頭はん、御注進！　えらい女子衆で、地雷火《か》伏せて、狼煙上げると言うてます。今晩の手水場行きは、鎧《よろい》・兜《かぶと》で行きなはれ」
番「コレ、阿呆なことを言うな！　もっと、あんじょう聞いてこい」
定「そんなお子に居ってもろたら、私も心強いわ。あんたの生まれは何方《どちら》？」
○「京都は、寺町の万寿寺《まんじゅじ》で」

寮「まァ、賑やかな所やないか。御両親は、其方に居られるの？」

○「私は至って運《かた》の悪い者で、両親と幼い頃に死に別れまして、大阪心斎橋八幡《はちまん》筋の叔父の許へ身を寄せておりました。叔父さんは仏さんみたいな御方でも、叔母はんは根が他人。口では大きいことを仰っても、至って、お腹の小さい小さい御方。何かと目で切って見せられることが辛さに、御奉公させていただくことになりました。目見えの晩から泊めていただきますと、縁があるとか無いとか申しますけど、今晩から御厄介になりとう存じます」

定「番頭はん、御注進！　あの女子衆は、京都の人ですわ」

番「やっぱり、そうやろ。久七っとんが、紀州と言うて聞かん。久七っとん、京都やて！　京都と紀州では、言葉の音《おん》の出方が違うわ。京の水で洗わなんだら、あんな別嬪になるか。京都のどこや？」

定「へェ、寺屋の饅頭屋と言うてました」

番「何ッ、寺屋の饅頭屋？　ひょっとしたら、寺町の万寿寺と違うか？」

定「あァ、そうそう！　叔父さんが心配無しに鉢巻きしてます」

番「心配無しに鉢巻き？　何で、そんなことする？」

定「いえ、大阪の所ですわ」

番「ひょっとしたら、心斎橋の八幡筋と違うか？」
定「あァ、そうそう！　叔父さんは仏さんで、叔母はんが化け物ですわ。口の大きい大きい、お腹の小さい小さい、目で顔切って、痛い、痛い！」
番「お前の言うてることは、サッパリわからん！」
定「細かいことは知りませんけど、今晩から泊まるそうで」
番「やっぱり、お前は子どもや。今日は目見えと言うて、一遍は口入屋へ帰って、出直して来るわ。訳があって、今晩から二階へ泊まる？　それは、ほんまか？　よし、店の者へ告ぐ！　女子衆の目見えを記念して、店は早終《はやじま》いにする！」
定「わァ、ケッタイな記念で」
番「何でもええよって、用事を片付けて、寝ることにする。さァ、早う掃除しなはれ」
定「夜なべばっかりさせる番頭が、己《おのれ》に思惑があるよって、一遍に早終いや。（表へ、水を撒いて）もし、お向かいの友吉っとん。今晩、ウチは早終いやけど、何でかわかるか？　別嬪の女子衆が来たよって、一遍に早終いや。今晩、ウチへ来てみ。夜中、ゴジャゴジャと面白い！　五銭呉れたら、見せたる！」
番「コレ、何を言うてる！　さァ、早う掃除しなはれ」
定「へェ、済みました」

番「ほな、大戸を閉めよ」
定「まだ、外は明るい」
番「あァ、閉めたら暗《くろ》なる」
定「閉めたら暗なりますけど、表は明るい」
番「ほな、良え月夜やと思え」
定「わァ、物は思いようや。(戸を閉めて)ガラガラガラッ! ヘェ、大戸を閉めました」
番「ほな、神様へお灯《あか》しを上げよ」
定「次々、用事があるだけ面白いわ。(火打石を打って)今日は神様も早うからお灯しを上げてもろて、幸せで。ヘェ、お灯しを上げました」
番「上げたら湿して廻れ。さァ、消して廻れ!」
定「今、上げた所で」
番「コレ、親方の身になれ。油一升、何ぼほどすると思う。お灯しは、上げることに意義がある!」
定「神様、嬲《なぶ》り物や。ほな、消してもらいます。神様の幸せも、風前の!」
番「コレ、要らんことを言うな!」
定「ヘェ、消して廻りました」

番「その辺りを掃いて拭いて、早う寝よぞ！」
定「まだ御飯を食べてませんわ！　御飯、御飯、御飯！」
番「お前は犬か！　一遍ぐらい食べんでも、死なん！」
定「私らは、御飯を食べるのが楽しみで働いてます。御飯、御飯、御飯！」
番「あァ、煩いな。箱膳出して、早う食べなはれ。御飯よそて、味噌汁入れて。さァ食え、早う食え。さァ食え、早う食え！」
定「喧して、食べられんわ」
番「さァ食え、早う食え。さァ食え、早う食え！　さァ、食べたか？　食べたら片付けて、掃除して、布団が敷けたら、早う寝よぞ！」
定「あァ、急わしなァ！」
番「さァ、早う布団へ入れ。さァ寝え、早う寝え。コレ、どこへ行く。何ッ、オシッコ？　そんな物は明日せえ！　溜めるだけ溜めてした方が、気持ち良え。さァ寝え、早う寝え。コレ、寝たか？　寝たら、鼾《いびき》を掻《か》きなはれ」
久「わァ、鼾の催促や。（鼾を掻いて）ガァーッ！　これで、どうです？」
番「コレ、鼾の相場を聞くな。さァ、寝たか？」
久「（鼾を掻いて）ガァーッ！」

番「コレ、ほんまに寝たか？」
久「(鼾を掻いて) ガァーッ！」
番「コレ！」
久「(鼾を掻いて) ガァーッ！」
番「コレコレ！」
久「(小刻みに、鼾を掻いて) ガッガッ！」
番「コレ、鼾で返事するな。定吉へやった十銭は枕許へ置いてるよって、取り返したろ」
定「もし、何をしなはる！　気を付けて、お休みやす。今日は、ほんまに物騒な晩で」
番「おい、阿呆なことを言うな。さァ、早う寝なはれ！」
定「番頭はんが喧して、寝られんわ！」
番「わしが寝なんだら、皆が寝よらんか」

番頭も根負けして、隣りの部屋へ床を取って寝てしまうと、夜が更けてくる。

久「(鼾を掻いて) ガァーッ！」
杢「もし、久七っとん」

久「(鼾を掻いて) ガァーッ!」
杢「どうやら、久七っとんは寝てしもた。この間に一寸、お手水へ」
久「アノ、何です?」
杢「あァ、ビックリした! 起きてたら、返事しなはれ。ほな、まだ寝てないか?」
久「別嬪の女子衆が来たら、そう易々と寝られんわ」
杢「今日来た女子衆はほんまに別嬪や。葛籠屋《ぼて》の女子衆と、何方が別嬪やと思う?」
久「葛籠屋の女子衆と比べたら可哀相《かわいそう》や。葛籠屋の女子衆は、女子衆だてらに、紅や白粉をベタベタ塗りたくってるけど、此方は生地なり。粉が吹いたのが好きやったら、大福餅抱いて寝なはれ」
杢「コレ、阿呆なことを言うな」
久「そう言うと、日が暮れに面白いことがあった。漬物納屋へ行ったら、別嬪の女子衆が漬物石を持ち上げるのに難儀してる。私が持ってやったら、えらい喜んで。可愛らしい声で、『おおきに、憚《はばか》りさんどす』。京都の女子は、言葉を一遍押し付けるわ。『おおきに、憚りさんどす』と言うよって、『いンえ、滅相《めっそう》な!』」
杢「コレ、ケッタイな声を出すな」
久「女子衆が『卒爾ながら、お名前は?』『へェ、久七と申します』『久七とは、お懐かしい』『お宅には、久七という可愛い男はんが居りますか。ほな、私が何ぼ思てもあかんわ』『いえ、そんな男はんは居りません。こう見えても、私は所帯破りで。一遍、余所へ縁付いた身。死に別れた夫の名前が久七と申しますよって、お懐かしいと申しました』『ほな、これからも宜しゅうに』。私は漬物納屋へ入って行く、女子衆は出て行く。私と女子衆のお尻が、ボンボロボンと当たった。女子衆がキッと睨んで、『私のお尻がイッカイというて、お突きやへえでも宜しいやおへんか』。私の尻を、ポォーンと突く。『いえ、何も突いてしませんがな』『まァ、お突きやしたがな』『いえ、突いてしませんがな』『まァ、お突きやしたがな！』」

杢「私を突いて、布団から放り出すな！（クシャミをして）ヘックション！」

番「コレ、隣り。喧して、寝られん！」

久「あァ、番頭が目を覚ました。さァ、早う寝よか。ヘェ、おやすみ」

宵の内は話をしてても、昼の疲れで、グゥーッと寝てしまう。

一番初めに目を覚ましたのが、二番番頭の杢兵衛。

杢「（欠伸《あくび》をして）アァーッ！〔ハメモノ／銅鑼〕今、何時頃や？（見廻して）皆、寝てるわ。アレ、番頭も鼾を掻いて寝てる。あれだけ段取りして寝てしまうやなんて、阿呆や。誰も二階へ行ってないのやったら、わしが一番槍の功名を！」

ソォーッと寝床を抜け出すと、台所との取り合いの障子を、スゥーッ。〔ハメモノ／とっつるがん。三味線・大太鼓・篠笛・当たり鉦で演奏〕

二階へ上がる、梯子段。

杢「(梯子段を上がり、頭を打って）わッ、痛ッ！　毒性《どくしょう》（※酷《ひど》いこと）に頭を打った。ゴロゴロの戸を閉めて、鍵が掛けてある。どうやら、御寮人さんの仕業や。若い者が上がってくると思て、こんなことしてるわ。若い者同士は、好きなことさしてくれたらええのに。ここからやなかったら、二階へ上がれんこともないわ。台所へ廻って、膳棚を足掛かりにして、薪山《きやま》から上がったら、チャリ（※茶利。容易なこと）みたいな物や」

その頃、船場辺りの商家には薪山という、薪を仕舞う袋戸棚のような物があったそうで。薪山の下の方の戸と、壁伝いに上の方にも戸があり、薪山の中で、一階と二階が行け行けになってる。

当時の奉公人は箱膳で、薪山の隣りへ、箱膳を乗せるための膳棚という棚が吊ってあり、それを足場にして、薪山へ移ろと考えた。

考えは良うても、膳棚の支えの腕木が、長年の使用に耐え兼ね、折れる寸前。

ちゃんと確かめたら良かったのに、いきなり膳棚へ身体の重みを掛けた。

膳棚の腕木が折れ、そのまま左肩の上へ、ガラガッチャンガッチャン！

杢「(左肩で、膳棚を担いで) あァ、膳棚を担げてしもた！ 向こう側が引っ付いてるよって、下ろすにも下ろせん。朝まで、こんな恰好してるのは嫌や！」

膳棚を担げ、半泣きになってる。

二番目に目を覚ましたのが一番番頭で、「しもた、寝忘れた！」と、ソォーッと布団から出る。

同じように、ゴロゴロの戸で頭を打つと、「ここから行かんでも、台所へ廻って、膳棚を足場にして、薪山から」と、同じような勘定を付けよった。

暗闇の台所の腕木の折れてない方へ来たが、片方の腕木が折れてるだけに、膳棚へ手を掛けるか掛けんか内に、右肩の上へ、ガラガッチャンガッチャン！

番「(右肩で、膳棚を担いで) 一体、どうなった?」
杢「そのお声は、御番頭のようでございますな?」
番「おォ、杢兵衛どんか? すまんけど、手を貸して」
杢「それが中々、貸せませんわ。私は、此方側を担げてます」
番「ほな、二人で膳棚を担げてるか?」
杢「どうやら、そういうことで。それより、クネクネ動きなはんな。御番頭は背が高いよって、膳棚の物がズレて、此方ばっかり重となります。コトッと音がしたけど、醤油差しが倒れたのと違いますか? 醤油が流れてきたら騒動や。あァ、背中へ入った! ヤイトの皮が捲れてるよって、滲《し》みる、滲みる!」

膳棚を担げたまま、泣き出した。

三番目に目を覚ましたのが、三番番頭の久七。

前の二人と同じように、ゴロゴロの戸で頭を打ち、ここから行かんでもええと、台所へ廻ったが、久七は井戸の上へ上り、天窓の紐へブラ下がると、反動を付け、薪山へ駆け上がろうと、スパイダーマンみたいなことを考えた。

当時の商家には、天窓という明かり取りの窓があり、天窓は滑車で、昼間は空気の入替えで開け、紐も上がってるが、夜、天窓を閉めると、紐は下へ下がる。

この日は女子衆が来たてで、天窓を閉め忘れ、紐が上がったままになってた。

一寸確かめたら良かったのに、気が急いてるだけに、いきなり身体の重みを掛けると、天窓の紐が伸び、そのまま井戸の中へ、ズゥーッ！

杢「誰か、井戸へはまりました！」
久「(天窓の紐へ、ブラ下がって) ウゥーン！」〔ハメモノ／銅鑼〕
番「どうやら、久七が井戸へはまったらしい」
久「そこでお声がするのは、御番頭に杢兵衛どんで？　一寸、引き上げてもらいたい」
番「それが中々、上げてやれんわ。此方は、二人で膳棚を担げてる」
久「膳棚は、命に別状無い。それに引き替え、私は尻が水へ浸《つ》き掛かってるわ。あァ、助けてエーッ！」
寮「まァ、ガタガタ煩いこと。また、猫か鼠《ねずみ》が暴れてる。あんたは来たてでわからんよって、手燭《てしょく》を貸しなはれ」
番「あァ、灯りが見えてきた。どうやら、御寮人さんが来はったらしい」

杢「わァ、えらいことや！　膳棚を放って、逃げよか？」
久「もし、逃げたらあかん！　お宅らと違て、私は逃げられんわ。こうなったら、共に奈落へ連れ行かん！」
杢「コレ、阿呆なことを言いなはんな！　御番頭、どうします？」
番「寝た振りして、鼾を掻け。そうでもせなんだら、この場は誤魔化せん。（鼾を掻いて）ガァーッ！」
杢「（鼾を掻いて）ゴォーッ！」
久「（鼾を掻いて）ガァーッ！」
寮「井戸の中の天窓の紐が、ピィーンと張ってるわ。誰かが、天窓の紐へブラ下がってる。（井戸の中を覗いて）誰やと思たら、久七やないか！　そんな所で、何してなはる？」
久「ヘェ、井戸の深さを計ってます」
寮「コレ、何を言うてなはる。どうやら、行儀の悪いことを考えて。まァ、良え態《ざま》やこと。お店の人へ頼んで、上げてもろたげる。もし、お店の人！　まァ、お店総出やないか！コレ、番頭に杢兵衛。膳棚を担げて、鼾を掻いて、何してなはる？」
番「ヘェ、宿替えの夢を見ております」

解説「口入屋」

この落語は「口入屋」という演題ですが、噺の内容は古手屋（※古着屋）の騒動を描いた物語です。

古手屋と言えば、現在の大阪では、大阪地下鉄堺筋線・恵美須町駅近辺の五階百貨店（※大阪市浪速区日本橋四丁目の堺筋から、一つ西隣りの筋にある電気屋街）へ集まり、古着でありながら、上質で安価な物も多く、桂米朝師も「若い頃は、五階の古手屋で舞台着を買うた」と述べていました。

五階百貨店の名称の由来は、明治二十一年、大阪府西成郡今宮村へ眺望閣（※五階建てで、高さ三一メートル）が建設され、その周囲へ多数の露店が出来たため、当時の流行語だった百貨店と結び付け、五階百貨店と呼ぶようになったとのことです。

ここには古着屋ばかりではなく、トランクという店名のユニークなアンティークショップがあり、かなり珍品もあるだけに、近所を訪れた方はお立ち寄り下さいませ。

古手屋は昔の商売のように思いますが、令和の今日でも、全国各地のリサイクルショップが繁盛し、店舗の大半を古着で占めている店も少なくありません。

話が「口入屋」から逸れましたので、元へ戻しましょう。

なぜ、この落語を「古手屋」という演題にしなかったのかは不思議ですが、そんなことより、噺の内容の面白さが優先され、口入屋のシーンから始まることで、この演題が定着したと思われます。

この落語を初めて知ったのは、『桂米朝上方落語大全集』第六巻（東芝ＥＭＩ）ですが、高校時代、アルバイトや、民放の素人参加番組の賞金などで、二枚組のレコードを一巻ずつ購入していました。

最初に聞く時は、どのネタも胸がワクワクするのですが、「口入屋」だけは別で、一体、どんな商売かもわからないだけに、それほど面白いネタではないだろうと思い、今から思えば、不遜なことですが、寝転びながら聞いたのです。

しかし、噺が進むに連れ、昔の世界へグイグイ引き込まれ、いつの間にか、キチンと座り、ゲラゲラ笑っていましたが、レコードで落語を聞き、あのような状況になったことは、後にも先にも一度もありません。

口入屋とは、令和の今日で言えば、ハローワークの私設営業所になるでしょうし、「けいあん（※〔桂庵、慶安、慶庵〕という医者が、縁談や奉公の紹介や世話をしたことが語源という説あり）」とも言われていたそうです。

この落語へ出てくる言葉や品物は、わからないこと尽くしで、いちいち説明すると、理屈っぽくなったり、観客の頭の中が混乱するため、私の場合、理解不能な言葉や、歌舞伎のパロディのギャグなどは抜くことにしました。

このネタのポイントになる言葉や品物について、少しだけ述べておきましょう。

口入屋から丁稚が女子衆を連れ帰り、旦那や御寮人さん（※ごりょうさんや、ごりょんさんと呼ぶ、主人の家内や若夫人のこと）へ挨拶することを「目見得」と述べていますが、これを大阪では「メーメー」「メーミエ」と訛り、お目に懸かるという意味です。

膳棚は奉公人の箱膳や椀などを収納する大きな戸棚で、台所の壁面に腕木で支えられており、箱膳は被せ蓋《ぶた》の粗末な塗りの四角な箱で、中へ食器を入れ、食事の時は蓋を裏返して乗せ、食事が終わると、自分で食器を洗い、蓋をして、膳棚へ仕舞うことになっていました。

説明を要することばかりですから、これぐらいで止めておきましょう。

上方落語では、二代目林家正楽（三代目林家正三）が得意としたそうで、その系統の六代目林家正楽から娘婿の五代目笑福亭松鶴へ伝わり、現在に至ったと思われます。

東京落語では「引越しの夢」という演題になり、上方落語から移植したという説もありますが、江戸でも天保年間に上演されていたそうですから、一概には言い切れません。

第二次世界大戦後は、五明楼国輔に習った六代目三遊亭圓生師が得意としましたが、東京落語の場合、女中が台所の中二階で寝ている所へ猿梯子が取り付けてあり、簡単に移動や取り外しが出来るという設定になりました。

また、昔の流しは一段低く、路面に近い高さの所にあり、台所の隣りが、すぐに蔵。

その間に仕切りはなく、蔵の腰巻（※蔵の下部を取り巻く、黒い部分のこと）の上の漆喰《しっくい》へ大きな折れ釘が出ており、非常の時、蔵の腰巻から折れ釘を頼りに上ることになっています。

いずれにしても、この落語の場面設定は複雑ですが、それだけに観客が理解すれば、より深い世界が得られるでしょう。

原話は、安楽庵策伝がまとめた『醒睡笑〔廃忘〕四』巻之七（元和九年）へ掲載されているので、紹介しておきます。

＊＊＊＊＊

小者のみめよきが、奉公せんとて来れり。
坊主心をよせ、常になれし若衆のねいるをうかかひ、忍びて起《おき》出る。
少人聞つけ、跡よりそと行。
坊主足音に肝をつぶし、壁に大手をひろげ、足をまたげゐたり。
若衆見て、「何事にや」と問ふ。
「蜘のまねしてあそぶ」と。

＊＊＊＊＊

私にとって、この落語ほど有利に感じたネタはありませんでした。

なぜなら、この落語の舞台になっている古手屋の店と同じ構造の家が、私が生まれ育った村にあったからです。

「この噺へ出てくる家の様子がわかりにくく、説明がしにくい」と述べている噺家が大半ですが、いつも私は頭の中で、その家の様子を想像しながら演れたのですから、こんな有利なことはありません。

私が生まれ育った三重県松阪市の山間部の村で、一番広い田んぼを所有し、昔は庄屋だった家の息子が一歳年上で、幼い頃は毎日のように遊び、その家で大騒ぎをするのが常でした。

台所に井戸があり、壁には膳棚が吊ってあり、その横へ袋戸棚が設置されていたのです。

それは薪山で、その中へ折り畳んだ布団が積み上げられていましたが、薪を使うことが少なくなったため、古い布団の収納庫にしていたのでしょう。

これを薪山と言い切れるのは、一階と二階が袋戸棚でつながっており、二階から子どもたちが布団の上へ飛び下りて遊んでいたからです。

二階へ上がる階段も、天井のような戸があり、横へ引くと、ゴロゴロと音をさせて開くだけに、無意識のうちに、幼い頃からゴロゴロの戸も体験していました。

地方出身者は上方落語を演じるとき、不利なことが多いのですが、このネタだけは、後半になるに連れ、有利なことの連発になったのです。

東京落語の「引越しの夢」も洒落た構成で面白いとは思いますが、上方落語の「口入屋」の方が、奉公人の料簡や鬱憤《うっぷん》、商家の夜の雰囲気が濃厚に出ているでしょう。

何と言っても、目見得に来た女子衆の器用なことは、目を見張ります。

あれだけの心得があれば、商家の女子衆になる必要がないように思いますし、「それだけの芸や心得を身に付ける暇が、どこにあった?」と聞きたい所ですが、そこは落語の世界のユニークさと言えましょう。

「長い台詞を覚えるのも大変で、一気に言うのは難しいでしょう」と聞かれることも多く、確かに仰る通りですが、少しずつ覚えていけば、台詞は腹へ入りますし、次から次へ語る台詞は、そんなに早くしゃべる訳ではありません。

「大工裁き」(※東京落語の「大工調べ」)でも、棟梁が啖呵《たんか》を切る時、早く語るのを自慢している者もいますが、それは賢明ではないのです。

「落語は早口大会ではないので、ゆっくり語りながら、早口に聞かせるのが芸」と、師匠や先輩から教わりました。

これは芸の根本であり、噺家であれば、心得なければならないことだと思います。

夜中に寝床で奉公人同士が、ヒソヒソ声でしゃべるのは、そこそこの声を出しながら、ヒソヒソ声に聞こえるようにしなければなりません。

大きな声を出しているようでも、そんなに大きな声ではないことにもつながります。

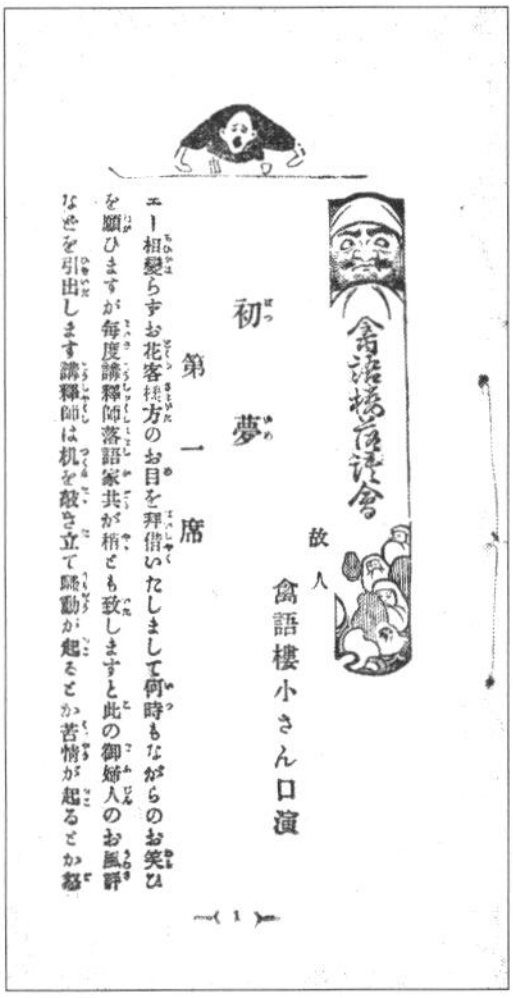

禽語樓落語會

故人

禽語樓小さん口演

初《はつ》夢《ゆめ》

第一席

エー相變《あひかは》らずお花客様方《おとくいさまがた》のお目《め》を拜借《はいしやく》いたしまして何時《いつ》もながらのお笑ひを願《ねが》ひますが毎度講釈師落語家共が柄とも致しますと此の御婦人《ごふじん》のお風評なぞを引出《ひきいだ》します講釈師《こうしやくし》は机を敲き立て騒動が起るとか苦情が起るとか都

―(1)―

『禽語樓落語會』（三芳屋書店・松陽堂書店、明治40年）の表紙と速記。

これが出来るかどうかが噺家の腕であり、巧拙が表れる技術の一つと言えるでしょう。

速記本としては、戦前にも数多く掲載され、『禽語樓落語會』（三芳屋書店・松陽堂書店、明治四十年）、『滑稽落語おへその逆立ち』（一書堂書店、大正六年）、『滑稽親玉落語名人揃』（上方屋書店・金正堂書店、大正九年）、『滑稽落語おなかの散財』（上方屋書店・金正堂書店、大正十一年）、『柳家三人集』（三芳屋書店、大正十四年）、『落語全集』（大文舘書店、昭和七年）、『名作落語全集／頓智頓才編』（騒人社書局、昭和四年）があります。

古い雑誌は『百花園』一一六、一一七号（金蘭社、明治二十七年）、『はなし』卯月之巻（田中書店、明治四十一年）、『大福帳』第二巻第八号邯鄲号（文芸社、明治四十四

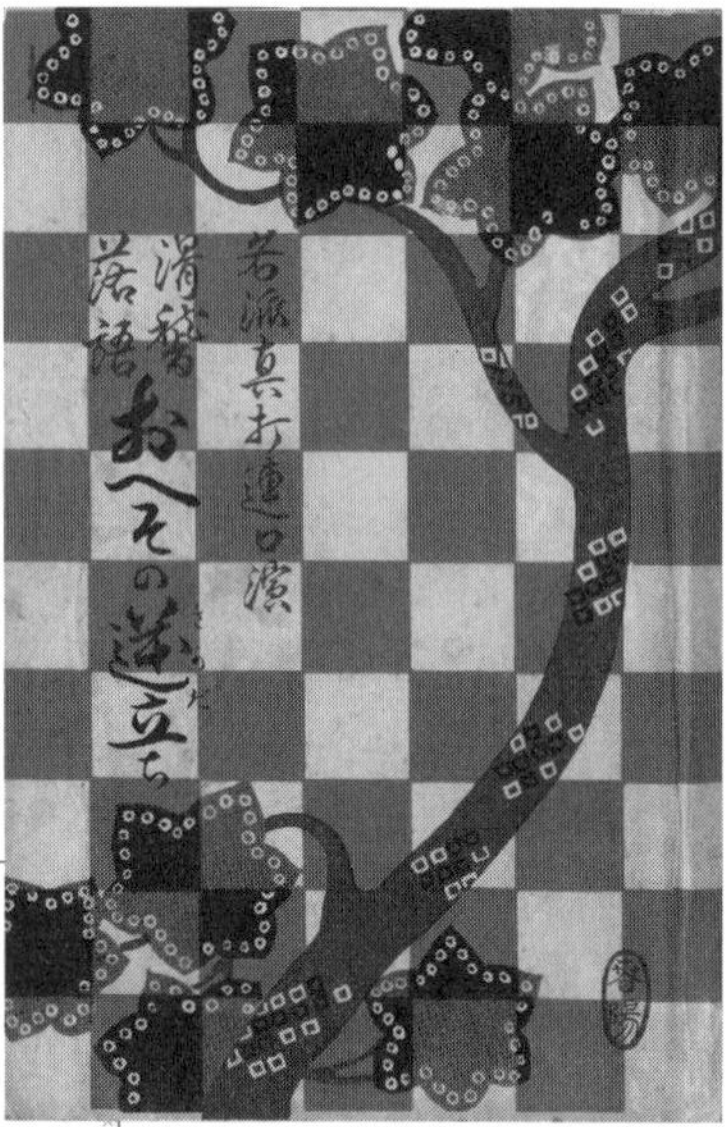

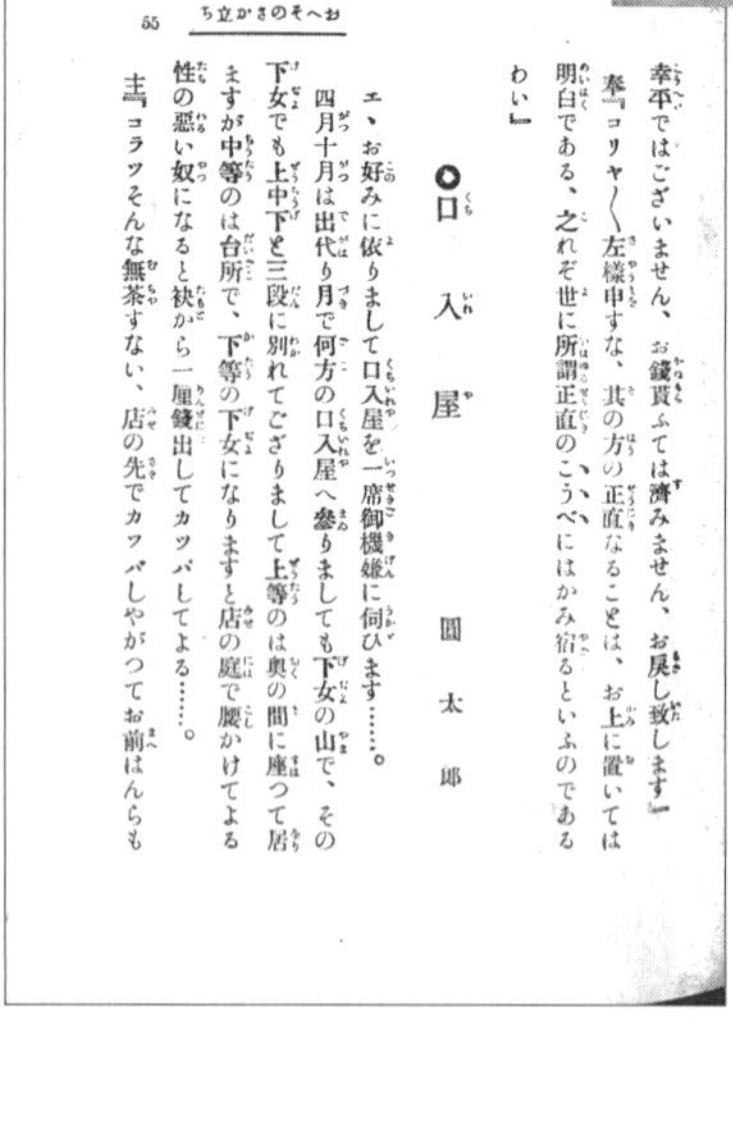

おへそのさかだち　55

幸平《こうへい》ではございません、お鐵貫《かねもら》ふては濟《す》みません、お戻《もど》し致《いた》します』

奉『コリヤ〳〵左樣申《さやうまう》すな、其《そ》の方《はう》の正直《せうぢき》なることは、お上《かみ》に還《お》いては明白《めいはく》である、之《こ》れぞ世《よ》に所謂正直《いはゆるせうぢき》のこうべにはかみ宿《やど》るといふのであるわい』

○口《くち》入《いれ》屋《や》　圓太郎

エ、お好《この》みに依《よ》りまして口入屋《くちいれや》を一席御機嫌《いつせきごきげん》に伺《うかゞ》ひます……。

四月《がつ》十月《がつ》は出代《でがは》り月《づき》で何方《かた》の口入屋《くちいれや》へ參《まゐ》りましても下女《げぢよ》の山《やま》で、その下女《げぢよ》でも上中下《じやうちうげ》と三段《だん》に別《わか》れてございまして上等《じやうとう》のは奥《おく》の間《ま》に座《すは》つて居《をり》ますが中等《ちうとう》のは台所《だいどこ》で、下等《かとう》の下女《げぢよ》になりますと店《みせ》の庭《には》で腰《こし》かけてよる性《たち》の惡《わる》い奴《やつ》になると袂《たもと》から一厘錢《りんぜに》出してカツパしてよる……。

主『コラツそんな無茶《むちや》すない、店《みせ》の先《さき》でカツパしやがつてお前《まへ》はんらも

『滑稽落語おへその逆立ち』（一書堂書店、大正６年）の表紙と速記。

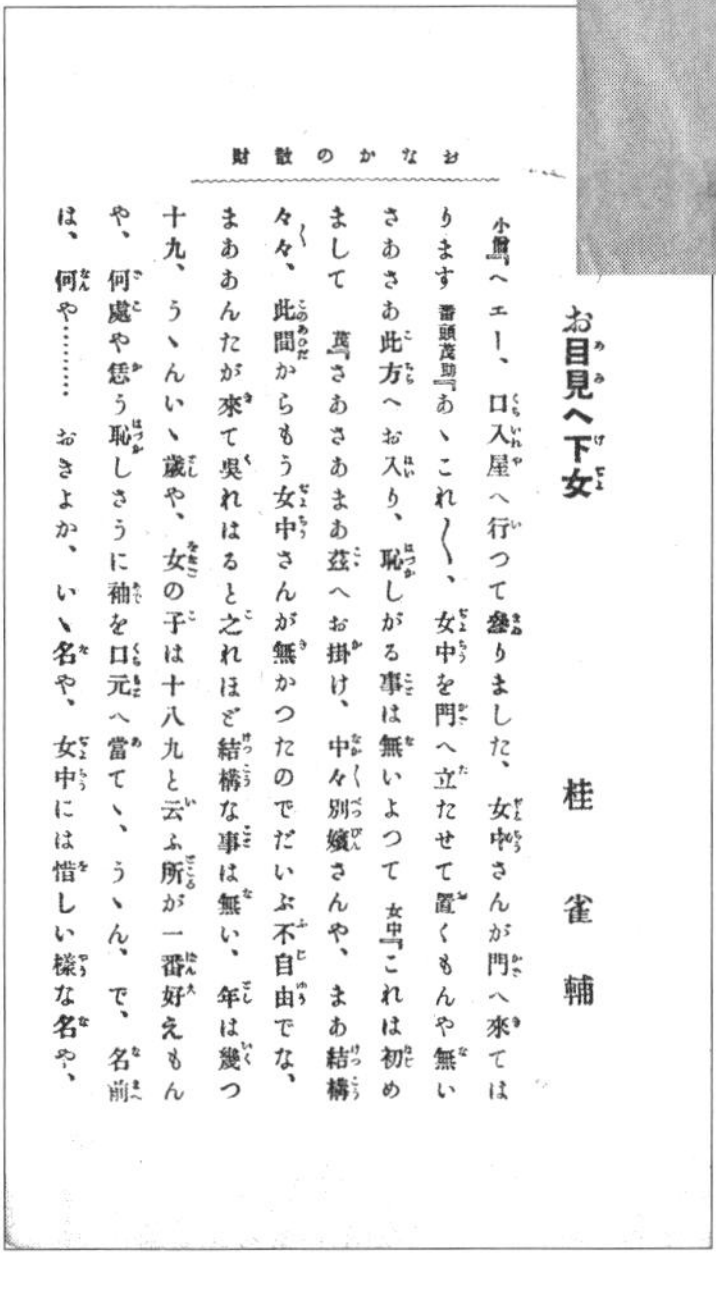

おなかの散財

お目見《めみ》へ下女《げじよ》　　桂雀輔

小僧『ヘエー、口入屋《くちいれや》へ行《い》つて參《まゐ》りました、女中《ぢよちう》さんが門《かど》へ來《き》てはります 番頭茂助『あ丶これ〳〵、女中《ぢよちう》を門《かど》へ立《た》たせて置《お》くもんや無《な》いさあさあ此方《こちら》へお入《はい》り、恥《はづか》しがる事《こと》は無《な》いよつて 女中『これは初《はじ》めまして 茂『さあさあまあ玆《こゝ》へお掛《か》け、中々《なか〳〵》別嬪《べつぴん》さんや、まあ結構《けつこう》〳〵、此間《このあひだ》からもう女中《ぢよちう》さんが無《な》かつたのでだいぶ不自由《ふじゆう》でな、まああんたが來《き》て呉《く》れはると之《こ》れほど結構《けつこう》な事《こと》は無《な》い、年《とし》は幾《いく》つ十九、う丶んい丶歳《さい》や、女《をなご》の子《こ》は十八九と云《い》ふ所《ところ》が一番好えもんや、何處《どこ》や恁《か》う恥《はづか》しさうに袖《そで》を口元《くちもと》へ當《あ》て丶、う丶ん、で、名前《なまへ》は、何《なん》や……… おきよか、い丶名《な》や、女中《ぢよちう》には惜《を》しい樣《やう》な名《な》や、

『滑稽落語おなかの散財』（上方屋書店・金正堂書店、大正11年）の表紙と速記。

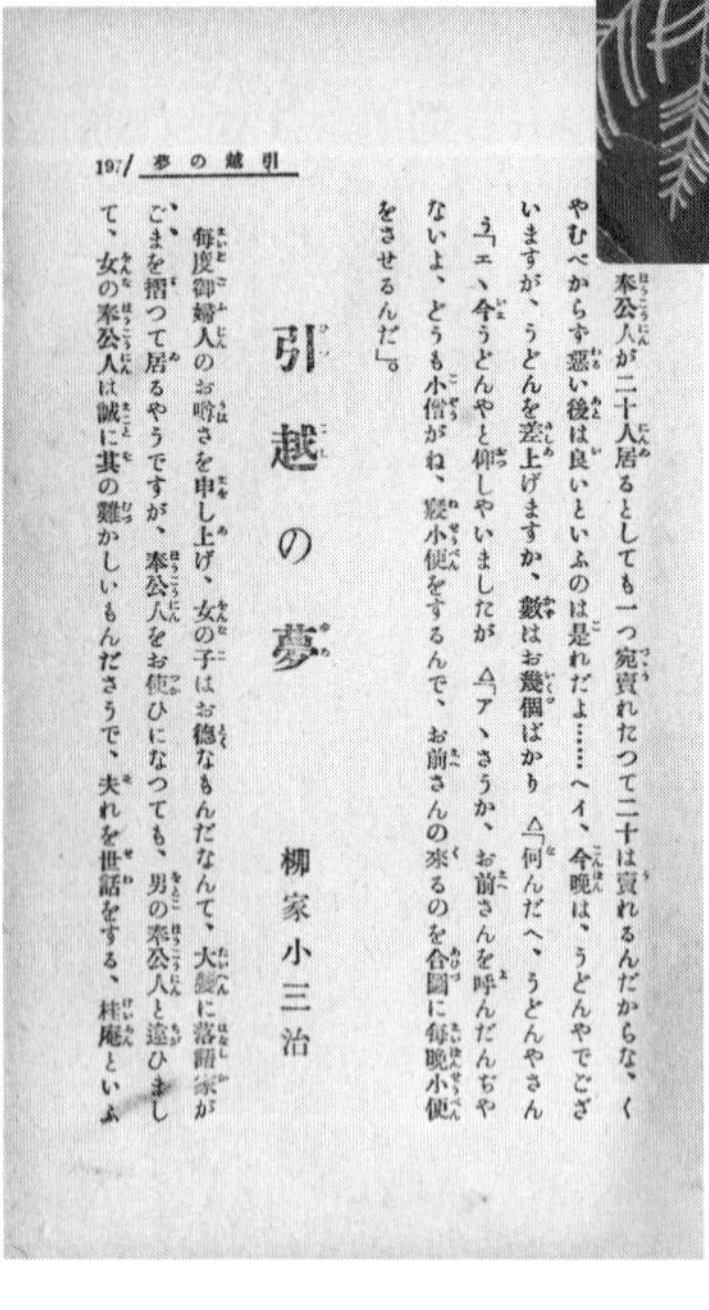

197/ 引越の夢

奉公人《ほうこうにん》が二十人《にん》居るとしても一つ宛《づゝ》賣れたつて二十は賣《う》れるんだからな、くやむべからず惡《わる》い後《あと》は良《い》いといふのは是《こ》れだよ……ヘイ、今晩《こんばん》は、うどんやでございますが、うどんを差上《さしあ》げますか、數《かず》はお幾個《いくつ》ばかり △「何《な》んだへ、うどんやさんう「エヽ今《いま》うどんやと仰《おつ》しやいましたが △「アヽさうか、お前《まへ》さんを呼《よ》んだんぢやないよ、どうも小僧《こぞう》がね、寝小便《ねせうべん》をするんで、お前《まへ》さんの來《く》るのを合圖《あひづ》に毎晩《まいばん》小便をさせるんだ」。

引《ひ》越《こし》の夢《ゆめ》

柳家小三治

毎度《まいど》御婦人《ごふじん》のお噂《うはさ》を申《まを》し上《あ》げ、女《をんな》の子《こ》はお徳《とく》なもんだなんて、大變《たいへん》に落語家《はなしか》がごまを摺《す》つて居《ゐ》るやうですが、奉公人《ほうこうにん》をお使《つか》ひになつても、男《をとこ》の奉公人《ほうこうにん》と違《ちが》ひまして、女《をんな》の奉公人《ほうこうにん》は誠《まこと》に其《そ》の難《むつ》かしいもんださうで、夫《そ》れを世話《せわ》をする、桂庵《けいあん》といふ

『柳家三人集』（三芳屋書店、大正14年）の表紙と速記。

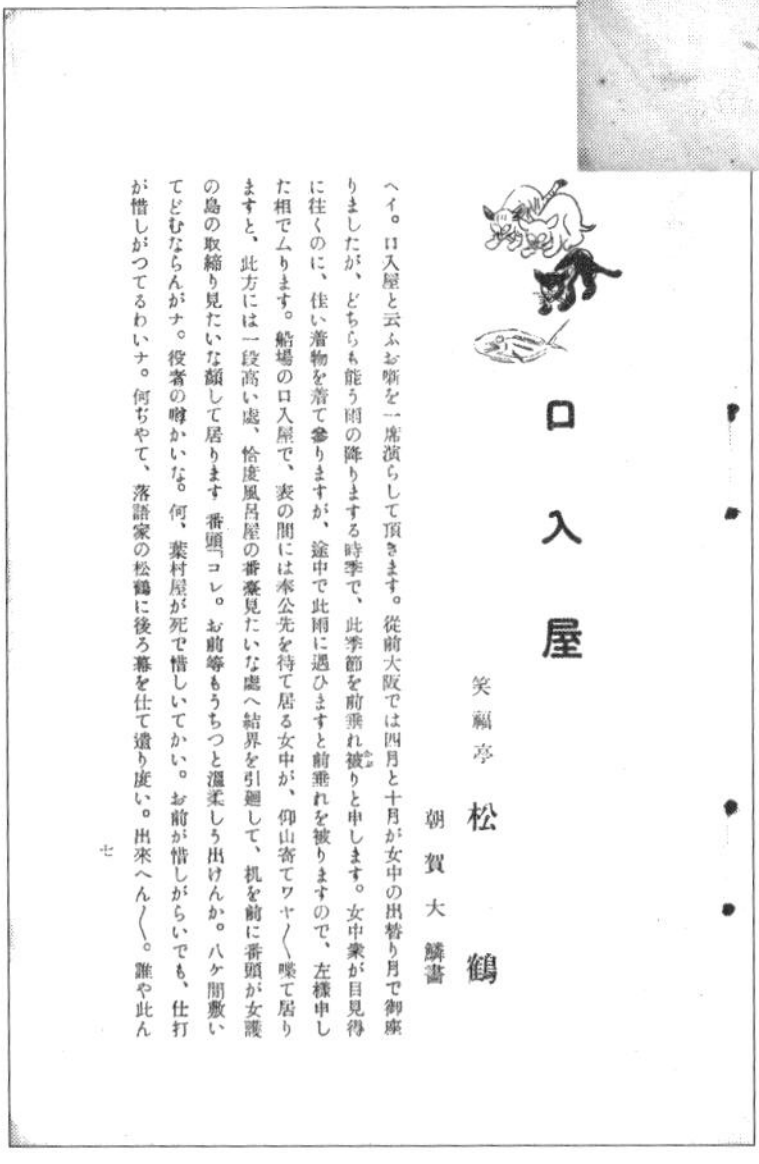

口入屋

笑福亭　松鶴

朝賀大鱗書

ヘイ。口入屋と云ふお噺を一席演らして頂きます。從前大阪では四月と十月が女中の出替り月で御座りましたが、どちらも能う雨の降りまする時季で、此季節を前垂れ被りと申します。女中衆が目見得に往くのに、佳い着物を着て參りますが、途中で此雨に遇ひますと前垂れを被りますので、左樣申した相でムります。船場の口入屋で、表の間には奉公先を待て居る女中が、仰山寄てワヤ〳〵喋て居りますと、此方には一段高い處、恰度風呂屋の番臺見たいな處へ結界を引廻して、机を前に番頭が女護の島の取締り見たいな顔して居ります番頭「コレ。お前等もうちつと溫柔しう出けんか。八ケ間敷いてどむならんがナ。役者の噂かいな。何、薬村屋が死で惜しいてかい。お前が惜しがらいでも、仕打が惜しがつてるわいナ。何ぢやて、落語家の松鶴に後ろ幕を仕て遣り度い。出來へん〳〵。誰や此ん

七

『上方はなし』第18集（樂語荘、昭和12年10月）の表紙と速記。

年）、『上方はなし』第一八集（樂語荘、昭和十二年十月）へ掲載されました。

また、ＳＰレコードには二代目笑福亭枝鶴（五代目笑福亭松鶴）・初代桂春團治・昔々亭桃太郎が吹き込み、ＬＰレコード・カセットテープ・ＣＤは六代目三遊亭圓生・九代目桂文治・三代目桂米朝・五代目桂文枝・三代目古今亭志ん朝・二代目桂枝雀・桂三枝（六代桂文枝）などの各師の録音で発売されています。

佐野山

さのやま

谷「そこで泣いとるのは、誰じゃ？　佐野山関、何を泣いてなさる？」
佐「（涙を拭いて）あァ、谷風関。情け無い姿を見せて、相済まんことで」
谷「相撲取りが泣くのは、良え姿やない。どんな辛い修業も笑て過ごすのが、相撲取りの値打ちじゃ。良かったら、泣いとる訳を聞かしてもらえんか」
佐「ほな、泣き言を聞いてもらいます。毎年、お江戸の相撲を呼んで興行を打つが、お江戸の相撲は強い。今度の場所も、谷風関と小野川関の噂で持ち切り。明日の千秋楽を残して、わしが勝った日は一日も無い。最前も若い衆が『佐野山関は、いつまで相撲を取る気じゃ。佐野山関の綽名《あだな》は、〝出ると負け〟と言うらしい』という話を聞いて、情け無うなった。相撲は好きじゃが、親方や御贔屓衆《ごひいきしゅう》に面目無い。千秋楽を務めて、土俵を下ります。散り際に一花咲かしたいが、そうもならん。情け無うて、泣いとります」

谷「相撲取りは、初土俵から土俵を下りる時のことを思う。遅かれ早かれ、その日は来る。〝出ると負け〟とは酷いことを言うが、物は思いようじゃ。〝取れば怪我〟や、〝腕が折れ〟より、マシじゃ」
佐「コレ、ケッタイな気休めは言わんでもらいたい」
谷「まァ、気を落とさんように。わしも支度に掛かりますで、気を付けて帰りなされ。あんな良え人が土俵を下りんならんとは、気の毒じゃ」
親「コレ、谷風」
谷「あァ、親方」
親「今日も、しっかり取れ。明日の千秋楽結びの一番は、負け知らずの小野川へ一泡噴かして、お江戸へ帰るのじゃ」
谷「はい、わかっとります。ところで、大坂相撲の佐野山関じゃが」
親「あァ、〝出ると負け〟か」
谷「親方も、そう呼んでなさる。佐野山関は、どんな人じゃ？」
親「あれは良え人間じゃが、相撲は弱い。前は強かったが、一遍に弱なったわ。六年前に嫁をもろて、五年で十人の子どもが生まれた」
谷「何じゃ、勘定が合わんな」

親「五年続けて、双子が生まれた。親が寝た切りになって、嫁と子どもを食わすには、派手な振舞いは出来ん。御贔屓へ祝儀をせびることも無く、己の食い扶持《ぶち》を減らした。相撲取りは、呑めば呑み力、食えば食い力。食う物を食わなんだら、相撲も強ならん。近い内に、土俵を下りるじゃろ。コレ、谷風！　土下座して、何じゃ？」
谷「この後は無理を申しませんで、わしの頼みを聞いてもらいたい。明日の千秋楽結びの一番は、佐野山関と取らしてもらう訳にはいかんか？」
親「今、何を言うた？　千秋楽結びの一番は、負け知らずの小野川と取ることに決まっとる。いや、ならん！　天下の横綱と、〝出ると負け〟が取ったら、お客が承知せんわ」
谷「あァ、そんなら諦めます。その代わり、小野川関とも取らん！　荷物纏《まと》めて、お江戸へ帰ります。大恩ある親方へ逆ろて申し訳ごんせんが、こればかりは引く訳にいかん。この後は無理は言わんで、佐野山関と取らして下んせ！」
親「コレ、土下座するな！　よし、わかった！　皆の文句は、わしが引き受ける。佐野山と取らさんと言うたら、わしも一緒に荷物纏めて、江戸へ帰ったらええ。お前の腹は、最前から読めとる。心・技・体が揃てこそ、真の横綱じゃ。技と身体は申し分なかったが、心根も立派な横綱になった。明日は、佐野山へ良え土産《みやげ》を持たしてやれ。唯、態《わざ》と負ける相撲は取るな。コレ、誰か居るか？　明日の結びの一番の前触れは、谷風に佐野山と言うてくれ。万事引き受けたで、しっかり今日の相撲を取るのじゃ！」
○「おい、弁当を食べてる場合やないわ。いよいよ、明日の前触れや。『千秋楽結びの一番、谷風に小野川』は聞かんでもわかってるけど、前触れを聞いて盛り上がりたい。何ッ、『千秋楽結びの一番、谷風に佐野山！』。目を白黒さして、どうした？　ビックリして、弁当の牛蒡《ごんぼ》を喉へ詰めたか。天下の横綱と、〝出ると負け〟とはケッタイや。此方に居る人は腕組みして頷《うなず》いてるけど、こうなった訳を知ってるらしい」
甲「一寸だけ知ってるけど、お宅らに言うてもわからん」
○「ケチなことを言わんと教えて」
甲「ほな、教えたる。あァ、遺恨相撲や。こないだ、谷風は嫁をもろた。柳橋で一番の芸妓で、一刻《いっとき》も離れとない。大坂まで随いてきたけど、谷風は御贔屓へ顔出しや稽古で、相手してもらえん。面白無いと思てると、一寸した用事で、佐野山が谷風の所へ来た」
○「一体、どんな用事？」
甲「いや、お宅らに言うてもわからん。谷風の嫁が涙を零してる所へ、佐野山が顔を出した。佐野山は相撲は弱いけど、苦み走った良え男。谷風は相撲は強いけど、大福餅を下駄で踏んで、蹴飛ばしたような顔や。佐野山を見るなり、クラクラッと目眩《めまい》がしたよって、佐野山が『姐《ねえ》さん、大丈夫でごんすか？』と抱き起こす。元は柳橋で一番の芸妓だけに、良え仲になってしもたけど、あることが元で、谷風へ知れてしもた」
○「一体、どんなことで？」
甲「いや、お宅らに言うてもわからん。嫁は離縁したけど、腹の虫が納まらんわ。『土俵の上やったら、佐野山を叩き殺しても罪にならん。千秋楽結びの一番で溜飲下げて、江戸へ帰ろか』という訳で、こんな取組みになった」
○「それは、ほんまの話？」
甲「まァ、そんなことやないかと思う」
○「コレ、何を言うてる。最前から、手に汗握って聞いてた。そやけど、小野川より佐野山と相撲を取る方が面白いかも知れん。佐野山は大坂相撲やよって、明日は佐野山の贔屓をしょう。佐野山が谷風の身体へ触ったら、祝儀を一両出す」
乙「〝出ると負け〟でも、触るぐらい触れるわ」
○「いや、考えが甘い。バァーンと谷風の張手を食らうと、ビューンと飛んで行く。大分前、八角政右衛門が張手を食ろて、八角の顔が三角になったぐらいや」
乙「前ミツ取ったら、三両出すわ」
●「モロ差しになったら、五両出す」
△「土俵の隅まで押して行ったら、十両！」

☆「谷風に勝ったら、二十両！」

勝つ訳が無いと思てるだけに、勝手なことを言うてる。

旦「コレ、関。明日の千秋楽結びの一番に、谷風と取るそうな」
佐「どんな塩梅で、そんなことになったかはわからんが、わしは喜んどります。天下の横綱と千秋楽結びの一番で相撲が取れるとは、こんな有難いことはごんせん」
旦「長年の贔屓として、『ほな、しっかり取れ！』と言いたいけど、しっかり取ったらあかん。相手は天下の横綱で、相撲が強い。それに引き替え、関は弱いわ。まともに相撲取ったら、関の命が無い。嫁と子どもと、寝た切りの親のことを忘れなはんな。関の命が大事やよって、しっかり相撲取ったらあかん。唯、一遍だけ言いたいことがある。必ず、これは聞き流しなはれ。谷風に勝ったら、百両やる！　今、言うたことは忘れてや。あァ、気持ち良かった！　すまんけど、もう一遍だけ言わして。谷風に勝ったら、百両やる！　必ず、忘れなはれ。負けると思たら、土俵を割るのじゃ。危ないと思たら、引っ繰り返るように。気を付けて、しっかり負けなはれ！」

誠に、ケッタイな励ましで。

ガラリ夜が明け、朝の早い内から、一番太鼓を「天下太平・国家安穏・五穀豊穣」と打ち出すと、大勢の人が良え場所で見たいと詰め掛け、場内は立錐《りっすい》の余地も無い。

相撲番数取り進み、千秋楽結びの一番、呼出し奴《やっこ》が土俵の上で、パラリ扇子を開く。

呼「東、谷風、谷ィー風！　西、佐野山、佐野ォー山！」
○「佐野山ァーッ！」
×「谷風ェーッ！」
喜「谷山アーッ！」
○「谷山とは、誰や？」
喜「何方も贔屓してるよって、しこ名を足して」
○「コレ、ケッタイなことを言いなはんな。おい、佐野山ァーッ！　谷風に触ったら、一両やるぞォーッ！」
乙「前ミツ取ったら、三両じゃーい！」
●「モロ差しで、五両ォーッ！」
△「土俵の隅まで押して行ったら、十両やぞォーッ！」

☆「勝ったら、二十両じゃーァ！」
谷「この相撲は祝儀が付いとるか。佐野山関、稼いで帰りなされ」
佐「谷風関、有難うごんす。良え引き際を拵えてもろて、涙が零れますわ」
○「谷風は笑てるけど、佐野山は泣いてる。佐野山ァーッ、頑張れェーッ！　コラ、谷風のアホンダラァーッ！」
谷「昨日まで『谷風、神様』と言うてくれた御方が、今日は佐野山関の贔屓になって、わしをボロカス言いなさる。あァ、有難い！」
×「もし、あんたを谷風が睨み付けた。『コラ、谷風のアホンダラ！』と言うたのが聞こえたよって、『おい、裏で待っとけ！』という目付きや」
○「もし、谷風さァーん！『コラ、アホンダラ！』と言うたのは、隣りの人です」
×「コレ、嘘を吐きなはれ！」
佐「もし、谷風関。引き際に、良え花を咲かしてもらいます」
谷「負けてやらんが、回しまでは取らすよって、祝儀が集まるじゃろ。相撲を止めた後、皆を大事にしてやりなされ」
行「見合って、見合って！」
佐「(立ち上がって）よいしょーッ！」

△「あッ、佐野山が谷風へ触った！　確か、あんたは『谷風に触ったら、一両やる！』と言うてたな？」
○「いや、お宅の空耳や」
△「コレ、何を言うてる！　佐野山へ、ちゃんと祝儀出しなはれ」
谷「後ろ回しを取る前に、前ミツを取れ！　あァ、不細工な。(佐野山の手を取り、前ミツを持たせて)前ミツは、ここじゃ！」
△「おォ、佐野山が谷風の前ミツを取った！　確か、あんたは『前ミツ取ったら、三両やる』と言うてたな？」
乙「いや、それは夢や」
△「コレ、ええ加減なことを言いなはんな！　佐野山へ、ちゃんと祝儀出しなはれ」
谷「モロ差しになったら五両で、わしが後ろへ下がって、グイグイ押したら十両！」
佐「いや、もうあかん！　何も食べてないよって、腹へ力が入らん」
谷「コレ、情け無いことを言うな！　腰砕けになるよって、腹の上へ乗せて、後ろへ下がったら、佐野山関が押してるように見えるじゃろ」
○「佐野山が、グイグイ押して行きますわ。そのまま、寄り切れェーッ！」
谷「さァ、グイッと押しなされ。そこを、うっちゃるで。もっと、しっかり押せ！」

佐「（押して）よいしょーッ！」
行「（軍配を上げて）佐野山ァーッ！」
旦「コレ、関。横綱に勝った時、わしは目を疑《うたご》た」
佐「いや、何が何やらわからん内に勝ってしまいまして」
旦「『横綱に勝って、おめでとう』と言いたいけど、百両を工面せなあかん。いや、気にしなはんな。あァ、嬉しい悩みが増えただけじゃ」
谷「佐野山関と、御贔屓の旦那。誠に、おめでとうごんす！」
旦「あァ、谷風関！　横綱と相撲取ったら勝てんのは、素人でもわかります。情け相撲で、横綱の顔へ泥を塗りました。佐野山の贔屓として、頭を下げます」
谷「どうぞ、お手をお上げ下さいませ。確かに半ばまで情け相撲を取りましたが、負けるつもりは無かった。モロ差しまで取らして、土俵際でうっちゃろと思たが、わしが要らんことを言うたのが悪かったわ。『もっと、しっかり押せ！』と言うたが、あんな力が残っとるとは思わなんだ。気が付いたら、土俵から足が出とりました。あの相撲は、佐野山関の立派な勝ちでごんす。どうぞ、佐野山関を褒めてやって下んせ。また、修業のやり直しじゃ。気が付いたら、土俵から足が出とったとは、誠に面目無い」
旦「横綱が一寸足を出したぐらい、大したことない。私なんか、百両も足が出ましたわ」

解説「佐野山」

令和の今日でも、相撲の八百長問題が週刊誌を賑わせることがあり、勝ち星を金で買ったとか、中盆《なかぼん》（※八百長相撲の仲介・工作人のこと）は誰がしたとか、さまざまな問題があるようです。八百長相撲も、講談・浪曲・落語では美談として扱われることが多く、その一つが「佐野山」であり、学生時代にラジオで十代目金原亭馬生師の録音を聞いた覚えがあります。

講釈の「寛政力士伝／谷風の情け相撲」を落語へ仕立て直し、東京落語で演じられる場合が多いのですが、上方落語では浪曲の広沢瓢右衛門師から桂南光兄へ伝えられました。

「寛政力士伝」は、寛政年間に活躍した力士を集めた講釈であり、その頃に佐野山という力士は存在したそうですが、弱くもなく、貧しくもなかったそうです。

また、『落語事典』（青蛙房、昭和四十四年）の解説では、「講談から転じたはなし。谷風梶之助は、寛政元年に小野川とともに横綱を許された力士だが、江戸の本場所で佐野山という力士と対戦したことはなく、もちろん負けたこともない。第一谷風の現役時代に佐野山という力士が番付面に居なかったのだから、まったくのつくり話である」とも記されました。

「寛政力士伝」では、横綱の谷風は相撲が強い上、情け深い人格者となっており、落語の「佐野山」も谷風の男気を表したネタのように言われていたことから、昔の速記本を土台にして、

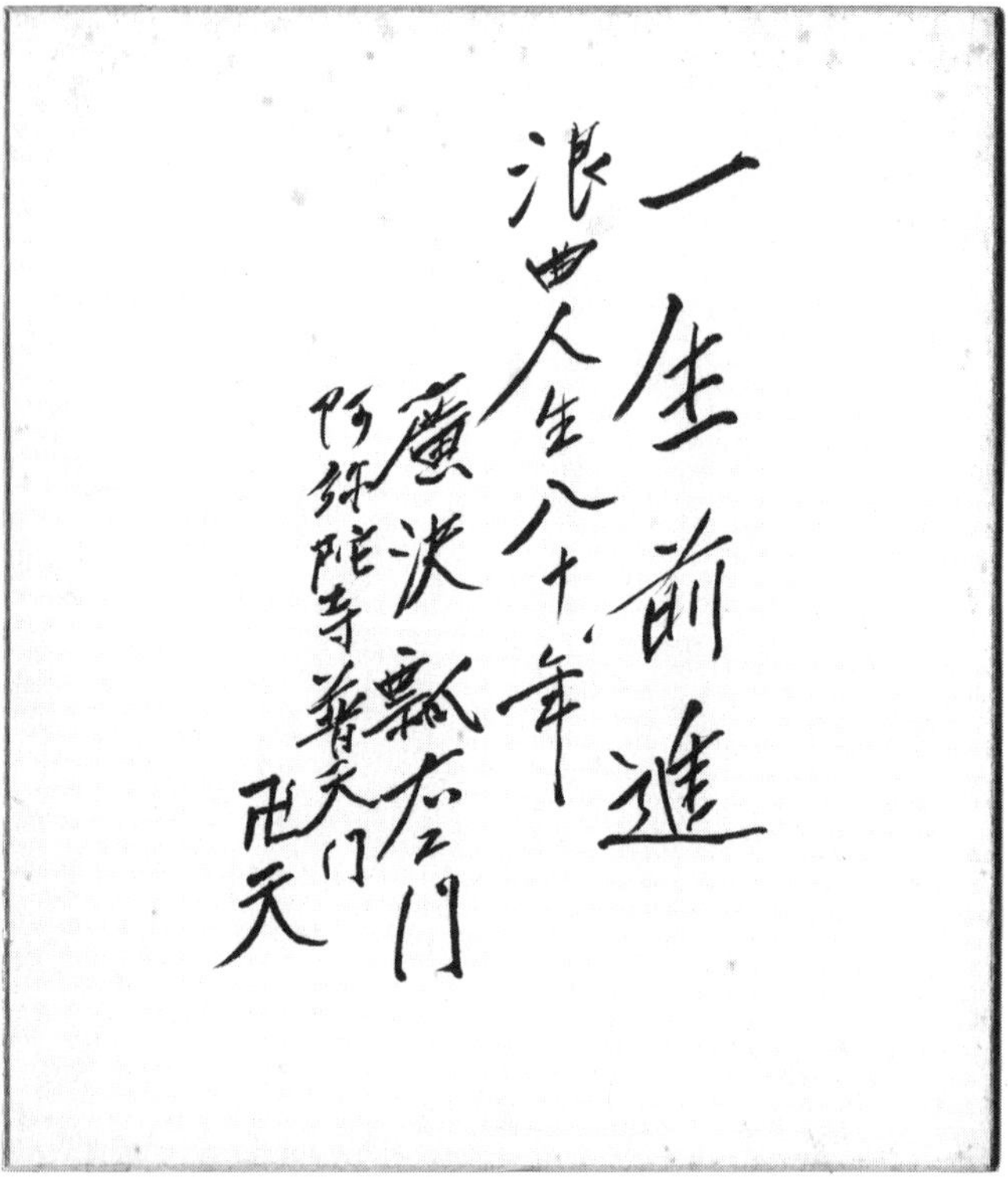

広沢瓢右衛門の色紙。

演じてみる気になったのです。

谷風の情け相撲とは言え、わざと天下の横綱が負けてやると、谷風の値打ちが下がりますし、そのようなことで勝った佐野山も情けなく思うだけに、相撲の途中までは佐野山へ賞金を稼がせてやり、最後は負けないはずの谷風が、佐野山の底力で完敗することにし、講談から転用したネタに多い説明の部分を減らし、会話で進める構成にしました。

佐野山の贔屓の旦那と、相撲場の観客を多少滑稽にしたのは、谷風と佐野山を滑稽に描き過ぎない方が良いと考えた訳で、出来る限り、ピエロ役は脇役へ持って行きました。

その結果、贔屓の旦那と、相撲の観客へ気持ちを込めて演じることが出来、脇役の会話を利用し、グッと後半を盛り上げ、佐野山が谷風に勝つ所へつなげることが出来たのです。

オチを付けずに終わる場合も多いのですが、十代目金原亭馬生師は「押しが強い訳で、孝行(※香香。漬物の沢庵)者」というオチを付けましたし、私も「百両も足を出した」という台詞で噺をまとめることにしました。

平成九年十一月四日、大阪梅田太融寺で開催した「第一五回・桂文我上方落語選(大阪編)」で初演しましたが、この時から受けも良く、その後は全国各地の落語会や独演会で上演し、神奈川県座間市ハーモニーホール座間で長年開催されている「ざま昼間落語会」の平成十三年六月九日の録音が、「四代目桂文我」(APPカンパニー、全七巻)というCD全集の第四巻で発売されたのです。

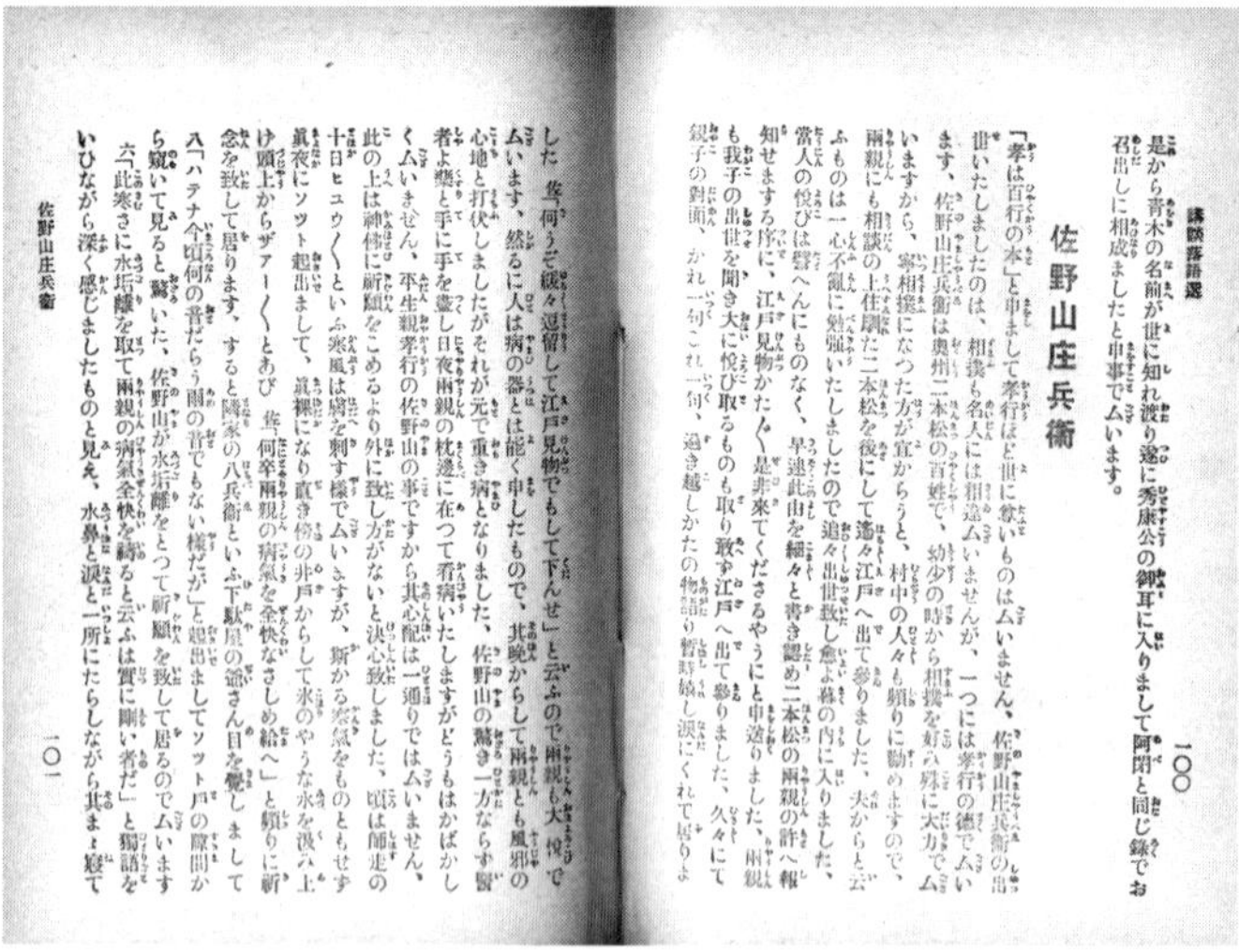

講談落語選　一〇〇

是《これ》から青木《あをき》の名前《なまへ》が世《よ》に知《し》れ渡《わた》り遂《つひ》に秀康公《ひでやすこう》の御耳《おみゝ》に入《はい》りまして阿閉《あべ》と同《おな》じ録《ろく》でお召出《めしだ》しに相成《あいなり》ましたと申事《まをすこと》で厶《ござ》います。

佐野山庄兵衛

「孝《かう》は百行《ひやくかう》の本《もと》」と申《まを》しまして孝行《かうかう》ほど世《よ》に尠《すくな》いものは厶《ござ》いません、佐野山庄兵衛《さのやましやうべゑ》の出世《しゆつせ》いたしましたのは、相撲《すまふ》も名人《めいじん》には相違《さうゐ》厶《ござ》いませんが、一つには孝行《かうかう》の徳《とく》で厶《ござ》います、佐野山庄兵衛《さのやましやうべゑ》は奥州《おうしう》二本松《にほんまつ》の百姓《ひやくしやう》で、幼少《えうせう》の時《とき》から相撲《すまふ》を好《この》み殊《こと》に大力《だいりき》で厶《ござ》いますから、寧《いつ》そ相撲《すまふ》になつた方《はう》が宜《よ》からうと、村中《むらぢう》の人々《ひと〲》も頻《しき》りに勧《すゝ》めますので、兩親《りやうしん》にも相談《さうだん》の上《うへ》住馴《すみなれ》た二本松《にほんまつ》を後《あと》にして遙々《はる〲》江戸《えど》へ出《で》て參《まゐ》りました、夫《それ》からと云《い》ふものは一心不亂《いつしんふらん》に勉強《べんきやう》いたしましたので追々《おひ〲》出世致《しゆつせいた》し愈《いよい》よ幕《まく》の内《うち》に入《はい》りました、當人《たうにん》の悦《よろこ》びは譬《たと》へんにものなく、早速《さつそく》此由《このよし》を細々《こま〲》と書《か》き認《したゝ》め二本松《にほんまつ》の兩親《りやうしん》の許《もと》へ報知《し》せまする序《ついで》に、江戸見物《えどけんぶつ》かた〲是非《ぜひ》來《き》てくださるやうにと申遣《まをしつかは》しました、兩親《りやうしん》も我子《わがこ》の出世《しゆつせ》を聞《き》き大《おほい》に悦《よろこ》び取《と》るものも取《と》り敢《あへ》ず江戸《えど》へ出《で》て參《まゐ》りました、久々《ひさ〲》にて親子《おやこ》の對面《たいめん》、かれ一句《いつく》これ一句《いつく》、過《す》ぎ越《こ》しかたの物語《ものがたり》り暫時《しばし》嬉《うれ》し涙《なみだ》にくれて居《を》りました　隼「何《ど》うぞ緩々《ゆる〲》逗留《とうりう》して江戸見物《えどけんぶつ》でもして下《くだ》んせ」と云《い》ふので兩親《りやうしん》も大悦《おほよろこ》びで厶《ござ》います、然《しか》るに人《ひと》は病《やまひ》の器《うつは》とは能《よ》く申《まを》したもので、其晩《そのばん》からして兩親《りやうしん》とも風邪《かぜ》の心地《こゝち》と打伏《うちふ》しましたがそれが元《もと》で重《おも》き病《やまひ》となりました、佐野山《さのやま》の驚《おどろ》き一方《ひとかた》ならず醫者《いしや》よ藥《くすり》と手《て》に手《て》を盡《つく》し日夜兩親《にちやりやうしん》の枕邊《まくらべ》に在《あ》つて看病《かんびやう》いたしますがどうもはかばかしく厶《ござ》いません、平生《ふだん》親孝行《おやかうかう》の佐野山《さのやま》の事《こと》ですから其心配《そのしんぱい》は一通《ひとゝほ》りでは厶《ござ》いません、此《こ》の上《うへ》は神佛《かみほとけ》に祈願《きぐわん》をこめるより外《ほか》に致《いた》し方《かた》がないと決心《けつしん》致《いた》しました、頃《ころ》は師走《しはす》の十日《とをか》ヒユウ〱といふ寒風《かんぷう》は膚《はだへ》を刺《さ》す樣《やう》で厶《ござ》いますが、斯《か》かる寒氣《かんき》をものともせず眞夜中《まよなか》にソツト起出《おきいで》まして、眞裸《まつぱだか》になり直き椽の井戸《ゐど》からして氷《こほり》のやうな水《みづ》を汲《く》み上《あ》げ頭上《づじやう》からザアー〱とあび　隼「何卒兩親《なにとぞりやうしん》の病氣《びやうき》を全快《ぜんくわい》なさしめ給《たま》へ」と頻《しき》りに祈念《きねん》を致《いた》して居《を》ります、すると隣家《となり》の八兵衛《はちべゑ》といふ下駄屋《げたや》の爺《おや》さん目《め》を覺《さま》しまして　八「ハテナ今頃《いまごろ》何《なん》の音《おと》だらう雨《あめ》の音《おと》でもない樣《やう》だが」と起出《おきいで》ましてソツト戸《と》の隙間《すきま》から覗《のぞ》いて見《み》ると驚《おどろ》いた、佐野山《さのやま》が水垢離《みづごり》をとつて祈願《きぐわん》を致《いた》して居《を》るので厶《ござ》います　六「此寒《このさむ》さに水垢離《みづごり》を取《と》て兩親《りやうしん》の病氣全快《びやうきぜんくわい》を祈《いの》ると云《い》ふは實《じつ》に關《えら》い者《もの》だ」と獨語《ひとりごと》をいひながら深《ふか》く感《かん》じましたものと見《み》え、水鼻《みづばな》と涙《なみだ》と一所《いつしよ》にたらしながら其《その》まゝ寢《ね》て

佐野山庄兵衛　一〇一

『講話資料 講談落語選』天の巻（富文館、大正12年）の表紙と速記。

十代目金原亭馬生のカセットテープ（テイチク）。

戦前の速記本は『講話資料 講談落語選』天の巻（富文館、大正十二年）などへ掲載され、LPレコード・カセットテープ・CDは十代目金原亭馬生・三代目桂南光などの各師の録音で発売されました。

「花筏」「半分垢」「大安売り」「関取千両幟（※別題・稲川）」などの相撲ネタと並んでも引けを取らない落語だけに、今後も情の押売りにならないように演じていきたいと考えている次第です。

ちなみに、この時代、横綱という位は無かったのですが、後に制定された位とわかった上で、噺の上では使用していることを、お断りしておきましょう。

三年酒

さんねんしゅ

安土桃山時代から江戸時代初めに、キリスト教が拡がることを抑えるため、人別を制定した。

今の戸籍のような物で、子どもが生まれた時の届けや、人が死んだ時の手続きを、寺が引き受けただけに、寺をしくじると世話してもらえんので、逆らえん。

寺は何百何十という檀家を預かり、人別を支配したそうで。

清「喜ィ公、どこを飛び廻ってる。お前の家で聞いたら、『今、姉さんの家へ行った』。姉さんに聞いたら、『最前、牛やんの家へ行ったわ』。牛やんに聞いたら、『どうやら、虎はんの家へ行ったらしい』。子・牛・虎と、干支を捜し廻ってる。虎はんは、『風が吹いたよって、どこかへ飛んで行った。西風やよって、東の吹き溜まりを捜しなはれ』と、鉋屑《かんな》みたいに言われてたわ。彼方此方、お前の尻を捜し歩いてた」
喜「清やんは、わしの尻が好きか？」
清「コレ、気楽なことを言うな。それより、えらいことや。夕べ、又はんが死んだ」
喜「えッ、ほんまか？　又はんが死んだら、知らせに来るはずや」
清「そやよって、知らせに来てるわ」
喜「あァ、なるほど。一体、何で死んだ？」
清「池田の伯父《おっ》さんの家で酒を呑んで、機嫌良う帰ってきて、横になって死んだ。又はんの酒好きは並大抵やのうて、焼かな治らんぐらいやった」
喜「清やんの女極道も、焼かな治らん」
清「一々、要らんことを言うな。わしらは兄弟みたいに付き合てたよって、一番先へ行かなあかん。お前が居らんよって、遅れてしもた。さァ、悔やみに行こか」
喜「いや、一寸待って！　生まれ付き、悔やみは苦手や。堅苦しいことは、よう言わん。皆が真面目な顔して、涙を零してる姿を見たら、可笑しなってくるわ。（笑って）わッはッはッは！」
清「コレ、笑うな！　お父っつぁんが死んだ時のことを思い出したら、笑えん」
喜「（笑って）わッはッはッは！　清やん、それを言わんといて。お父っつぁんは腫《は》れの病いで死んだよって、身体が膨《ふく》れ上がってた。無理に棺桶へ押し込んだら、底が抜けて。

それが可笑して、二日二晩、笑い続けてた」

清「親が死んで、笑う奴があるか！　取り敢えず、今日だけは笑わんようにせえ。さァ、
又はんの家へ着いた。(家へ入って)もし、おとわはん。喜ィ公を捜してたよって遅な
って、すまんことで」

お「清やん、喜ィさん。(泣いて)ウワァーッ！」

喜「(笑って)わッはッはッは！」

清「コレ、笑うな！　話を聞いて、ビックリした。池田の伯父さんの家で、酒を呑んで帰
ってきて、横になって死んだそうな。又はんの酒好きは、焼かな治らなんだ」

お「ほんまに、お酒の好きな人でした。酔うて帰って、そのままやなんて」

清「おとわはん、泣きなはんな。あんたが泣くと、涙が火の雨になって、冥土へ降るわ。

人の命は風前の灯火。どんな偉い御方でも、鎖で繋《つな》いでおけんのが寿命。身体を大事に
して、後を懇《ねんご》ろに弔《とむら》うのが、女房の務め。喜ィ公、何してる？」

喜「握り飯と煮〆《にしめ》があったよって、食てた」

清「悔やみを言う前に、握り飯を食うな！　さァ、悔やみを言え」

喜「ほな、そうするわ。おとわはん、(笑って)わッはッはッは！」

清「一々、笑うな！」
喜「おとわはん、泣いたらあかん。どんな偉い御方でも、鎖で繋がれたら罪人や」
清「コレ、ケッタイなことを言うな！」
喜「若いのに亭主に死なれて、気の毒な。相手が欲しかったら、わしには決まった女子も無し。そこは話し合いで、どうにでも」
清「一々、しょうもないことを言うな！　喜ィ公は親切で言うてるよって、堪忍！」
お「いえ、結構です。今日、初めて笑わしてもらいました」
清「又はんの湯灌《ゆかん》がまだやったら、わしらがする。ところで、寺へ行ったか？」
お「実は、そのことで相談がございます。ウチの人は、茨住吉《いばらずみよし》の田中左弁太夫《さべんだゆう》という先生の神道講釈を聞きに行くようになってから、『仏の道は後から来たよって、頼り無い。今の坊主は生臭物も食うし、内々で家内も持ってる。そんな者に回向してもろても、極楽へ行けるかどうかわからん。わしが死んだら、神道で弔いを出してくれ』と申してました。今から思うと、あれが遺言やったみたいで」
清「又はんは神道講釈へ凝って、神道又《しんとまた》と言われてた。神道で弔いを出すにしても、寺が承知せなんだら、具合悪い。寺には人別があるよって、お上へ届けてもらわなあかん。この家の檀那《だんな》寺で、下寺町《したでらまち》の銑念寺《ずくねんじ》の和尚は、ヘンコツ（※かたくな。片意地なこと）で有名や。和尚の許しが無かったら、神道で弔いは出せん。こんな時、掛け合いへ行く者は考えなあかんわ。もし、オネオネの佐助はん。あんたの話は、どこが尾や頭やわからんわ。半刻《とき》聞こうが、一刻聞こうが、サッパリわからんぐらい、霊験あらたかや。和尚に『こんな話を聞くぐらいやったら、神道で弔いを出しなはれ！』と言わしてもらいたい。あァ、オネオネだけでは心配や。高慢の幸兵衛はんは、高慢なことを言うて、人をハッタリに掛ける。オネオネで片付かなんだら、日頃の高慢で和尚を抑えてもらいたい。それから、こつきの源兵衛はん」

源「おゥ、何じゃ！」

清「コレ、大きな声を出しなはんな。オネオネと高慢に随いて、寺へ行ってもらいたい」

源「あァ、承知した！　オネオネと高慢で片付かなんだら、ド坊主を張り倒して！」

清「喧嘩やのうて、頼みに行く。取り敢えず、佐助はんのオネオネで宜しゅうに」

佐「つまり、何ですな。私が初めに話をして、あかなんだら高慢の幸兵衛さんや。その次は、こつきの源兵衛はん。つまり、私がオネオネと」

清「ゴジャゴジャ言わんと、早う行きなはれ。わしと喜ィ公で、又はんの湯灌をするわ」

佐「コレ、こつきと高慢。さァ、表へ出なはれ。（歩いて）あァ、難儀な役を頼まれたわ。又はんの親父の弔いの時、銑念寺へ行った。確か、大きな榎と銀杏があったわ。あれが鉄念寺やよって、門を潜《くぐ》ろか。庭へ箒目《ほうきめ》を立てて、美しゅうしてある。さァ、庫裏《くり》へ廻りなはれ。（戸を開けて）走り元へ、牛が寝てるような竃《へっつい》が据えてある。こつきと高慢は、竃の後ろへ隠れて。三人が一遍に出ると、話がしにくい。オネオネ話すけど、しくじったら高慢に出てもらう。高慢でも片付かなんだら、こつきが出るように。オネオネ話して、しくじったら高慢が出て」

幸「オネオネは、もうええ！　さァ、早う和尚を呼べ」

佐「あァ、わかってる。えェ、御免！」

番「南無阿弥陀仏、南無阿弥陀仏。はい、何か御用ですかな？」

佐「北安治川《あじかわ》二丁目、萬屋又七の家から参りました。和尚にお願いがございます」

番「暫くお待ちを。南無阿弥陀仏、南無阿弥陀仏」

佐「おい、こつきに高慢。首を出さんと、引っ込めなはれ」

源「誰も居らんよって、大丈夫。今のはカス坊主や。一体、坊主は何を楽しみに生きてる？　美味い物を食て、女子と遊ぶのが人間の楽しみ。菜ッ葉ばっかり食て、しょうもない修行するぐらいやったら、死んだ方がマシじゃ」

幸「いや、それは間違いや。坊主も内緒で女子と遊ぶし、魚も食てる。坊主が念仏を唱える時、有難そうな声が出るのは、魚を食てるよってや。あァ、和尚が出てきた」

和「南無阿弥陀仏、南無阿弥陀仏。萬屋又七殿のお遣いの方、御苦労様でございます。御用を承りますよって、お上がり下さいませ」
佐「いえ、此方で結構で。夕べ、又七が死去致しまして」
和「何ッ、又七殿が亡くなられたとな！　それは、お気の毒」
佐「それに就いて、お願いがございます」
坊「あァ、皆まで仰るな。又七殿の父上が盛んな頃は、一方《ひとかた》ならんお世話になり、境内の鐘楼堂も一建立《いっこんりゅう》していただいた。又七殿の代は商いが下火になられたよって、弔いを出すにも困っておられるじゃろ。その心配は御無用で、お内儀《ないぎ》に『弔いの入費は寺で持ち、役僧も二カ寺で集めると、立派に見える』と、お伝え願いたい」
佐「そんなことやのうて、言いにくい話ですけど、そうかと言うて、言わなんだら話にならん。ボチボチ申し上げますと、又七が死なん頃、早い話が達者な頃。茨住吉の田中左弁太夫の神道講釈を聞きまして。講釈は軍談もあるし、艶っぽい話もある。又七は神道講釈が好きでしたけど、神道の話は退屈やよって、私は艶っぽい講釈が好きで」
坊「お宅の好みは何方でも宜しい。取り敢えず、お通夜から葬式まで！」
佐「いえ、まだ続きがあります。又七が『神道は有難いけど、仏の道は後から来て、頼り無い。今の坊主は生臭物も食うし、内々で家内がある。そんな生臭坊主に念仏を唱えてもろても、極楽へ行けるかどうかわからん。わしが死んだら、神道で葬式を出してくれ』と言うて死んだそうですけど、どう思いなはる？」
坊「黙って聞けば、何を言いなさる！　生臭坊主とは何じゃ！　寺や坊主が、そんな軽々しい者と思てなさるか。何百何十軒という檀家を預り、寺請《てらうけ》という物が無かったら、人別は動かん。神道で弔いを出したかったら、出しなされ！」
佐「おい、高慢。どうやら、しくじったような。すまんけど、代わって」
幸「おい、そこを退《ど》け！　（笑って）エッヘッヘッヘ！　えェ、こんにちは」
坊「竈の後ろから出てきたのは、誰方じゃ？」
幸「この男の言うたことは、気になさいませんように。御出家の前で生臭坊主と、言うてはならんことを申しました。改めて、口上な以《もっ》て申し上げます」
坊「何じゃ、軽業の口上みたいに言うてなさる。ほな、承りましょう！」
幸「和尚の仰ることを伺うと、寺は大した物でございますけど、寺のことばっかりで、檀家の様子が見えて参りません。檀家あっての寺、寺あっての檀家。檀家は寺の世話になりますけど、一年の内、屋根替えの寄進・畳の表替えと、寺から何遍も大きな袋を持ち込んで参りますし、毎年、袋が大きなっております。それに米を一杯入れて納めるのは、こんな時に世話になりたいよってでございましょう。和尚の仰る通りですけど、日本は神国で、仏の道は後から参りました。神国という証拠に、『この世は鶏卵、卵の如く。清きは上って天となり。濁りは下って地となる』」
坊「ええい、喧しい！　寺で神道講釈をして、どうする！　最前の男は阿呆でも治るじゃろが、あんたの阿呆は治らん。神道が有難かったら、神道で弔いを出しなされ！」
幸「ほな、手続きだけ」
坊「いや、断る！　あァ、馬鹿馬鹿しい！　さァ、とっとと帰りなされ！」
幸「おい、こつき。しくじったよって、代わって」
源「コラ、そこを退け！（腕と尻を捲り、咳をし、痰《たん》を吐いて）オホン！　ペッ！」
坊「竈の裏から飛び出て、いきなり上がってきなさった。畳へ唾《つば》を吐いて、何じゃ？」
源「唾やのうて、痰じゃ！」
坊「余計汚いわ」
源「おい、今までの連中と一つにしてくれるな。ド坊主、丸太、生臭坊主、盗人坊主、カス坊主、蛸坊主！　オネオネや高慢は引っ込んでも、こつきの源兵衛は許さん！　神道で弔いが出せんと吐かしたら、己の首を引き抜いて、爪で腹を抉《えぐ》って、骨を千切って、酢へ漬けて食てしまうわ。クソ坊主、カス坊主！」
坊「コレ、何という言い種じゃ。首を引き抜いて、腹を抉って、骨を千切って、酢へ漬けて食べる？　言わしておけば、言いたい放題。人を掴まえて、鰯扱《いわしあつか》いじゃ」
源「吐かしたな、クソ坊主。今、鰯の『い』の字でも言うたか？　コラ、何で鰯と知れた？　生臭坊主は鰯を食て、鰯の料理も知ってるか！」
坊「コレ、大声を出しなさんな」
源「大きな声は地声じゃ！　この寺の坊主は、鰯を食てる！」
坊「コレ、静かになされ！　近所に寺があるよって、聞こえると迷惑じゃ」
源「まだ、神道で弔いは出せんと吐かすか！」
坊「お上の届けは済ませるよって、後は如何《いか》ようにでもじゃ」
源「それを初めから吐かしたら、手数が掛からなんだ。ワレが一寸来て、念仏を唱えて、その後から神主を呼んで、神道で弔いを出すということか？」
坊「いや、それを私の口からは言えんわ」
源「ほな、直に来い。オネオネと念仏を唱えてたら、後ろから張り倒すわ。この喧嘩は、此方の勝ちじゃ。さァ、帰ろ！　(「伊勢音頭」を唄って)ヤァトコセェ！」
えげつない奴で、「伊勢音頭」を唄《うと》て、寺から引き上げる。
早速、和尚は番僧を連れ、仏の前で念仏を唱えた。

振り返ると、こつきの源兵衛が頭の上で、拳骨《げんこつ》を振り上げてる。

早々に念仏を切り上げて帰ると、神主を集め、立派に神道で弔いを出した。

仏式の弔いは火葬にするが、この度は神道で土葬にして、引き上げる。

暫くして、池田の伯父が又七の家へ顔を出した。

伯「又七が死んだことを、わしに何で知らさん。一体、どんな死に方をした？　ウチで酒を呑んで帰って、横になって死んだとな。ほゥ、それで焼いてしもたか？　神道で弔いを出したよって、土葬にしてあるとな。あァ、良かった！　又七は生きてるよって、安心しなはれ。さァ、早う墓を掘り返すのじゃ！」

お「伯父さん、どういう訳で？」

伯「こないだ、久し振りに又七が遊びに来た。酒を出したら、床の間へ置いてある壺を見付けて、『あの壺は何や？』『唐土から内々で手廻った三年酒という酒で、一升呑むと三年寝るという、珍しい酒じゃ』『三年寝る酒は呑んだことが無いよって、一杯呑む』。言い出したら聞かん男やよって、小さな湯呑みで一杯呑んだ。『良え塩梅になったよって、今日は帰るわ』『大阪まで帰る時、野壺にでも落ちたら命取りになるよって、今日は泊まれ』『良え塩梅で帰るのが一番極楽。家へ着いた頃には、酔いも一寸は醒めてる。一升呑んだら、三年寝る酒か。小さな湯呑み一杯やったら、十日で目が醒めるわ』と言うて、機嫌良う帰った。又七は寝てるだけやよって、墓を掘り返しなはれ！」

お「ほな、そうします」

早速、墓場へ行くと、墓石を退け、土を掘り返し、棺桶へ掛けてある縄を切り、蓋を取ると、スゥーッと冷たい風が吹き込んだ。

又「(欠伸をして) フワァーッ！ (震えて) あァ、寒い！」

お「まァ、嬉しいこと！ 又七っつぁん、生きてなはったか？」

又「おォ、おとわ。寒いよって、熱燗《あつかん》一本付けてくれ」

お「やっぱり、焼かな治らん」

解説「三年酒」

この落語の根底には、江戸時代の複雑な制度が絡んでいるだけに、その時代に本当に上演していたか、首を傾げる節があります。

そのように考えると、噺の舞台は江戸時代へ設定してありますが、意外に明治維新以降に成立した落語かもしれず、江戸時代を振り返り、「そう言えば、そのようなことがあった」と、懐かしさも込めて聞いていた方がおられたのかも知れません。

この落語は、仏教と神道の対立と、土葬と火葬が大きなポイントになっており、それへ神道講釈が加わるのですから、内容が複雑になるのは当然です。

神道講釈は、日本固有の民俗信仰の神道を講義するのが本来の姿ですが、その役を当時の講釈師が担当したため、話芸の一つとなりました。

ちなみに、仏教という言い方が一般的になったのは、約一五〇年前の明治維新以降からと見ても間違いなく、それまで大抵は仏道・仏法と呼んでいたのです。

明治維新以降、仏教は廃仏毀釈《はいぶつきしゃく》で惨憺《さんたん》たる目に遭《あ》いましたが、それまでは寺院が宗門人別帳を握っていたため、絶対的な権力を持っていました。

キリスト教弾圧のため、江戸幕府が寺院の住職へ、檀家がキリスト教徒でないことを保証する証文を作成させたことで、民衆を仏教徒として組織化することが可能になった結果、仏教（※仏道・仏法）は国の宗教となり、民衆全員へ寺請証文（※寺院住職が書いた、キリシタンではないという保証書のこと）の提出を迫ったのです。

婚姻・出生・死亡・養子縁組・年季奉公の時など、寺請証文の提出が義務付けられた結果、それらの人々を檀家とし、葬式法要・伽藍《がらん》の修理などを義務付け、その台帳へ檀家帳や過去帳を作成したことで、寺院経営を安定させることが可能になった上、その後も寺院は寺請証文で結ばれた関係を切ることはせず、檀家制度としてつながることになりました。

土葬と火葬についても述べると、江戸時代の大坂周辺には、道頓堀（千日）・鳶田（飛田）・小橋《おばせ》・蒲生（野田・加茂）・葭原《あしはら》・浜・梅田の七カ所へ、火葬場を含む墓地が点在していましたが、三〇〜四〇万人の人口の大都市だったため、毎年の遺体数も膨大になり、大坂周辺の七墓は狭かった上、墓地を拡張することも困難で、土葬数を増やすことの難しさから、火葬が増えたのです。

火葬にすれば、骨を埋める場所だけで済むため、土葬とは格段の差がありました。

さて、噺の内容について述べると、生まれつきの性癖は直りにくいという意味の「焼かな直らん」という諺へ火葬を絡ませ、オチにしたのが、「三年酒」となりました。

噺の冒頭に、上方落語でお馴染みの喜六と清八が出てきますが、その後で登場する、おねおねの佐助・高慢の幸兵衛・こつきの源兵衛が、半ばからの主人公になります。

「おねおね」とは、口の中でムニャムニャと物を噛む様子を表した言葉で、「高慢」は高飛車な態度を言い、「こつき」は「小突」と書き、「脅かし」という意味になりましょう。

この三人の演じ分けは難しく、わざとらしく仕分けると、いやらしい人物になるだけに、なるべく薄味で、人物像を描き分けた方が良いと思います。

桂米朝師の上演で甦った落語ですが、原話は中国の「千年酒」であると、『上方落語ノート』四集（青蛙房、平成十年）へ記されており、その内容をかい摘んで述べると、劉玄石という男が、中山（※現在の河北省内の地名）の酒屋で酒を買うと、それが千年酒で、玄石が家で呑むと酔いが醒めず、家族は事情を知らないために死んだと思い、葬りました。

その後、酒屋が玄石の家へ行くと、既に葬られていたので、家族へ事情を話し、棺を開けると、玄石の酔いが醒めたという話です。

これより詳しい内容は、『上方落語ノート』四集で確認して下さい。

「三年酒」という演題は、神道へ凝った又はんを短くして「神道又」とも言い、「神道の御神《おみ》酒《き》」という別題もあります。

平成二十九年二月十八日、大阪梅田太融寺で開催した「第六一回・桂文我上方落語選（大阪編）」で初演しましたが、土台にしたのは米朝師の録音と、初代桂小南が東京三芳屋書店から刊行した『かつら小南落語全集』（三芳屋書店、大正五年）の速記でした。

これは余談ですが、『かつら小南落語全集』を手に入れるまで、三〇年以上も掛かり、ヤフ

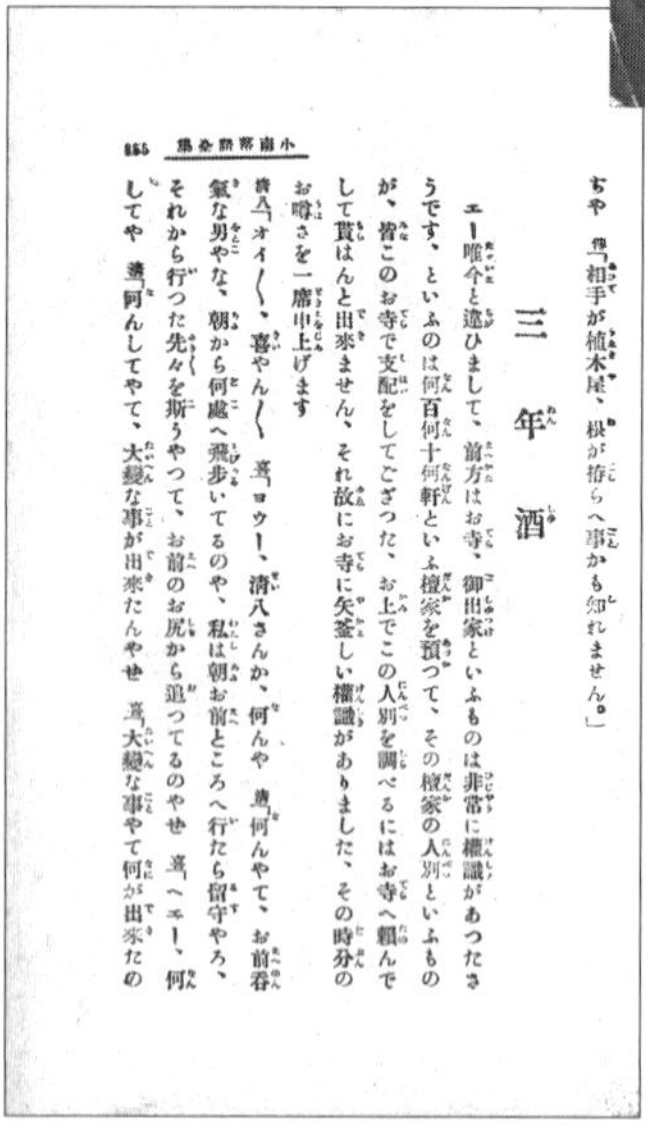

ちや 傳「相手が植木屋、根が拵らへ事《こと》かも知《し》れません。」

三年《ねん》酒《しゆ》

エー唯今《たゞいま》と違《ちが》ひまして、前方《まへかた》はお寺《てら》、御出家《ごしゆつけ》といふものは非常《ひじやう》に權識《けんしき》があつたさうです、といふのは何百何《なん》十何軒《なんげん》といふ檀家《だんか》を預《あづか》つて、その檀家《だんか》の人別《にんべつ》といふものが、皆《みな》このお寺《てら》で支配《しはい》をしてござつた、お上《かみ》でこの人別《にんべつ》を調《しら》べるにはお寺《てら》へ賴《たの》んでして貰《もら》はんと出來《でき》ません、それ故《ゆゑ》にお寺《てら》に矢釜《やかま》しい權識《けんしき》がありました、その時分《じぶん》のお噂《うは》さを一席申上《まうしあ》げます

清八「オイ〳〵、喜《き》やん〳〵 喜「ロウー、清八《せい》さんか、何《な》んや 清「何《な》んやて、お前呑《のん》氣《き》な男《をとこ》やな、朝《あさ》から何處《どこ》へ飛歩《とびある》いてるのや、私《わたし》は朝《あさ》お前《まへ》とこへ行《い》たら留守《るす》やろ、それから行《い》つた先々《さき〴〵》を斯《こ》うやつて、お前《まへ》のお尻《しり》から追《お》つてるのやせ 喜「ヘエー、何《なん》してや 清「何《な》んしてやて、大變《たいへん》な事《こと》が出來《でき》たんやせ 喜「大變《たいへん》な事《こと》やて何《なに》が出來《でき》たの

855 小南落語全集

『かつら小南落語全集』（三芳屋書店、大正5年）の表紙と速記。

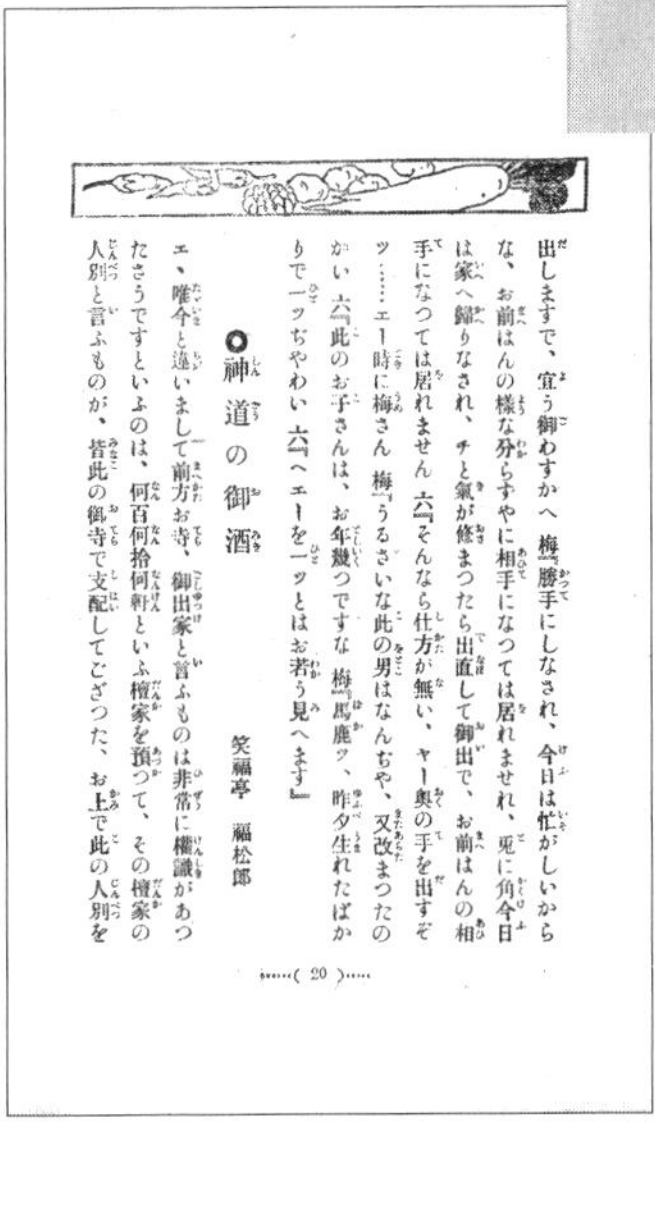

出《だ》しますで、宜《よ》う御《ご》わすかへ　梅『勝手《かつて》にしなされ、今日《けふ》は忙《いそ》がしいから
な、お前《まへ》はんの様《やう》な分《わか》らずやに相手《あひて》になつては居《を》れませれ、兎《と》に角今日《かくけふ》
は家《いへ》へ歸《かへ》りなされ、チと氣《き》が修《おさ》まつたら出直《でなほ》して御出《おい》で、お前《まへ》はんの相《あひ》
手《て》になつては居《を》れません　六『そんなら仕方《しかた》が無《な》い、ヤー奥《おく》の手《て》を出《だ》すぞ
ツ……エー時に梅《うめ》さん　梅『うるさいな此《こ》の男《をとこ》はなんぢや、又改《またあらた》まつたの
かい　六『此《こ》のお子《こ》さんは、お年幾《としいく》つですな　梅『馬鹿《ばか》ツ、昨夕生《ゆふべうま》れたばか
りで一《ひと》ツぢやわい　六『へエーを一《ひと》ツとはお若《わか》う見《み》へます』

○神《しん》道《たう》の御《お》酒《みき》　　笑福亭　福松郎

エ、唯今《たゞいま》と違《ちが》いまして前方《まへかた》お寺《てら》、御出家《ごしゆつけ》と言《い》ふものは非常《ひぢやう》に權識《けんしき》があつ
たさうですといふのは、何《なん》百何《なん》拾何軒《なんけん》といふ檀家《だんか》を預《あづか》つて、その檀家《だんか》の
人別《じんべつ》と言《い》ふものが、皆此《みなこ》の御寺《おてら》で支配《しはい》してござつた、お上《かみ》で此《こ》の人別《じんべつ》を

(20)

『新落語全集』（大文舘書店、昭和７年）の表紙と速記。

左：初代桂小南の興行ビラ、右：初代桂小南の色紙。

ーオークションで高額で落札することが出来たのですが、それが呼び水になったのか、その後、二年間で、もう二冊を入手することが出来たのです。

戦前の速記本は『かつら小南落語全集』（松陽堂書店、大正十一年）、『圓遊とむらくの落語』（大文舘書店、昭和七年）などがあり、初代桂小南の他、七代目朝寝坊むらく（三代目三遊亭圓馬）、笑福亭福松郎（三代目笑福亭福松）の速記で掲載されました。

また、SPレコードは二代目桂三木助が吹き込み、LPレコード・カセットテープ・CDは三代目桂米朝師の録音で発売されています。

ちなみに、一般的な三年酒は、三年前に醸造した酒を指します。

試し酒《ためしざけ》

旦「まァ、前田さん。用事は済んだよって、ゆっくりしなはれ」
前「いえ、今日は失礼致します」
旦「良えお酒が手廻ったよって、呑んで帰ってもらいたい。滅多に手廻らん、蔵出しの上等。幻の銘酒と酒屋が自慢して、五升持ってきてくれた」
前「今日は供を連れてますよって、失礼致します」
旦「お供は誰じゃ？」
前「へェ、飯炊きの権助で」
旦「権助さんは、いつも機嫌が良うて、『飯を炊かせたら、オラが一番だ』という面白い言葉を使う人じゃ。ほな、権助さんも一緒に呑んでもろたら宜しい」
前「いえ、滅相もない。権助は呑み助で、あるだけのお酒を呑んでしまいます」

旦「五升の酒を一人では呑めん」
前「ひょっとしたら、呑んでしまうかも知れませんわ」
旦「ほゥ、面白い！　相撲取りと呑むことがあるけど、五升の酒を呑む所は見たこと無いわ。ほな、賭けにしょうか。権助さんが五升の酒を呑んだら、私が有馬温泉へ招待するけど、一寸でも残したら、私を有馬温泉へ招待してもらいたい」
前「それやったら、やらしてもらいます」
旦「余程、自信があるらしい。ほな、権助さんを呼んどおくれ」
前「暫くお待ちを。権助、此方へ通してもらいなはれ」
権「そんなら、上げてもらいますで。おォ、何か用かに？」
前「ズボッと立ってんと、ちゃんと座って、旦さんへ挨拶しなはれ」
権「あァ、此方の旦那でごぜえやすか。いつもコレが、お世話になりやして」
前「おい、阿呆なことを言いなはんな！」
旦「前田さんに聞いたけど、あんたは酒が好きやそうな」
権「何ッ、酒？　オラは店で、酒と呼ばれとるぐれえだ」
旦「蔵出しの銘酒があるけど、あんたが五升呑めたら、あんたと前田さんを有馬温泉へ招待するし、呑めなんだら、私が前田さんに招待してもらうことになった」

権「何だか、ええことになっとるな。この齢になるまで、五升の酒は呑んだことが無えで。だども、有馬温泉も行きてえし。そんだら、一寸待ってくれ！」
旦「コレ、権助さん！　五升の酒と聞いて、逃げ出した」
前「いや、酒で逃げる男やないと思います」
旦「権助さんは背が低て、痩せた人じゃ。頭の天辺から、足の爪先まで詰めても、五升の酒は入らん。やっぱり、身体は大事じゃ。アレ、権助さんが帰ってきた」
権「何とかなると思いますで、やらしてもらいますべえ」
旦「決して、無理しなはんな。武蔵野という、一升入る塗りの盃があるよって、これで五杯呑みなはれ。ほな、注がしてもらう」
権「(盃を受け取って)旦那に酌してもらえるとは、勿体《もったい》無え。あァ、ウチの旦那。顔を曇らして、心配せんでええだ。さァ、今から温泉へ浸かっとる気分で居れ。あァ、良え香りじゃ。先ず、一升いただくだ。(酒を呑み干して)さァ、一升呑んだぞ！」
旦「息も継がんと、一升空けたな。味は、どうじゃ？」
権「サッパリ、わからねえ。スゥーッと腹の中へ入ってしもたで、味わう暇が無かっただ。さァ、もう一升注いでくれ。あァ、ケチ臭《くせ》えのう。注ぐ時は、思い切り注ぐだ。さァ、いただきますで。(酒を呑んで)ほゥ、これは良え酒だ。口の中へ、勝手に酒が飛び込んでくるだよ。悪い酒は、喉で関所が出来るだ。夕べ、旦那が呑ましてくれた酒は関所だらけだったな。銘柄を聞いて、ビックリしただ。あァ、銘酒・トリカブトだって。命があるだけ、マシだ。この酒とは、えれえ違いだな。今まで、こんな良え酒は呑んだことが無え。此方の旦那はチョイチョイ、こんな良え酒を呑んどるのか？　そりゃ、良え死に方せんぞ。美味え物ばっかり呑み食いしたら、人間がダメになるだよ。日頃、不味《まず》い物を食べて、たまに美味え物を食うで、物の有難さがわかるだ。旦那へ良え酒が手廻っても、一段下の酒を呑め。良え酒は、オラへ廻すがええだ。（酒を呑み干して）さァ、二升呑んだぞ！」

旦「ほゥ、驚いた！　二升呑んだけど、大丈夫か？」

権「あァ、蚊が刺したほどにも思わねえ。さァ、次を注いでくれ。三杯目で、いよいよ峠だ。何だか、低い峠だね。さァ、注いでくれ。もっと、しっかり尻《けつ》を上げろ。いや、旦那の尻ではねえ。旦那の尻を上げても、酒は入らねえで、屁が出るだけだ。さァ、峠越えするか。（酒を呑んで）酒を呑んどる姿だけ見とっても、面白くなかんべえ。一寸、酒の講釈を垂れようか。大きな盃を、何で武蔵野と言うか知っとるか？　何ッ、知らねえ？　銭を持っとっても、物は知らんね。これは、お江戸の野原のことを言うだよ。お江戸へ町が出来て、お城が建つまでは、広い野原だっただ。周りを見ても、野を見尽くすことが出来ねえ。野が見尽くせねえと、呑み尽くせねえが、酒落になっとるだ。唯、本当か嘘か知らねえ。あァ、余所で言うな。(酒を呑んで)もう一つ、講釈垂れるだ。酒という物を、誰が拵えたか知っとるか？　何ッ、知らねえ？　あァ、何も知らねえな。昔、中国が唐土と言うとった頃、儀狄《ぎてき》という人が拵えた。時の帝《みかど》へ献上したら、『良え物を拵えたが、これからは拵えてはなんねえ。これを呑み過ぎると、身を滅ぼして、国まで滅ぼすことになる』と、お褒めの言葉と一緒に、小言をいただいたそうな。美味え物を拵えて、小言まで食らうとは、気の毒だ。(酒を呑み干して)さァ、峠を越えたぞ！」

旦「講釈を垂れながら、三杯目も呑んでしもた。コレ、まだ呑めるか？」

権「あァ、大丈夫だ。さァ、注げ！」

旦「大分、呂律《ろれつ》が怪しなってきた」

権「いや、オラは素面《しらふ》だ！　さァ、四杯目か。だども、この酒は香りが良えな。(酒を呑んで)あァ、酒の歌を思い出した。『お酒呑みさん　花なら蕾《つぼみ》　今日も咲け咲け　明日も咲け』と言うけんども、何のことだかわからねえ。(酒を呑んで)あァ、こんな歌もあるだ。『酒呑みは　奴豆腐に　さも似たり　始め四角で　後はグズグズ』と言うて、これは上手に出来とる。感心ばっかりしねえで、ヨゥヨゥとでも言え。あァ、『酒の無

え　国に行きてえ　二日酔い』という歌もあったぞ。酒を呑み過ぎて、頭が痛え、腹を下すというのは、馬鹿のすることだ。酒は程々に呑むのが一番で、オラを見習うがええだよ。『酒の無え　国に行きてえ　二日酔い　また三日目に　帰りたくなる』。あァ、馬鹿だ。（酒を呑んで）何ッ、摘《つま》みは要らねえか？　摘みの分だけ酒が入らねえのは勿体無えだ。（酒を呑み干して）さァ、もう一杯で有馬温泉だな！」
旦「何じゃ、悪い夢を見てるような気がしてきた。唯、蕎麦《そば》の大食い会で、百杯食べる所を、九十五杯まで平気で食べて、後の五杯で堪忍と言う人がある。顔色が変わってきたよって、危ないのと違うか？」
権「蕎麦と酒が一つになるか。さァ、注いでくれ！　一升の酒は、こんなに重たかったか？　もう一杯で、有馬温泉へ連れて行ってもらえるだ。あァ、酒が喉の所まで詰まっとる。仕方無えで、酒を揺すり込むか。（身体を揺すり、酒を呑んで）酒に酔って目が廻るか、身体を揺すって目が廻るか、サッパリわからねえ。（酒を呑み干して）さァ、五升呑んだ！　約束だで、有馬温泉へ連れて行け！」
旦「あァ、約束は守る！　世の中に、こんなに恐ろしい人が居るとは思わなんだ。唯、一つだけ聞きたいことがある。酒を呑む前に、表へ出て行ったけど、何か訳があるはずじゃ。何ぼでも酒が呑める薬を呑んだか、呪《まじな》いでもしてもろたのと違うか？　良かったら、表へ出て行った訳を聞かしてもらいたい」
権「あァ、それは他愛《たわい》の無えことだ。今まで五升の酒を呑んだことが無かったで、そこの酒屋で試しに五升呑んできただよ」

解説「試し酒」

「試し酒」という落語には、強烈な思い出が二つあります。

一つは、平成八年十一月末、関東の某大学の千人近く入るホールで、一日二回公演の仕事へ出掛けました。

番組は落語二席と寄席囃子の実演で、落語は三代目古今亭志ん朝師と、私の師匠（二代目桂枝雀）で、私は寄席囃子の太鼓と笛を担当したのです。

公演前、大学教授が前説をしたのですが、「この大学の学生魂を見せて、笑わないように」という、青天の霹靂《へきれき》とも言える暴言を吐きました。

その教授は冗談で言ったのでしょうが、その言葉を学生は素直に捉えたのか、志ん朝・枝雀両師共、全く受けず、一向に盛り上がりません。

そのような高座を見たのは、後にも先にも、あの時のみで、誠に不思議な雰囲気で一回目が終わり、楽屋も微妙な雰囲気に包まれましたが、隣りの楽屋の志ん朝師が肌襦袢《じゅばん》とステテコ姿で現れ、師匠の顔を見て、ニッコリ笑い、「枝雀さん、お仕事だからね。学生さんは楽しんでると思うから、しっかり演ろうよ！」と仰り、笑いながら自分の楽屋へ戻って行かれました。

それを聞いた師匠は、「志ん朝兄さんも頑張ってはるから、しっかり演らなあかん」と述べ、気を取り直し、二回目の公演を務めたのです。

その後で志ん朝師は、いつもと同じように「試し酒」を演じた上、「まァ、こんな時もあるから」と仰り、笑顔で帰宅されました。

得難い時間を過ごすことができ、感激したことを思い出します。

もう一つの思い出は、平成十二年十一月十五日、東京三宅坂・国立劇場小劇場で開催された「第三八九回・落語研究会」で、当日の番組は「近日息子」金原亭小駒（現・初音家左橋）、「餅つき」桂文我、「試し酒」柳家小さん、〔仲入り〕「不動坊」林家たい平、「夢金」古今亭志ん朝。

会の当日、志ん朝師は早々に楽屋入りし、最近の話題や、あの時の大学の思い出話などをしましたが、「最近、身体の調子が良くない」と仰り、悲しそうな顔をされました。

しばらくすると、小さん師も楽屋入りし、椅子へ座り、早々に高座着へ着替え始めましたが、その身体付きの丸さ加減が、前年に亡くなった私の師匠に似ていたため、思わず、涙が零れそうになったことを覚えています。

そして、大抵は最初に足袋《たび》をはき、順に着物を着ていくのですが、小さん師は高座着へ着替えた後で、足袋をはかれたことが意外でした。

着替えの最後で足袋をはいた方は、米朝一門の筆頭弟子・三代目桂米紫師しか知りません。

そう言えば、着物を着た後で足袋をはいても、少しも着崩れないのが、昔の芸人の修業の賜物であり、自慢だったと聞いたことがあります。

その内に私の出番となり、「餅つき（※「尻餅」という演題が一般的）」を演じながら、舞台袖を見ると、小さん師が椅子へ座り、腕組みし、私の高座を見ておられました。

ところが、「餅つき」を演じ終え、舞台を下りると、舞台袖に小さん師はおられず、楽屋へ戻って行く姿が見えます。

世話をしておられた女性が、「どうしたの？　嫌になったの？」と尋ねると、「そうじゃねえ、扇子を忘れた」と言い、楽屋へ戻り、「志ん朝さん、扇子を貸しとくれ」。

「今日は確か、『試し酒』ですよね。小さい扇子しか無いですけど、これでもいいですか？」と言いながら、志ん朝師が扇子を差し出すと、「あァ、有難う」と言って、その扇子を持ち、高座へ上がっていかれました。

小さん師の後ろ姿を見送りながら、志ん朝師が「六十年やってても、こんなことがあるからね」と、嬉しそうに笑っておられた姿が忘れられません。

それから約一年後に志ん朝師が、その約半年後に小さん師が亡くなるとは、夢にも思いませんでした。

思い出話が長くなりましたが、この二つの「試し酒」にまつわる話は、何かの機会に是非とも語っておきたいと思いましたので、お付き合い願った次第です。

さて、「試し酒」の内容について述べることにしましょう。

原話は中国小噺だそうですが、明治中期に類似した噺を演じたのは、「青い眼の噺家」と言われた初代快楽亭ブラックで、「ビール競争」という演題で上演し、好評を博しました。

「試し酒」は、今村信雄（※明治時代の落語・講談速記界の第一人者で、明治三十八年の第一次落語研究会の相談役）が創作した新作落語と言われ、それを現在のような形に磨き上げたのは、七代目三笑亭可楽で、五代目柳家小さん師も可楽の教えを受けたそうです。

以前から東京落語では頻繁に上演されていましたが、上方落語では桂米朝師が若い頃から手掛け、放送の録音も残りました。

昨今は、上方落語の上演者も増え、新作落語の域を脱し、立派な古典落語の扱いになっています。

私が初演したのは、平成二十年四月二十二日、京都府立文化芸術会館三階和室で開催した「第五六回・桂文我上方落語選（京都編）」でした。

米朝一門で巨漢を誇っていた桂米平さんの「試し酒」が面白く、彼の高座を楽しんでいたのですが、学生時代に覚えていたネタだったので、私も試しに演ってみようと思い、急に高座へ掛けてみたのです。

「試し酒」を試しに演るというのも妙ですが、何となく手応えがあったので、それからは権助の酒の呑み方や、酒を呑む間の話題を替え、現在の形となりました。

これは良いことではないかも知れませんが、その時々のニュースを入れ込み、社会風刺も加え、ボヤキ酒のような形で噺を進める場合もあります。

百花園

第四十五號

○英國《えいこく》の落話《おとしばなし》

英人　ブラック　口演
今村次郎　速記

國《くに》に依《よつ》て人間《にんげん》の見《み》た處《とこ》ろの有様《ありさま》、衣服《いふく》、言葉《ことば》、平《へい》常《ぜい》の行《おこな》ひが異《かは》ると雖《いへ》ども何《いづ》れへ參《まゐ》りましても大躰人《たいたいにん》間《げん》の志《こゝろざ》しに異《かは》りはない、其《そ》の證據《しようこ》に何《いづ》れの人《ひと》でありませうとも他人《ひと》には負《ま》けたくない、成《なる》べくなれば勝《かち》たいと云《い》ふ志《こゝろざ》しはある様子《やうす》、他人《ひと》に負《ま》けるのは忌《いや》だと云《い》ふ處ろから勉強家《べんきやうか》で奮發致《ふんぱついた》するやうになるに依《よつ》て此《こ》の競爭《きやうさう》の志《こゝろざ》しは誠《まこと》に宜《よ》いと云《い》はねばなりやせん、子供《こども》が學校《がつかう》に參《まゐ》つて只々《たゞ/\》教師《きやうし》に叱《しか》られるのが怖《おつ》ろしいと思《おも》つて勉強《べんきやう》するのは眞正《ほんとう》の勉《べん》強《きやう》では御坐いません、又夫《またそれ》では決《けつ》して充分《じうぶん》に覺《おぼ》える事《こと》が出來《でき》ません、けれども外《ほか》の子供《こども》に負《ま》けるのが忌《いや》、勝《かち》たいと云《い》ふ心《こゝろ》で勉強《べんきやう》しますれば追々《おひ/\》に學《がく》問《もん》が上達《のぼ》り必《かな》らず最終《しまひ》に勝利《しようり》を得《う》る、又《ま》た學校《がくかう》より退《さが》つて商人になりませうとも或は官途《かんと》に就《つ》かうとも他人《ひと》に勝《かち》たいと云《い》ふ心《こゝろ》で骨《ほね》を折《を》りますれば追《おひ》く々に進《すゝ》んで上等位置《いゝゐち》まで登《のぼ》る事《こと》が出來《でき》ませう、善《よ》い事《こと》で他人《ひと》と競爭《きやうさう》するのは誠《まこと》に結構《けつこう》、勉強《べんきやう》に於《おい》て他人《ひと》に負《まけ》まい、親切《しんせつ》他人《ひと》に負《ま》けまい、道徳《たうとく》他人《ひと》に負《まけ》まいと云《い》ふ事《こと》なれば宜《よ》いが此《こ》の競爭《きやうさう》を惡《わる》い方《はう》へ取《とつ》て他人《ひと》が惰《なま》けるから我《われ》も負《ま》けずに惰《なま》けやう、彼奴《あいつ》も道樂《たうらく》するが予《われ》は彼奴《あいつ》より最《も》う少《すこ》し上手《うはて》に道樂《たうらく》して見《み》やうと云《い》ふ事《こと》になると餘《あん》まりどうも感心《かんしん》の事《こと》ではない、人《ひと》に負《ま》けたくないと云《い》ふ處《とこ》ろから時《とき》とし

第四十五號　一　英國の落語　第四卷　三百七

『百花園』45号（金蘭社、明治24年）の速記。

栃木県宇都宮市で長年開催されている「河内ふれあい寄席」で上演した時、落語・歌舞伎研究家の清水一朗氏が、過去の名人達人の呑み方を細かく教えて下さり、とても助かりました。

権助が一杯ずつ盃を空けるに連れ、少しずつ酔いが廻る方が良いのか、ある時から急に酔っ払いになるかは難しい所ですが、私の場合、その時の雰囲気に任せて演じるようにしています。

古い雑誌では、初代快楽亭ブラックの速記で『百花園』四五号（金蘭社、明治二十四年）へ掲載され、レコード・カセット・CDは六代目春風亭柳橋・五代目柳家小さん・三代目桂米朝などの各師の録音で発売されました。

酒についても述べたかったのですが、酒がテーマになる落語は他にもあるので、別のネタの時、少しずつ語らせていただくことにします。

持参金

じさんきん

昔と今は、お金の値打ちが違て、明治時代の十円は大した金額。「知らぬ御方に　三円もらい　これが五円（※御縁）に　なればよい」という都々逸が出来たぐらいで。

番「あァ、お早うさん」

甲「番頭はん、お越しやす」

番「おォ、感心に起きてたな。まだ寝てるかと思て、案じながら来たわ」

甲「どういう訳か、早う目が覚めてしもた。まァ、たまには洒落で早起きしたれと思て」

番「コレ、洒落で早起きする奴があるか。相変わらず、言うことが面白い。昔から『早起き三両、宵寝《よいね》は五両』と言うて、早起きは身体のためにも良え。それはともかく、一寸頼みがある。大分前、あんたへ二十円、用立てたことがあったな」
甲「早う返さなあかんと思いながら、貧乏暇無しで放ったらかしにして」
番「わしも催促しにくいのは、二十円貸す時、『あんたの親父へ恩返しのつもりで貸すよって、いつまでに返してくれとは言わん』と偉そうなことを言うた。誠に言いにくいけど、のっぴきならん金の要ることが出来て。すまんけど、二十円返してもらえんか？」
甲「そんな言い方されると、此方が辛い。もろた訳やのうて、借りてます。ほな、次の節季までに都合しときますわ」
番「いや、今度の節季では困る」
甲「ほゥ、急きますか。ほな、十日」
番「いや、十日が待てん」
甲「ほな、四、五日」
番「四、五日が、具合悪い」
甲「二、三日」
番「いや、二、三日では困る」
甲「ほな、明日」
番「実は、明日まで待てん。何とか、今晩までに都合してもらいたい。あんたの手許に無かったら、余所で借りて、わしが後から其方へ返すということでも構わん。今晩までに、どうしても二十円無かったら困る。ほな、頼むわ」
甲「もし、一寸待ちなはれ！　あァ、行ってしもた。たまに早起きしたら、碌なことが無い。二十円の借金なんか忘れてたし、何が『早起き三両、宵寝は五両』や。阿呆らしいよって、もう一遍、寝直したろ」
佐「あァ、お早うさん」
甲「次々、人が来るわ。佐助はん、お越しやす」
佐「おォ、感心に起きてたな。まだ寝てるかと思て、案じながら来た。早起きは良えことで、昔から『早起き三両、宵寝は五両』」
甲「それは、もうあかん。昔の人の言うことは、当てにならんわ」
佐「昔の人の言うことに、愚かは無い」
甲「いや、当てにならん。『茶柱立ったら、良えことがある』と言うけど、奥の端の糊屋のお婆ン。茶柱が喉へ引っ掛かって、えらい目に遭うた。『火遊びする子は、寝小便する』と言うけど、寝小便する子を鍛冶屋へ奉公に出したら、寝小便が治ったそうな」
佐「コレ、ケッタイな理屈を言いなはんな。早う起きても、寝床に居ったら何もならん。ノラクラしてるのは独身《やもめ》やよって。ボチボチ嫁をもらう気は無いか？」

甲「自分が食いかねてるのに、嬶はもらえん」
佐「さァ、昔から」
甲「あァ、また昔や！」
佐「昔から、『一人口《ひとりぐち》は食えんが、二人口は食える』と言うわ。とにかく、独身は無駄が多い。飯拵えが邪魔臭いよって、直に外で食べるけど、その金を嫁へ渡しといたら、三遍のおかず拵えが出来る。着物が汚れたり、古なったら、放《ほ》かしてしまうけど、嫁が居ったら、洗濯したり、つづくってくれる。これが積もり積もったら、えらい違いや」
甲「確かに、そうですな。ほな、どこかに良え掘り出し物でもありますか？」
佐「コレ、ケッタイな言い方しなはんな。何の当ても無しに、こんな話はせん。わしが良えと思う相手は、齢が二十二や」
甲「ほゥ、齢恰好は宜しいな」
佐「えろう別嬪やないけど、色がクッキリと」
甲「ほゥ、白い？」
佐「いや、黒い！　その代わり、背がスラッと」
甲「あァ、高い？」
佐「いや、低い！　デボチン（※額のこと）が出てる割りに、鼻が内らへ遠慮してる。両方の頬《ほ》べたが盛り上がって、顎が前へ迫り出してるよって、転《こ》けても鼻は打たん。目は小さいけど、口は大きい。右と左の眉毛の長さの違う所に愛嬌がある。右の目尻にハッレ（※目の縁が引き吊ってること）があるけど、左の口許に痣《あざ》があるよって、入れ合わせは付いてるわ。縫い針・琴・三味線・お茶・お花という、女子一通りのことは、何をさしても半人前やけど、飯は四人前食べる。人との応対や、折り目切り目の挨拶は上手に出来んけど、要らんことは、ようしゃべるわ。仕事は遅いけど、摘み食いは早い！　この女子に、一つだけ疵《きず》がある」

甲「えッ、まだありますか！」

佐「腹へ子どもがあって、直に臨月やけど、この女子を嫁にもらう気は無いか？」

甲「そんな女子を、よう勧めなはるな。折角やけど、じっくりさしてもらいますわ」

佐「しかし、悪い話やないと思う」

甲「いや、あんまり良え話でもないわ」

佐「気に入らなんだら、他を当たってみる。こんな女子でも、金の二十円も付けると言うたら、誰かもろてくれるやろ。邪魔して、すまなんだ。ほな、帰るわ」

甲「もし、一寸待った！　気を短《みじこ》せんと、もう一遍、お戻り」

佐「コレ、古手屋へ来てるのやないわ」

甲「その女子をもろたら、二十円付きますか？」
佐「そんな女子やよって、二十円の持参金が付くわ」
甲「もし、それを先に言いなはれ！（両手を出して）へェ、もらいます！」
佐「コレ、手を出しなはんな。ほな、もらうか？」
甲「へェ、もらいます。えェ、二十円！」
佐「二十円もらうのやのうて、嫁をもらう」
甲「嫁付きで、二十円もらいますわ」
佐「いや、違う。二十円付きで、嫁をもらうわ。ところで、腹の疵も承知か？」
甲「腹の疵とは、何です？」
佐「いや、腹へ子どもがある」
甲「腹へ子どもがあったら、疵ですか？」
佐「嫁入り前の娘の腹へ子どもがあったら、立派な疵や」
甲「いや、そうは思わん。長年、連れ添うた夫婦でも、子どもが無かったら、赤の他人を養子にもろて、身代を譲る人もある。此方は片親だけでも、ほんま物や。向こうから此方へ来るのに、腹へ入れて来たら、風邪を引かさんで宜しい」
佐「ようそんな、大らかな気になれるな。そう言うてもらうと、気が軽なった。ほな、この話は進めてもええな？」
甲「そんな悠長なことを言うてたら、どんならん。今晩、もらいますわ」
佐「コレ、猫の子をもらうみたいに言いなはんな。今晩とは、えらい急や」
甲「今晩やよって、もらいます。明日になったら、要らん！」
佐「コレ、お前の話は奇怪《おか》しいわ。何で、今晩や？」
甲「とにかく、今晩やったら、もらいます！」
佐「まァ、先方も急いてる。話をして、先方が得心したら、今晩、連れてくることにするけど、誰か相談する人は無いか？」
甲「親兄弟も無し、親戚の付き合いもしてない。己が得心したら、それで宜しいわ」
佐「ほゥ、身軽な身体や。そうと決まったら、今晩は花婿やよって、一寸は綺麗にしときなはれ。家の中は埃塗《ほこりまみ》れで、着てる物も汚いけど、ちゃんと風呂へ行ってるか？」
甲「もし、失礼なことを言いなはんな！　風呂はキッチリ、二遍ずつ入ってます」
佐「ほゥ、日に二遍？」
甲「いや、春と秋！」
佐「コレ、お彼岸や。風呂へ行って、綺麗にしなはれ。盃事をするよって、酒・肴の支度もしとくように。日が暮れに、花嫁を連れてくるわ」

甲「どうぞ、宜しゅうに！　あァ、ケッタイな日や。起き抜けに忘れてた二十円催促されたと思たら、二十円持って、嫁が来る。これやよって、世の中は面白い！」
番「おい、まだ寝てるか！　早う起きて走ってくれなんだら、二十円は出来ん」
甲「いや、大丈夫！」
番「寝床へ入ったなりで、二十円の段取りが出来たか？」
甲「出来ん時は、どれだけ走り廻っても出来んし、寝てても出来る時は出来ますすわ」
番「しかし、不思議な男や。今晩、もらいに来るよって、頼むわ」
甲「へェ、任しとおくれやす！」

これから掃除したり、風呂屋へ行ったり。
日が暮れになると、世話好きの金物屋の佐助が、花嫁を連れてきた。

佐「えェ、こんばんは。本日はお日柄も良うて、おめでとうさん」
甲「あァ、佐助はん。(手を出して) さァ、二十円！」
佐「(制して) シャイ！　さァ、入れてもらいなはれ。いや、遠慮せんでもええ。今日から、あんたの家になるわ。さァ、そこへ座りなはれ。朝、話をした女子はんや。ソレ、わしが言うた通りやろ。この人も身寄り頼りの無い人で、この家を追い出されたら、帰る所が無い。一日も早う、花嫁も家へ馴染むように。祝言《しゅうげん》の支度は、家主から借りてきたか。形だけの祝言やけど、盃を取りなはれ。(酌をして)今まで仲人は何遍もさしてもろたけど、皆、仲良うしてる。この度も、めでとう納まった。呉々も、後で嫌なことを聞かさんように。困ることが出来たら、いつでも相談へ乗る。『仲人は、宵の口』と言うよって、この辺りで、お開きということに」

甲「(佐助の袖を掴んで)コレ、一寸待った!」

佐「あァ、何や?」

甲「さァ、アレ!」

佐「アレとは、何や?」

甲「ソレ、肝心の物!」

佐「肝心の物とは、何や?」

甲「コレ、忘れたら困るわ。ソレ、二十円!」

佐「あァ、二十円か。まァ、ええ」

甲「いや、それが肝心や。一体、どうなってる?」

佐「あァ、忘れた」

甲「コレ、忘れたらあかん。いや、嫁は忘れてもええ。二十円忘れたら、どんならん」
佐「都合があって、明日の朝になった」
甲「いや、それは困るわ。今晩という約束で、嫁をもろた」
佐「一々、ヤイヤイ言いなはんな。わしも町内で看板を上げて商売してるよって、二十円や三十円で逃げ隠れはせん。取り敢えず、明日の朝まで待っとおくれ。ほな、帰るわ」
甲「もし、佐助はん！　これやったら、騙《だま》されたみたいや。あァ、こんな女子だけ置いて行きやがった。話も無いよって、極りが悪いわ。アノ、将棋一番指そか？　あァ、知らん。ほな、寝ることにしょうか」

残った酒を呑み、枕を並べて寝てしまうと、ガラリ夜が明ける。

番「あァ、お早うさん」
甲「番頭はん、お越しやす」
番「夕べは、すまなんだ。昨日、あんなに喧しゅう言うて。日が暮れに来るつもりやったけど、田舎の取引先がお越しになった。私が相手せんならん人で、呑めん酒を夜中まで付き合うて。朝一番に飛んできたけど、二十円出来てるか？」

甲「実は、ウチも今朝になりまして」
番「おい、ほんまに大丈夫か？」
甲「しっかりした人へ頼んでるよって、直に持ってきてくれますわ」
番「わしも店では番頭とか何とか言われてるけど、奉公人の辛さで、店へ帰ると出て来にくい。ほな、ここで待たしてもろたらあかんか？」
甲「もう持ってきてくれると思いますよって、待っとおくなはれ」
番「ほな、ここへ掛けさしてもらうわ。ヤイヤイ言うて、すまんな。この度だけは、人に言えん訳があって。（煙草《たばこ》を喫《す》って）あんたも、ケッタイやと思てるやろ。ほな、内々で聞いてもらうわ。決して、余所で言わんといて。去年の末、商売仲間の寄合があって、旦那が病気で、わしが代わりに出掛けた。その席で呑めん酒を呑まされて、悪酔いして苦しんで帰ってきて。横になったけど、頭は痛い、胸はムカムカする。上げたり下げたりして、苦しんでた。ウチの店に、お鍋という女子衆が居るのを知ってるか？ あァ、不細工な女子や。（煙草を喫って）その女子が親切で、背中を摩《さす》ったり、薬を呑ましてくれたり、白湯を汲んでくれたりして、世話を焼いてくれた。その内に気分が納まってきて。真夜中に一つの部屋に若い男と女。酒の勢いも手伝《てつど》て、ややこしいことになってしもた。それからは独り者同士だけに、人の目を盗んで、忍び逢う内に、女子は受け身で、腹が大きなってしもて。こんなことが旦那へ知れたら、暖簾分けの話も、ワヤになる。どうしょうと思て、金物屋の佐助はんに相談した。佐助はんが『取り敢えず、その女子を宿下がりさせなあかん。店から暇を取らして、どこかへ片付けてしまえ。金の二十円も付けたら、どこぞの阿呆がもろてくれるかも知れん』と言うよって、頼んどいたら、その阿呆があったそうな。『気の変わらん内に、押し付けてしまえ。一刻も早う、二十円持ってこい！』ということになって。こんなことは人に言えん。そこで思い出したのが、あんたへ貸した二十円という訳や。喧しゅう言うて、すまなんだ」
甲「はァ、さよか。実は夕べ、嬶をもらいまして」
番「何で、早う言わん。ほな、こんな話は持ってこんわ。しかし、おめでとうさん」
甲「いや、めでとない。実は、金物屋の佐助はんの世話でもろた」
番「えッ、それは別の話」
甲「いや、別やない。腹が大きて、金が二十円」
番「ほな、アノ、お鍋！」
甲「どうやら、そうらしい」
番「ほな、もろてくれる阿呆。（口を押さえて）相手は、あんたか？」
甲「どうやら、そうなりますわ。まァ、宜しい。これも御縁で、先の世から決まってるみたいですわ。夕べ、話をしたら、気立ての良ぇ女子や。不細工と言うけど、可愛らしい。昔から『別嬪は三日見たら飽きるけど、不細工は三日見たら馴れる』と言うし、私が嫁にもろたら、丸う納まりますやろ」

番「ほな、引き受けてくれるか？」

甲「へェ、わかりました。腹の中の子どもの父親が、どこの牛の骨や、馬の骨やわからんより、番頭はんの子どもと知れてたら、何かの時の頼りになる」

番「おい、ケッタイな言い方しなはんな！」

甲「まァ、宜しい。これも御縁やよって、引き受けますわ」

番「改めて、お願いします。ところで、わしが貸してる二十円は？」

甲「それやったら、佐助はんが持ってきてくれます」

番「佐助はんは、わしが帰るのを店で待ってるわ」

甲「ほな、何ぼ待ってても届かん。この手拭いを仮に二十円にして、番頭はんへお返ししますわ。(手拭いを渡して) 長い間、有難うございました」

番「(手拭いを受け取って) これを持って帰って、佐助はんへ渡す。佐助はんが、ここへ持ってくる。ほな、グルッと一廻りするわ」

甲「あァ、金は天下の廻り物や」

解説「持参金」

『続・桂米朝上方落語選』（立風書房、昭和四十七年）の「持参金」の解説では、「古い古い噺で、南天師以外、誰も演らなかったのですが、多少洗い張り、仕立て直して演り始めると、結構、受けるネタとなって、甦りました」と記されています。

米朝師が仕立て直し、見事に甦らせたネタであることに異論はないでしょうし、東西の落語界を通じ、ほとんど今では米朝型の構成で上演するようになりました。

しかし、米朝師は桂南天の高座の聞き覚えだけで上演したかというと、そうではありません。師匠（二代目桂枝雀）から、「チャーちゃん（三代目米朝）の旅（※地方公演のこと）へ連れて行ってもらえる間に、チャーちゃんの持ちネタの『あ』から『ん』まで、誰に習《なろ》て、どんな工夫を加えたか、細かく教えてもらいなさい」と言われ、移動時のタクシーの中や、宿でマッサージをしながら、さまざまなことを尋ねましたが、「持参金」について、「かなり変えたけど、圓馬師匠に教えてもろた」と聞いたときは、驚きを隠せませんでした。

四代目三遊亭圓馬師が「不思議の五円」「金は天下の廻り物」という演題で上演していたことは知っていましたが、ネタの構成や演出は似て非なる物だったからです。

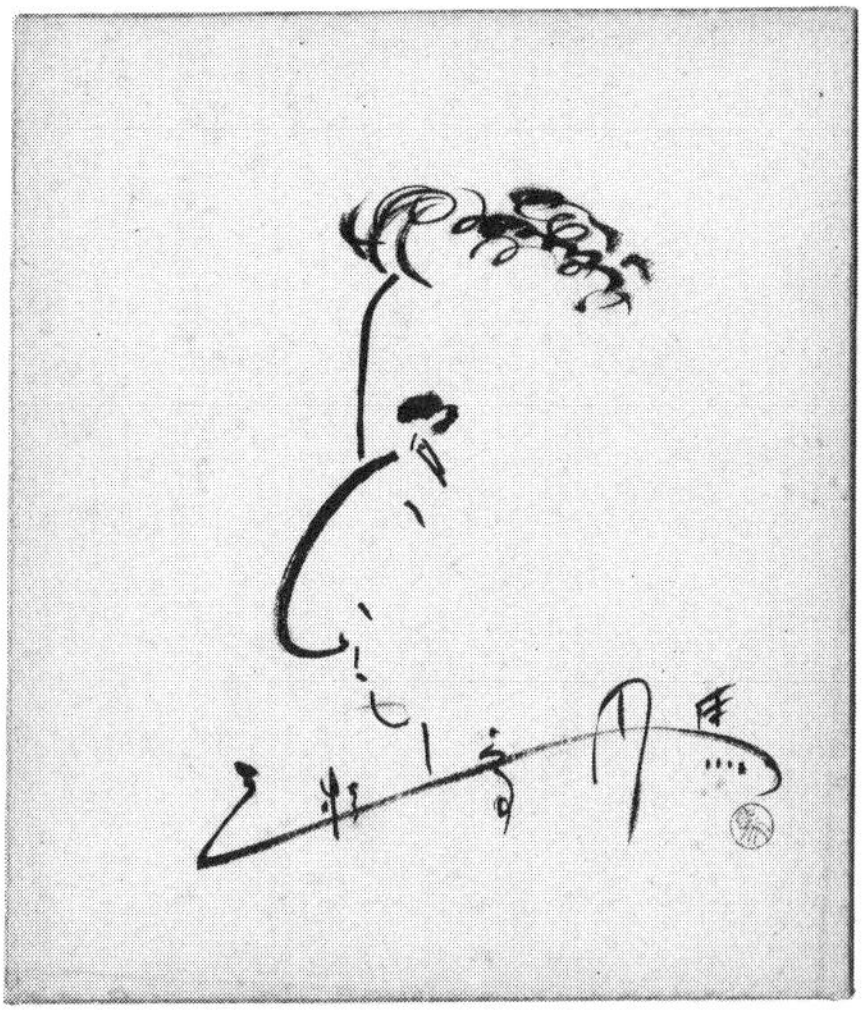

四代目三遊亭圓馬の色紙。

しかし、第二次世界大戦前、圓馬師は吉本興行が経営する大阪の花月へ頻繁に出演しており、三代目圓馬・二代目桂三木助・桂文治郎から習った可能性もあり、昔の型のままで伝わったとしても不思議はありません。

元来、この落語は「逆様《さかさま》の葬礼」と言い、まだ後があるようですから、米朝師から伺ったことや、解説へ記されたことを、かい摘んで述べておきましょう。

二人の話し声を聞いて、お鍋が「どうも、番頭さんのような」と、障子の破れ穴から覗くと、番頭も「お鍋に間違いないか」と確かめるために、障子の穴から覗きますが、両方から覗くので、真っ暗で見えません。

お互いに少し離れると、「お鍋か」「番頭さんか」と気が付いた所で、お鍋が産気付いたので、産婆を呼びに行き、大騒動。

生まれた赤子は助かりましたが、母親のお鍋は死んでしまいます。

赤子の産着《うぶぎ》の支度や、お鍋の葬式の準備をする間に、お鍋の母親を呼び、「これがお孫さんで、これは亡くなった娘さんの亭主。いや、この子の親は別で、この人」と、ややこしい紹介や挨拶があって、お別れに娘の顔を一目と、座棺の蓋を取り、対面させました。

母親が「いや、これは娘やない。第一、首がございません。しかも男の仏で、胸毛が生えてる」と言ったので、妙に思い、皆で棺桶を覗くと、死体が逆様に入れてあったというのが、オチだったそうです。

米朝師も「非常に話が複雑になり、くだくだしい割りに、ラストの盛り上げも効かず、そして、終戦までは、この程度のエロも御法度ですから、前半だけを切って、このようなサゲにしたり、私が教わった桂南天師は、別に『捨て米』という小咄を付けてサゲにしたり」と記しているので、「捨て米」という小咄の内容も紹介しておきましょう。

＊　＊　＊　＊

生まれた赤子が妙な顔をしていたので、捨て子にしましたが、そこへ通り掛かったのが田舎者の二人連れ。

○「コレ、ここに子めが捨ててあるわ」
△「何ッ、米が捨ててある？　ほな、拾え」
○「いや、赤子めじゃ」
△「あァ、赤米でもええわ。さァ、拾え」
○「いや、人じゃ」
△「四斗やったら、二斗ずつ分けたらええわ」

＊　＊　＊　＊　＊

「捨て米」の原話は、『軽口露がはなし〈巡礼捨子の咄し〉』巻四の十七（元禄四年、京都版）や、『友達ばなし〈赤子〉』（明和四年、江戸版）にあるので、ついでに『軽口露がはなし〈巡礼捨子の咄し〉』も紹介しておきましょう。

＊　＊　＊　＊　＊

関東の言葉になまりの多き巡礼二人つれだち、はじめて京へのぼり、五条の橋を通りけるに、折《おり》ふし捨子あり。

かの巡礼、此子を見て、先へゆく同行にいふハ、「爰《ここ》に子めがすてて有」といへば、つれ聞て、

「米ならバひらつてこひ」といふ。

「しかも赤子めだ」と云に、「それはたいたう米であるべひ。よしさ。くるしゅなひこんだに、はやくひらつてこよさ」といふた。

いかに両げちがひじや。

＊ ＊ ＊ ＊ ＊

戦前の噺家は、このネタを土台にし、「立ち物」という軽演劇で頻繁に上演したそうです。

「逆様の葬礼」の趣向は、十返舎一九の『東海道中膝栗毛』の発端であることは、いくつかの解説で見ることが出来ますが、一九は上方へ在住していたこともあり、噺家との付き合いも深かったようで、初代桂文治との共著で『大寄噺尻馬《おおよせはなしのしりうま》』も刊行しました。

これは私の推測に過ぎませんが、駅伝形式で演じる上方落語「東の旅」（※「発端」から「三十石夢の通い路」まで、約二十五席の大河落語）の原話は、一九が著した『東海道中膝栗毛』から採っているのではないでしょうか。

あるいは、その反対で、上方の噺家から一九が『東海道中膝栗毛』のアイデアをもらったの

かも知れません。

そうなると、「卵が先か、鶏が先か」ということになりますが……。

三重県松阪市生まれの私は、「早起き三両、宵寝は五両」という諺を、このネタで初めて知りました。

「早起きも早寝も、益が多い」という意味であり、「早起きは、三文の徳（得）」と同じで、「早起き三両、倹約五両」「長起きは、三百の損」「早起き、目の薬」「早起き鳥は、餌に困らぬ」「早寝早起き、病い知らず」とも言うそうですが、どれも聞いたことがありません。

ただ、「早起きは、目の薬」は、浄瑠璃「近頃河原達引」のパロディになっているネタの「猿廻し（※別題は、「堀川」）」に出てきます。

「早起き三両、宵寝は五両」は関西の諺かと思い、大阪生まれ・大阪育ちの年輩に聞きましたが、聞いたことが無いとのことだったので、かなり昔に絶えた関西の諺なのかも知れません。

「火遊びする子は、寝小便する」という迷信や、「茶柱が立てば、良えことがある」という俗説は、松阪市でも言いました。

夜に火遊びをすると、その後で腹が冷え、寝小便をする子どもが多かったでしょうし、火事を防ぐことの戒めにもなります。

それに引き替え、「茶柱が立てば、良えことがある」という俗説はいかがでしょう？

茶の茎・葉の軸が茶柱で、茶の葉を蒸らして呑む日本茶では使わない部分だけに、茶葉の中へ茶柱が混入することは珍しく、まして、茶を淹れた時、急須などから出てくることは考えにくいと言えましょう。

しかし、それは近年販売されている茶であり、私が幼い頃、郷里で呑んでいた茶は、茶柱が頻繁に立ちました。

上等でない茶には、茶の茎・葉の軸が混入していることが多く、昔の貧しい農家などでは、茶柱が立つことを幸せへ結び付け、心を慰めていたのでしょう。

朝に茶柱が立つと自分の縁起が良く、昼からは他人に幸せなことがあると言いました。

昔の諺や、世の中の柵《しがらみ》を知るには打って付けのネタが「持参金」でしょうし、このようなネタを聞くことで、世の中の清濁を合わせた内情を推し量ることも出来るのです。

ラストの番頭の述懐が、それまでの謎解きとなり、少しずつ内情が知れていくに連れ、観客のクスクス笑いが広がり、「金物屋の佐助はんに相談した」という一言で爆笑になる快感は、このネタを演じた者しかわからないでしょう。

そこまで外堀を埋めながら、一気に本丸を崩すという戦略へ仕立て上げた米朝師の構成力が、このネタを東西屈指の爆笑ネタへ成長させた大きなポイントだと思います。

師匠（二代目桂枝雀）も、若い頃から上演していましたが、私が入門した昭和五十四年頃は持ちネタから外しており、昭和五十九年頃から、再び高座へ掛けるようになりました。

しばらくの間、上演しなかった理由を尋ねると、「台詞は一つも無いのに、大切な柱になってる女子衆のお鍋の顔の造りで笑いを取ることへ抵抗があり、上演を止めてた」とのことでしたが、どのネタに限らず、師匠は登場人物の容姿で笑いを取ることを極端に嫌ったのです。

どちらかと言えば、それをフォローしながら、ストーリーを進める感があり、その意味でも「持参金」は筆頭へ位置するネタだったと言えましょう。

再び、何度か上演した後、「面白くするのは無理やよって、やっぱり止める」と言い、アッサリ封印してしまいました。

枝雀落語にとって、優しさがネタの上演の壁になったという現実もあったのです。

もっと師匠が長生きすれば、このネタの演じ方が変わったかもしれませんが……。

しかし、落語にとって、優しさがマイナスになるとは思いません。

根底に「人間は、誰にも良い所がある」という優しさが存在していなければ、快く聞いていただくことは出来ないでしょう。

残酷な場面や、薄情な心を表現することは、落語のスパイスになると思いますが、それが柱になると、ギスギスした世界のみが展開されるでしょうし、そのような世界を観客へ提供することが良いとは思いません。

そのように考えると、「持参金」という落語をテーマにし、さまざまな角度から、人間心理を検証することが出来るのではないでしょうか。

私のことも少しだけ述べると、昭和五十八年十一月一日、大阪茨木市唯敬寺で開催した枝雀一門の勉強会「雀の会」で初演しましたが、意外に演りやすく、それは後々も変わらないため、この形のまま、今後も上演し続けようと考えています。

このネタの登場人物は、周りの者を大切に考え、これが最良と考えて行動しながら、それが見事に外れていくという、愛すべき落語国の代表選手のように思えてなりません。

それだけに、これ以上の奇抜なギャグは入れず、極めて自然体で、落語の世界を表現するように心掛けています。

奇抜なギャグは一時は受けますが、落語の世界を破壊することにもなりかねませんし、一つ間違えると、全く絵にならないジグソーパズルのようになるだけに、演者にとって、怖いネタであることも間違いないでしょう。

ＬＰレコード・カセットテープ・ＣＤは、三代目桂米朝・二代目桂枝雀・三代目桂南光などの各師の録音で発売されています。

出歯吉《でばきち》

吉「今から、小照と夫婦約束しに行くわ。吾助の叔父《おっ》さんに『小照と所帯を持つよって、死んだ母親が預けた財産を出して』と言うたら、『ほな、女子に騙されてない証拠がある か?』『小照に「ひょっとしたら、わしを騙してるか?」と聞いたら、「他の男は騙しても、あんただけは騙さん」と言うよって、騙されてない』と言うたら、『いや、それが騙されてる。ほな、女子の心を試してこい。火鉢の灰を包んだ紙包みを持って行って、難しい顔をせえ』。難しい顔は苦手で、紐が解《ほど》けたみたいな顔と言われてるわ。出歯で、口を瞑《つむ》っても歯が出て、出歯吉と呼ばれてる。『仕事場で喧嘩して、横にあった槌《つち》でドツいたら、ゴロッと死んだ。仕事仲間を殺したら、生きて行けん。いっそのこと、死のと思う』。いつも小照は『生まれる時は別々でも、死ぬ時は一緒』と言うてる。紙へ包んだ火鉢の灰を出して、『この薬を舐《な》めたら、苦しまんと死ねる。さァ、一緒に舐めて』。小照が灰を舐める真似でもしたら、『おォ、心底見えた！』と言うて、叔父さんの所へ連れて行くわ。『そんな料簡の女子やったら、夫婦にさしたる』と言うてくれたけど、舐めるに決まってる。叔父さんの所へ小照を連れて行って、ビックリさしたろ。（笑って）わッはッはッは！」

ほんまに、極楽トンボを絵に描いたような男。

日が暮れの新町へ来ると、軒の行燈《あんどん》へ灯を入れ、打ち水・盛り塩。

三味線・太鼓の粋《すい》な音がして、何とも言えん陽気なこと。〔ハメモノ／茶屋入り。三味線・〆太鼓・大太鼓・当たり鉦で演奏〕

吉「小照が待ってると思たら、嬉しい！　（店へ入って）女将《おかみ》、小照を頼むわ」

女「吉《き》っちゃん、お越しやす。余所のお座敷からもろてくるよって、二階で待っといて」

吉「ほな、そうするわ。（二階へ上がって）眉間へ皺《しわ》を寄せて、難しい顔しょうか。おォ、下で小照の声がした。『お母ちゃん、誰方？』『ハァ、出歯吉やし』。陰で出歯吉と言うてるよって、女将も信用ならん。さァ、難しい顔しょう」

小「（襖《ふすま》を開けて）吉っちゃん、お越し。（吹き出して）プッ！　難しい顔して、何や？」

吉「あァ、小照か。此方へ入って、話を聞いてくれ。浮いた話やのうて、先に聞きたいことがある。わしと小照は、生まれる時は別々でも、死ぬ時は一緒か？」
小「改まって聞かんかて、そんなことは当たり前や」
吉「ほゥ、それを聞いて安心した。今日、仕事仲間と喧嘩して」
小「吉っちゃんだけの身体やないよって、しょうもない喧嘩しなはんな」
吉「ムカついたよって、横にあった槌でドツいたら、ゴロッと死んだ」
小「えッ！」
吉「コレ、大きな声を出すな！　仕事仲間を殺したら、生きて行けん。いっそのこと、死のと思う」
小「えッ、今日でお別れ？　まァ、短い付き合いやったな。ほな、さいなら」
吉「おい、薄情なことを言うな！　生まれる時は別々でも、死ぬ時は一緒と言うてた」
小「いえ、生まれる時は別々で、死ぬ時も別々」
吉「コレ、嘘を吐け！　頼むよって、わしと一緒に死んでくれ」
小「急に言われても、都合があるわ。身の回りを片付けてから死ぬよって、五年待って」
吉「おい、阿呆なことを言うな！　仕事仲間を殺してるよって、直に死ななあかん」
小「あァ、難儀や。一体、何で死ぬの？」

吉「おォ、一緒に死ぬ気になってくれたか。（紙包みを出して）さァ、これは呑んでも苦しまんと死ねる毒薬。舐めたら、イチコロや。二人で舐めて、死のと思う」
小「ほな、夜まで待って。洗濯物が干したままやよって、取り入れてから」
吉「洗濯物なんかは、何方でもええ」
小「洗濯物が干したままやったら、『あァ、だらしない女子』と言われて、末代まで恥を搔くわ。洗濯物を片付けてから、落ち着いて心中するよって」
吉「心中は落ち着いてすることやないわ。ほな、ここで待ってる」
小「こんな所で心中したら、店が迷惑や」
吉「ほな、道頓堀の中座《なかざ》の前で待ってるわ」
小「人が多い所で心中したら、晒《さら》し者や」
吉「ほな、千日前の墓場」
小「あァ、三勝《さんかつ》半七の墓がある所？　洒落てて、心中も絵になるわ。まァ、嬉しい！」
吉「心中は嬉しがってすることやないわ。先へ行くよって、洗濯物を片付けたら、直に来い。（小照の髪から、簪を抜いて）ほな、簪を預かるわ」
小「コレ、何しなはる！　それは母親の形見で、命から二番目に大事な物や」
吉「返してほしかったら、三勝半七の墓の前へ来い。ほな、行くわ」

小「一寸、吉っちゃん！あぁ、吉公！おい、出歯吉！　はァ、行ってしもた。何で、あんな男と心中せなあかん。溝へ落ちて死ぬ方がマシや。簪を押さえられたよって、行くしかないわ。廊下を通ってるのは、喜助さんか？」
喜「小照さん、何を浮かん顔してなはる？　ほォ、出歯吉が仕事仲間を殺した？　コレ、関わり合いになったらあかん。何ッ、心中？　面白い顔して、何を吐かしてけつかる。三勝半七の墓の前で、毒薬を舐めて？　いや、そんな所へ行かんでも宜しい」
小「母親の形見の簪を持って行ったよって、仕方無いの」
喜「阿呆のクセに、何をさらす。ほな、私に任しなはれ。用事を片付けて、三勝半七の墓の傍で隠れてますわ。毒薬を舐める前に、『南無阿弥陀仏、エヘン！』と咳しなはれ。ほな、私が吉公の前へ飛び出して、『もし、小照さん。こんな所で、何してなはる？　女将が呼んではるよって、帰りなはれ。吉公、簪を返せ！』と言うて、取り返します。ゴジャヤゴジャ吐かしたら、横面を張り倒しますわ」
小「まァ、心強い！　ほな、宜しゅうに」
出歯吉は小照の簪を握り、三勝半七の墓の前で大胡座《あぐら》。

吉「小照は、何してる？　あァ、いつになったら来るつもりや」
小「もし、吉っちゃーん！」
吉「おォ、来た！　あァ、此方や。小照、待ってた！」
小「陽気な心中で、ケッタイな塩梅。まァ、お待たせ。さァ、簪を返して」
吉「いや、毒薬を舐める方が先や。小照が舐めたら返すよって、舐めて」
小「三途《さんず》の川も、手を引いて渡ってや。もう一遍、吉っちゃんの顔を見せて」
吉「ほゥ、嬉しいことを言うてくれる。さァ、見て！」
小「(吹き出して) プッ！」
吉「コレ、吹き出す奴があるか！　さァ、早う舐めて」
小「ほな、そうするわ。南無阿弥陀仏、(咳をして) エヘン！　南無阿弥陀仏。(見廻して) エヘン！　エヘン！」
吉「一体、どうした？　さァ、早う舐めて」
小「今、思い出したことがあるわ。心中する時、女子の死に姿を見て、逃げる男が多いらしい。逃げられんように、足の裏を十文字に切るそうな。さァ、足を出しなはれ」
吉「足の裏を切られるのは、嫌や」
小「ほな、先に舐めて」

吉「そしたら、小照も舐めるか？　(灰を舐めて）あァ、不味い！」
小「舐めても、何ともないの？」
吉「(灰を舐めて）おォ、何ともあるか」
小「舐めたら、コロッと死ぬのと違う？」
吉「あァ、そや、そや。(倒れて）ウゥーン！」
小「まァ、ケッタイな死に方。『あァ、そや、そや』と言うて、死んでしもた。(出歯吉の顔を叩いて）コレ、吉っちゃん！　あァ、吉公！　おい、出歯吉！　まァ、ギュッと簪を握って離さんわ」
喜「もし、小照さァーん！」
小「喜助さん、遅いわ。さァ、早う此方へ来なはれ」
喜「(見得を切って）こんな所で、何してなはる！」
小「コレ、見得を切っても遅いわ。吉公が毒薬を舐めて、先に死んでしもた」
喜「えッ、死にましたか？　足の裏を切ると言うたら、先に毒薬を舐めた？　『あァ、そや、そや』と言うて死んだとは、ケッタイな遺言ですな。ほな、帰りましょか？」
小「いえ、ギュッと簪を握って離さんの」
喜「余程、念が籠《こも》ってるらしい。ほな、指を折りますわ。指を折ると言うたら、パッと手を広げた。死んだ後も、どこかで通じてるみたいですわ。良え物を着てるよって、着物や帯も持って帰ったろ。左手で帯を掴んでる。ほな、指を折るぞ！　あァ、パッと手を離した。中々、面白い仏ですな。さァ、帰りましょか」
吉「(戸を叩いて)吾助の叔父さん、死人の出戻り！　もし、開けとおくなはれ！」
吾「コレ、一寸待て。(戸を開けて)さァ、入れ。褌一丁で、どうした？」
吉「(泣いて)エェーン、騙されました！」
吾「そやよって、初めから騙されてると言うてるわ。一体、どうした？　そんな目に遭わされたら、放っとく訳に行かん。仕返しに、お前の幽霊を出そか。明日の晩、三勝半七の墓の後ろで、わしの嬶《かか》の白い長襦袢を着て、幽霊になって待つわ。お茶屋の女将へ頼んで、小照が三勝半七の墓の前を通るようにする。東西屋の新さんを頼んで、ドロドロと太鼓を打ってもらう。お前が『小照、恨めしい！』と言うて出て、小照が目を廻した所で、着物を剥《は》いで帰ったろ」
吉「小照が気を失《うしの》たら、言い返しますわ。コラ、起きんか！　おい、出歯吉！」
吾「お前が出歯吉じゃ。段取りするよって、幽霊の台詞を覚えなはれ」
相談が纏まると、昼間に段取りを調え、三勝半七の墓の前で夜を迎えた。

吾「幽霊の恰好で、墓の後ろから出たら、ビックリするわ。あァ、新さんが来てくれた」
新「遅なって、済まんことで」
吾「さァ、この男が幽霊になる吉公ですわ。新さんは、近くの墓の後ろへ隠れとおくなはれ。一遍、稽古しょう。吉公が墓の後ろから『小照、恨めしい!』と言うて出てきたら、新さんが太鼓を打ってもらいたい。『小照、恨めしい!』と言うて、出てきなはれ」
吉「ほな、行きます。小照、恨めしい!〔ハメモノ/〆太鼓で、テンテンテンテンテンテテンガテンテンテンテン、テンテン、テンテンと打つ〕(両手を広げて)東西ィーッ!」
吾「コレ、何してる! 幽霊が出てくる時、陽気な太鼓を打ちなはんな」
新「太鼓の撥《ばち》を持ったら、東西屋の太鼓を打ってしもて」
吾「ほんまに、ちゃんと頼みますわ。吉公も『東西ィーッ!』と言うて、両手を広げるな。新さんは、深い音の大太鼓だけで宜しい。吉公も、しっかりせえ!」
吉「ほな、お願いします。小照、恨めしい!」〔ハメモノ/法華の太鼓。大太鼓で、ドンツクドンドンツクツクツクと打つ〕
吾「何で法華の太鼓を打つ? 幽霊が踊って出て、怖いか。コレ、阿呆!」
新「何で、お宅に阿呆と言われなあかん。気に入らなんだら、帰りますわ!」

吾「あァ、済まん！　幽霊の出は、ドロドロドロドロと太鼓を打っとおくれ」
新「ほな、気を付けます。吉っつぁん、行きますわ」
吉「新さん、頑張って！」
吾「どう見ても、阿呆の集まりじゃ。さァ、キッカケを言いなはれ」
吉「小照、恨めしい！」〔ハメモノ／ドロドロ。大太鼓で演奏〕
吾「あァ、それでええ。小照が来たら、しっかりやりなはれ」
小「(歩いて) 女将の言い付けでも、出歯吉が死んだ所を通るのは嫌。今朝、喜助さんが通った時、仏は無かったそうな。三勝半七の墓の後ろから、何か出てきた」
吉「小照、恨めしい！」〔ハメモノ／ドロドロ。大太鼓で演奏〕
小「まァ、吉っちゃんの幽霊！　もし、此方へ来なはんな！　(出歯吉を叩いて) エイ！」
吉「(倒れて) ウゥーン！」
吾「あァ、ほんまの阿呆や。小照にドツかれて、倒れてるわ。吉公、しっかりせえ！」
吉「ウゥーン、恨めしい！」
吾「コレ、何を言うてる！　小照は、どこかへ行ってしもた。女子にドツかれて、目を廻すとは、情け無い。ほんまに、力の入れ甲斐の無い男じゃ。生涯、目が出んわ」
吉「目（※芽）は出んはずで、先に歯（※葉）が出てます」

解説「出歯吉」

昭和二十一年九月から二十四年五月まで、『新演芸』（光友社）という演芸雑誌が十五巻刊行されましたが、私が演芸関係の古書を集め出した約五十年前も、この雑誌が古本屋で全巻並ぶことは珍しく、状態の良い物は極めて少なかったと言えましょう。

創刊号の価格が四円五十銭で、最終巻が五十円とは、当時の物価変動の激しさを物語っていますが、この雑誌には面白い記事が数多く掲載されています。

落語・講談・浪曲・漫才・漫談の速記や、正岡容《いるる》・鶯亭金升《おうていきんしょう》・安藤鶴夫・今村信雄・徳川夢聲という文人の随筆も目を引きますが、第九号には噺家になる前の桂米朝師が、本名の中川清で新作落語「莨《たばこ》道成寺」を載せていることも見逃せませんし、第八号の四代目柳家小さん追悼特集も特筆物でした。

第十二号へ初代桂小文治の速記で「出歯吉」が掲載されており、約三十五年前、この雑誌を大阪ミナミ・相合橋筋商店街の古本屋・イサオ書店で購入し、早速、目を通しましたところ、ネタの内容の奇妙さに驚き、他の落語で見ることのないギャグもあり、そのうちに演ってみたいと思った次第です。

その後、小文治の「出歯吉」が、ＣＢＳソニーのＬＰレコードで発売されたことを知り、早々

出歯吉

桂　小文治

宮尾しげを畫

一席大阪風のお笑を申上げます。お話は妓樓のお噂で……

○「今日は」

△「オー待つて居た。マア昇れ、お前此間頼んで行つた事な」

○「大きに」

△「早速町内の人に話して見たらな、お前も此町内に長い事住んでるし、其處へ私が親許で頼んださかい。快く承知して與れた。お前の親掛でコレ見い六十兩來たで」

○「左様か、大きに」

△「手を出すない、之はどうせお前に遣る金やけども、私が間へ入つて、兎や角口利いて見ると、此の金の使ひ道を聞かなけりや渡せんわ、お前此の六十兩何に使ふのや」

○「實はな貴所に云うたら笑はるか知らんけども、私女房を貰ひます」

△「女房を貰ふ、誰が笑ふもんかいな、結構ちや、女房と佛壇はなくては叶はんもんちや、是を持つとるのと持たん人では人の信用が違ふ位や、けどもお前などが内儀貰ふに、そんなにお金が要るかい、何ちや其の女房は」

○「女子」

35

『新演芸』12号（光友社、昭和23年）の表紙と速記。

に購入して聞きましたが、客席のウケも良く、噺の面白さが十分に伝わってきたことで、「このまま演じるのは難しいけど、形を変えれば、私なりに面白く仕上がるかも」と思い、その日から長期計画を立て、噺の構成を考え始めました。

次々にシーンが替わるだけに、場面を一つでも減らす方が良いと考え、前半の叔父との会話は出歯吉の一人語りにしましたが、嬉しそうに独り言を言いながら、お茶屋へ行く様子で、出歯吉の極楽トンボぶりが表現出来たと思っています。

出歯吉と小照の会話もトントンと進め、早々に千日前の墓場へ場面を移し、心中のシーンも効率良く処理しましたが、出歯吉が握っている簪と帯を喜助が奪い取る場面だけは、じっくり演じることにしました。

死んだはずの出歯吉が指を折られると聞き、簪を握っていた掌《てのひら》を広げるのは、他の落語には無い秀逸なギャグで、これだけでも眠らせておくのは惜しいネタだと思います。

後半の仇討のシーンは、コント性を強くし、馬鹿々々しく演じる方が盛り上がりますし、ハメモノ（※落語へ入る囃子のこと）の太鼓を入れたことが功を奏し、上方落語の特徴を高めることが出来ました。

出歯吉が新町へ行く時に使うハメモノは、本調子の「茶屋入りの合方」で、〆太鼓・大太鼓・篠笛・当たり鉦で、噺家の台詞の邪魔にならないように演奏し、法華の太鼓で出歯吉が踊るシーンは、漫才の中田ダイマル・ラケット師の十八番「僕は幽霊」から拝借しましたが、桂米朝

落語名人選7

初代 桂 小文治

初代桂小文治のLPレコード（CBSソニー）。

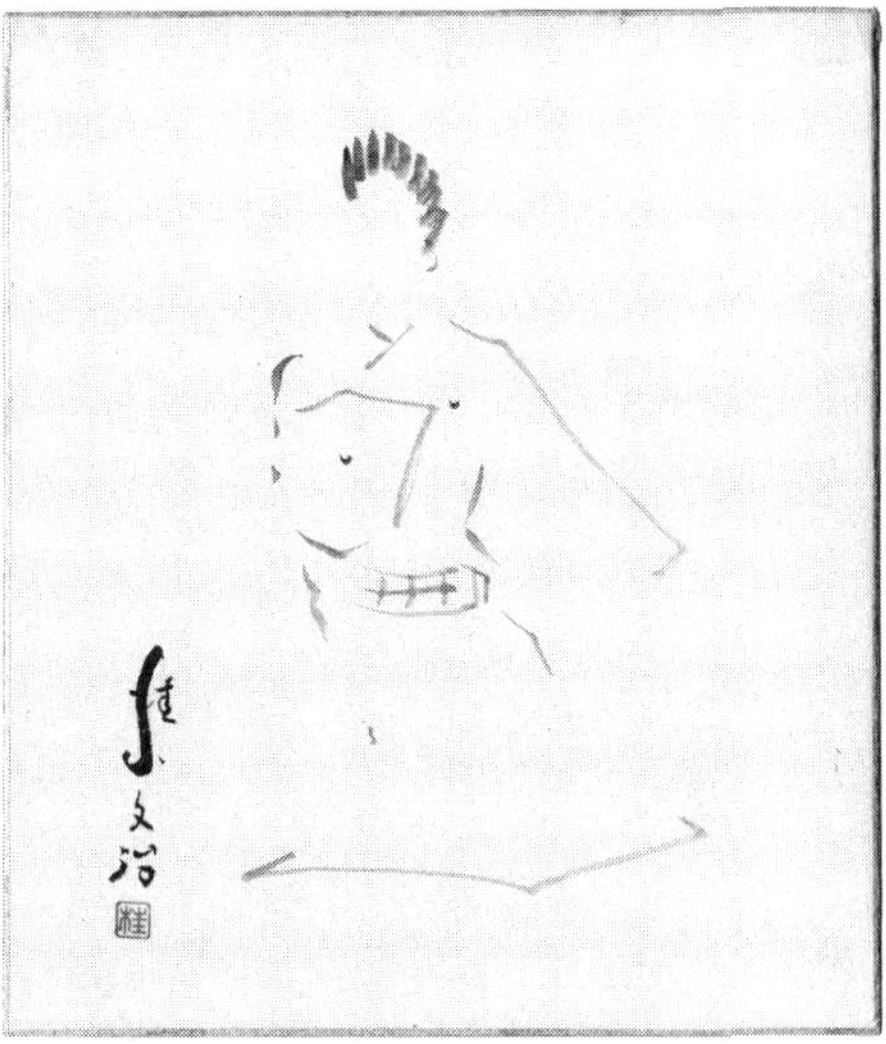

初代桂小文治の色紙。

師に伺うと、この演出は昔の俄《にわか》にあったそうです。

構想がまとまった上で、平成八年三月二十五日、大阪梅田太融寺で開催した「第六回・桂文我上方落語選（大阪編）」で初演しましたが、この時から手応えはあり、その後は全国各地の落語会や独演会で上演するようになりました。

オチを替えてしまいましたが、従来のオチも紹介しておきましょう。

＊　＊　＊　＊　＊

出歯吉の幽霊に驚いた小照が目を廻し、身ぐるみを剥がされ、出歯吉らが退散した後、店の若い衆が五、六人が、裸にされた小照を見つけ、声を掛けました。

○「小照さん、しっかりしなはれ」
小「あァ、幽霊や」
○「何ッ、にゅうめん？　にゅうめんが、どうした？」
小「あァ、ドロドロや」
○「トロコロとは、何を言うてる？」
小「デ、デ、出歯吉や」
○「何ッ、出刃で切ったか？」
小「あァ、毒薬や」
○「何ッ、極楽や？　阿呆言え、ここは千日の墓原じゃ」

＊　＊　＊　＊　＊

聞き間違いの面白さや、捨て難い味はあるのですが、出歯吉の仇討が成功する方が良いとは思えず、小照を裸にすることも興醒《きょうざ》めでした。

そこで出歯吉の幽霊に驚いた小照が殴り、出歯吉を気絶させた方が面白いと思い、オチを替えましたが、その方が良いか悪いかは、聞き手の好みに任せることにしています。

主人公の吉公を出歯にする必要は無いと思いますが、歯の出てくる落語が少ないことを考えると、吉公を出歯にすることに意義を感じますし、歯を出して、死んだ振りをする吉公の姿を想像するだけでも、笑いが込み上げてくるでしょう。

ＬＰレコード・カセットテープ・ＣＤは初代桂小文治・四代目林家染丸の各師の録音で発売されました。

千日前のことについて、少しだけ述べておきましょう。

千日前が興行街となったのは、明治三年に刑場が廃止され、七年に墓地が鳶田《とびた》（※後の飛田）へ移転してからのことで、それまでの千日前は、法善寺・竹林寺・自安寺などの寺院と、刑場・火葬場の他には目立つ建物も無く、墓石と人骨の山だけの、荒涼とした、不気味な場所だったそうです。

伊勢松坂扇屋怪談

いせまつざかおうぎやかいだん

現在、三重県松阪市は、牛肉の町みたいに思われてるが、これは明治より後のことで。

元来は、松坂木綿で名を挙げた豪商・三井高利、国学者・本居宣長《もとおりのりなが》を輩出し、蒲生氏郷が築いた松坂城のある町。

大阪から続く伊勢本街道と、名古屋からの参宮街道が通る城下町で、あと一日で伊勢へ着くだけに、遊廓もあり、活況を呈してた。

ある年の春先、奥州の伊勢参りが、外宮・内宮へ参拝し、御札や暦をいただき、古市で大騒ぎ。

村の土産に、伊勢土産の貝細工も買い、伊勢から北へ五里の松坂の宿場へ掛かると、道の両側には物売り店や旅籠《はたご》が仰山あり、大賑わい。

○「皆、来いや。フラフラして、どうした？　古市の散財が過ぎて、夕べの酒が残っとるか。幾つになっても、情け無い奴らじゃ」
×「ワレは酒を呑まんで、そんなことを言うわ。お伊勢さんへお参りが出来たで、嬉しなって、浴びるように呑んだ。朝になったら、頭の芯が痛んで、辛いの辛ないの。宿屋の勘定書きを見たら、もっと頭が痛んだわ」
○「いや、これも旅の土産話になるだ。今度の旅は、間違いが無うて良かった。これも皆、辰次郎様のお陰じゃや。盗賊や、護摩《ごま》の灰が寄ってきても、辰次郎様の腰の物を見て、逃げてしもただ。皆が馬鹿なことを言うとっても、ニコニコ笑て下さる。辰次郎様、いつも難儀をお掛けしますだ」
辰「いや、身共《みども》が礼を申さねばならん。面白き旅へ同道致し、退屈せずに済んだ」
○「あァ、腰の低い御方じゃや。辰次郎様に来てもろて、本当に良かっただ」
丈「(悪酔いして) いや、オラは面白かねえ！」
○「丈助《じょうすけ》は、朝から酒を呑んどるな。一体、何が面白くねえ？」
丈「若え女子《わけ》が寄って行くのは、辰次郎様ばかりだ。夕べも女子に囲まれて、双六《すごろく》でもするかと思た。だども、オラへは一人も寄ってこん。女子が便所へ立つ時、オラを蹴飛ばして出て行っただ。オラと辰次郎様の、どこが違う？　辰次郎様の顔へ付いとる物は、オラにも付いとる。並べ方が良えか、ぞんざいかだけの違いだ」
○「いや、それが一番肝心じゃ」
丈「腰へ大小をブチ込んで、何が二本差しだ。鰻の蒲焼でも、串を二本差しとる。侍じゃと思て、偉そうにするでねえ！」
○「もし、辰次郎様。丈助は酒に酔うとるで、堪忍してもらいてえ。アレ、向こうに美しげな扇屋の店が見えてきよった。色の付いた扇へ舞妓が描いてあるし、二見の夫婦岩も墨絵で描いてあるぞ。オラの村に、あんなに洒落た扇は無えだ」
×「村の土産へ、扇を買うか。おォ、ちょっくら見てみよれ。店の奥に、扇より美しげな女子が居って、天女みてえだ。（店へ入って）あァ、ちょっくら御免下せえ」
娘「どうぞ、お入りを。お気に入りの扇がございましたら、仰って下さいませ」
○「おい、丈助。ワレは、どれが良え？」
丈「オラは、あの女子が良え」
○「コレ、向こうへ行け！　皆、良えのを選んだか？　さァ、銭を払いますで」
娘「はい、有難う存じます。アノ、お武家様は如何で？」
辰「この扇を求めたいが、値は如何程じゃ？　左様なれば、（金を払って）これへ置くぞ。コレ、娘。金地《きんじ》に一輪、朝顔の絵が描いてある扇は求めておらん」

娘「宜しければ、お持ち帰り下さいませ」
辰「おォ、かたじけない。縁あらば、また参る」
○「皆、行くだ。（歩いて）村へ良え土産が出来て、嬶も喜ぶだろう。やっぱり、辰次郎様は違うだ。あの別嬪に、金の扇をもらいなさった」
丈「（悪酔いして）あァ、オラは面白かねえ！」
○「丈助が、また始めよった。コレ、一々絡むでねえ」
丈「あァ、辰次郎様は若えだ。別嬪に扇をもろて、顔の紐を解くだけ解いたが、女子が馬鹿にしとるのがわからんか。哀れな恰好だで、金を恵もうと思たが、勿体無えと思て、金地の扇をくれた。朝顔が描いてあるのは、その内に萎《しぼ》むという謎だ。この世知辛え世の中に、只《ただ》で金地の扇をくれる訳は無え」
辰「皆の者、先へ参るがよい。身共は、扇屋へ戻る！（扇屋へ戻って）コレ、娘！」
娘「まァ、先程のお武家様。何か、お忘れ物でも？」
辰「コレ、それへ直れ！先程、金地に朝顔の扇を渡しおったが、身共の身形《みなり》を哀れに思い、後に萎むという謎を掛けておったか？」
娘「いえ、そのようなことではございません」
辰「然《しか》らば、何故に扇を渡した」

娘「アノ、それは申せません」
辰「何ッ、申せぬ？　やはり、身共を愚弄致したか。斬り捨てる故、それへ直れ！」
娘「先程、お武家様の見目麗しいお姿に、お芝居の『朝顔日記』で、宮城阿曽次郎こと駒沢次郎左衛門を慕う深雪《みゆき》が、金地に朝顔の絵を描いた扇を大事に持っておりましたことを思い出しまして。叶わぬ願いながら、また嬉しゅうお目に掛かることが出来ればと思い、お渡し致しました」
辰「何ッ、それは誠か？　いや、相済まん。身共は、生来《せいらい》の短慮者。其方《そなた》の心も存ぜず、刀の鍔《つば》へ手を掛けたことは面目無い。其方のような見目麗しき、心優しき娘に出逢えたことを嬉しく思うぞ。また、改めて参ることもあろう。然らば、御免！（皆の所へ戻って）待たせて、相済まん」
○「皆、辰次郎様が戻られた。血相変えて走って行きなさったが、何があっただ？」
辰「いや、身共の思い違いであった。さァ、参ろう」
○「辰次郎様が行きなさった後、丈助が追うて行きよったが、まだ帰らん。今晩は津の宿場で泊まるで、後を追うてくると思う。さァ、わしらは先へ行くがええだ」

松坂を後に、津の宿場へ入った頃、日が暮れた。

「宿屋の表へ笠を掛けといたら、わかるじゃろ」と、前田屋という旅籠へ泊まる。

客が一杯で相宿《あいやど》になったが、知らん者同士が一緒に泊まるだけに、余所の国の者と付き合いが出来たり、知らん土地の話が聞けたり、悪いことばっかりでもない。

辰次郎と同じ部屋へ泊まったのが、見すぼらしい着物を着て、顎へ白い髭を蓄えた、六十過ぎの老人。

辰「身共のような若輩者は失礼もござろうが、御容赦下され」
爺「お武家様は、奥州の御方じゃな」
辰「ほゥ、おわかりか？」
爺「わしは八卦見で、あの世の者の姿も見える因果な性分でな」
辰「ほゥ、それは良いことではござらんか」
爺「いや、何の良いことがあろう。自らの身へ置き替え、お考え下され。橋の上で恨めしげな女子がうずくまっておったり、森に血みどろの男の立つ姿が見えるのが嬉しいと思われるか？　これも天から与えられた役目と思い、諸国行脚し、無縁仏の供養もしておる。お武家様へ不幸が降り掛ろうとしておるが、申してよいかな？」
辰「そこまで聞かば、耳にせん訳にはいかん。見料を払う故、お教え下され」

爺「泊まり合わせた縁じゃで、見料は要らん。お武家様の後ろへ、女子の霊が憑《つ》いておる。その女子は、死んで間も無い。今日の昼間、松坂の扇屋へ立ち寄られたな。お武家様へ懸想《けそう》した扇屋の娘から、金地に朝顔が描いてある扇をもろたであろう。表へ出てから、今一度、扇屋へ戻られたな。お武家様が扇屋を出た後、横恋慕した良からん男が、お武家様に託付《かこつ》け、扇屋の娘を誘い出したが、妙に思た娘が騒ぎ出したことで、松坂と津の間、雲出《くもず》の川端で手に掛けた。川へ流された娘は、香良洲《からす》の浜へ打ち上げられ、今頃、扇屋は大騒ぎになっておる」

辰「早速、扇屋へ行って参る！　娘を手に掛けた者は、何方《いずかた》へ参った？」

爺「大坂へ逃げようとしたが、日が暮れ、道を間違えたらしい。仏が呼んだか、香良洲の浜へ迷い込んでおる」

辰「然らば、娘の恨みを晴らして参る！　その後、娘の菩提を弔う所存」

爺「このままでは娘も浮かばれまい。お武家様へ思慕の念が募った上、恨みを持った悪霊となり、お武家様へ祟《たた》る。この後は、娘の供養が肝心じゃ」

辰「この通り、礼を申す。然らば、御免！」

提灯を手にした辰次郎が、津の宿場を出て、香良洲の浜の松並木まで来ると、大波の押

し寄せる鈍い音。〔ハメモノ／波音。大太鼓で演奏〕
大粒の雨がポツッ、ポツッ。〔ハメモノ／雨音。〆太鼓で演奏〕
雷鳴と共に、車軸を流すような雨が、ザァーッ！〔ハメモノ／雷。〆太鼓・大太鼓・銅鑼で演奏〕
雷の稲光と、波の照り返しで、異様な光に包まれた香良洲の浜へ、怪しい人影。

辰「そこに居るのは丈助ではないか？」
丈「あァ、辰次郎様。皆にはぐれて、困っとりましただ。宿屋は、何方で？」
辰「扇屋の娘を誘い出し、雲出の川端で手に掛けたであろう」
丈「わしが、そんなことをする訳が無え。（笑って）わッはッはッは！　そんなことより、早う宿屋へ行きますべえ。辰次郎様の後ろに居るのは、誰だ？　扇屋の娘、迷うたな！」〔ハメモノ／音取。三味線・大太鼓・能管で演奏〕
娘「迷うた、迷うた！　愛しき御方の名を使い、我を店から誘い出し、雲出の川で殺めた上、逐電するとは卑怯未練。このまま海に引きずり込み、これから先は七生《ひちしょう》まで、生き替わり、死に替わり、恨み晴らさでおくべきか。（笑って）ヒッヒ、ヒッヒ、ヒヒヒヒヒヒ！〔ハメモノ／大ドロ。大太鼓で演奏〕
辰「身共が一太刀浴びせる前に、海中へ引きずり込むとは！　ても恐ろしい、〔ハメモノ／

柝頭〕　執念じゃなアーッ！　〔ハメモノ／柝頭を刻む〕

これから辰次郎が松坂の扇屋へ戻り、事の次第を明らかにする。

これが縁となり、辰次郎は扇屋の養子になった後、大坂へも立派な扇屋の店を出し、大繁盛させた上、娘の菩提を弔うという、「伊勢松坂・扇屋怪談」の一席。

解説「伊勢松坂扇屋怪談」

私が生まれ育った三重県松阪市は、元来、戦国武将・蒲生氏郷が近江から赴任して治めた土地で、松坂城（※現在、城跡のみが残る）を築城し、連れてきた近江商人により、賑やかな市も立ち、後に江戸日本橋の商いの礎となる松坂商人の基盤をこしらえました。

その後、奥州会津若松へ赴任することになったときは、これで天下人になる可能性が無くなったと、ガッカリしたそうです。

仙台・伊達の侵攻を防ぐ石垣になるためとか、それで命を落とせば、天下人の首を狙う者が減るとか、さまざまな要因を言われていますが、蒲生氏郷は若年でも優秀な武将であったことは間違いなく、恐れられていた存在であったと言えましょう。

豊臣秀吉の怒りを買い、切腹させられた茶人・千利休の残された縁者の世話をしたり、キリシタン大名であったり、NHKの大河ドラマの主人公になってもおかしくないほど、優秀な戦国武将であったことは、歴史研究家も認めています。

松坂城は平山城であり、野面積み（※自然石を加工せず、そのまま積み上げる工法のこと）で石垣がこしらえられており、その傾斜角度の美しさは見事ですから、松阪を訪れたときには石垣を触り、当時の風情に浸って下さいませ。

春になると、松坂城址には見事な桜の花が咲き、近所の売店で食事をしたり、お茶を飲むことも出来ます。

江戸時代、松坂の桜を愛でながら、日本最初の文学書・歴史書とも言える『古事記』の解説書『古事記伝』全四十四巻を、三十五年の歳月を費やして完成させたのが、日本を代表する国学者・本居宣長でした。

明治維新以降、松阪は牛肉の町のように思われていますが、それまでは松坂木綿や、美味しい食べ物や遊廓で有名な町だったのです。

参宮街道・熊野街道・伊勢本街道・和歌山街道が通る町だけに、諸国の名産や書籍なども手に入れやすいため、その利便性を考え、本居宣長は終生、松坂へ住み続けたのではないでしょうか。

松阪は、津と伊勢の真ん中に位置し、各二〇キロ。

津から伊勢まで、平地で四〇キロだけに、一日で歩いていける距離で、その真ん中に位置する松坂は、江戸時代になり、お伊勢参りが盛んになった頃は、何とかして旅人の足を止めたいと、伊勢の古市とは異なった雰囲気の遊廓をこしらえ、食べ物にも工夫を凝らし、街道筋の店も派手にしたり、一風変わった土産物も置いたようです。

その風情へ、世の中の柵を加え、ラストを怪談にしたのが「伊勢松坂扇屋怪談」。

これは古典落語ではなく、私の創作ですが、話のタネは明治時代の本から採りました。

時折、ネタと演者の巡り合いに不思議な縁を感じることがあります。

落語会で全国各地へ赴くと、東京・大阪では見掛けない、珍しい落語の速記本や演芸関係書を、古本屋や骨董店で見つけることもあり、それらは時として、ネタを復活させる重要な参考資料になってくれました。

約二十五年前、独演会で札幌を訪れた時、一軒の古本屋へ立ち寄りましたが、整理されていない店内に、古本独特の匂いが充満している、古本ファンにとって、魅力に包まれている店だったのです。

「この店には何かがある」と、まるで松茸狩りのような心境でしたが、期待は見事に裏切られ、私の欲しい本は一冊も見つからなかったため、諦めて帰ろうと思いながら、フッと横に積み上げてある本の山を見ると、明治時代に刊行された、表紙の分厚い、ボール表紙本が一冊だけ飛び出しており、表紙の「伊勢松坂」という字が読み取れました。

明治二十三年、東京の幸玉堂（岡安蔵版）より刊行され、作者の名は記されていません。

「一体、どのような本だろう?」と手に取り、目を通すと、「ちきり伊勢屋」「高尾」などの落語を採り込んだ人情噺でした。

早速、その本を購入し、怪談噺へ仕立て直すことにしましたが、高座で上演すれば、それなりの形になる予感はあったのです。

浄瑠璃「生写朝顔日記」を絡ませ、丈助という男を憎まれ役にし、津の宿屋で占いの老人に

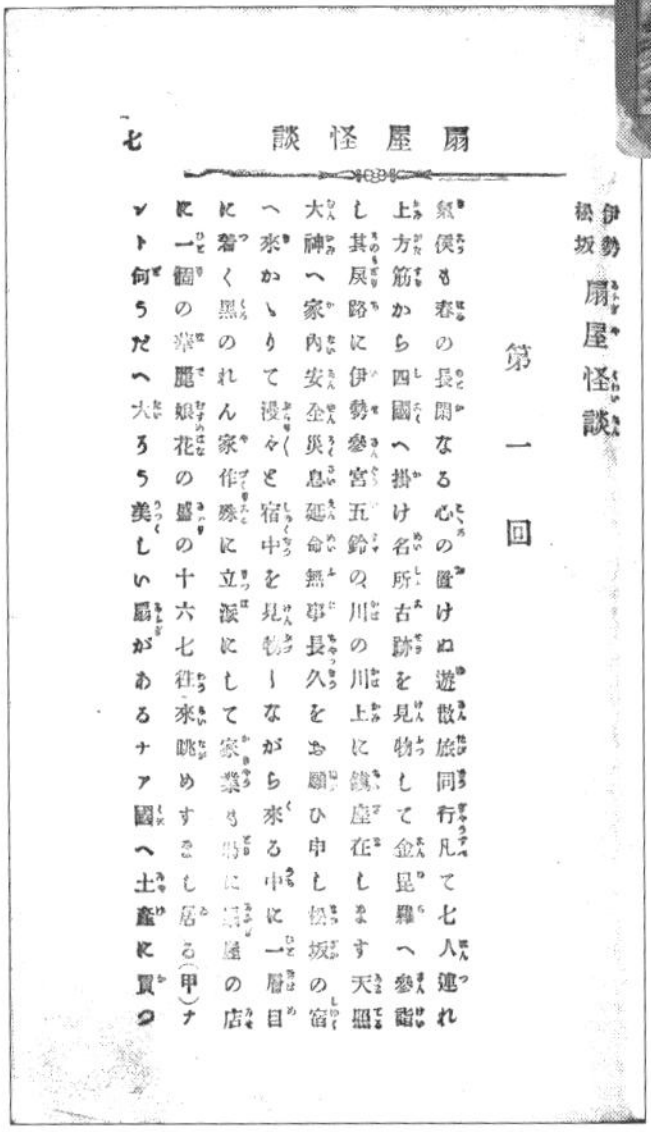

扇屋怪談　七

伊勢松坂扇屋怪談

第一回

氣僕も春《はる》の長閑《のどか》なる心の置けぬ遊散旅同行凡て七人《にん》連《つ》れ上方《かみがた》筋から四國《しこく》へ掛《か》け名《めい》所古跡を見物《けんぶつ》して金毘羅へ參詣し其戻路に伊勢參宮五鈴の、川の川上《かはかみ》に鎭座在します天照大神《かみ》へ家内安全息災延命無事長久をお願ひ申し松坂の宿《しゆく》へ來かゝりて漫々と宿中を見物しながら來る中に一層目《め》に着《つ》く黒《くろ》のれん家作も立派にして家業も時に扇屋の店に一個《ひとり》の華麗娘花の盛の十六七往來眺めすまし居る(甲)ナソト何うだへ大そう美《うつく》しい扇があるナア國へ土產に買つ

『伊勢松坂扇屋怪談』のボール表紙本
（幸玉堂、明治23年）の表紙と速記。

見てもらうシーンや、香良洲の浜の恐ろしい情景を加えました。

平成十年八月三十一日、三重県伊勢市内宮前・おかげ横丁の料理店・すし久で開催した「第八七回・みそか寄席」で初演すると、意外に前半の丈助の悪態が受け、なごやかな雰囲気のうちに怪談となり、幽霊の出は暗転（※場内の照明を消し、真っ暗にすること）にした上、後輩が化けた幽霊を客席へ出したことで、大いに盛り上がったことを覚えています。

どこでも演れるネタではありませんが、一年に一度は高座へ掛けたいと思いますので、どこかで上演する情報が得られた時は、宜しくお越しくださいませ。

大盞《たいさん》

吉「田中の旦那、良え所で会いましたわ！」
田「あァ、しもた！　やっぱり、違う道を通った方が良かったわ。『死んでも離れん、虱《しらみ》の卵』で、酒を呑ますまで離れん男じゃ。吉っつぁんは、どこへ行きなさる？」
吉「旦那は、何方へ？」
田「先ず、吉っつぁんから」
吉「いや、己から」
田「コレ、己と言う人があるか。天下《てんが》茶屋で植木を見て、住吉さんへ御参詣するわ」
吉「えッ、住吉さん！　おォ、丁度宜しい！」
田「あァ、また始まった。わしが何か言うと、『おォ、丁度宜しい！』と言うわ」
吉「今日は、ほんまで。住吉さんの鳥居の横の茶店は、ウチの従兄弟《いとこ》がやってます」

田「それやったら、一人で行きなはれ。わしも一人で御参詣する」
吉「いや、この頃は物騒になりました。旦那の肩へ良からん輩《やから》が当たってきて、『コラ、何で当たりやがった。己は目が見えんのか！』と、拳骨を振り上げる。その時、私が颯《さっ》爽《そう》と現れて、輩の手を捻じ上げて、『おい、堅気の衆に迷惑を掛けるんじゃねえ！』。肩へ担げて投げると、隠れてた仲間が出てくるわ。両側の輩の頭を掴んで、拍子木を打つみたいに、ゴツン！　倒れた男の背中へ足を掛けて、『さァ、思い知ったか！』と見得を切ったら、旦那が私に『音羽屋ァーッ！』」
田「コレ、ええ加減にしなはれ！　吉っつぁんが役者で、わしが客か？　あんたが、そんなに強い訳が無い。昨日、小犬に吠えられて、涙目になってたわ」
吉「あァ、見てましたか？　いや、面目無い！」
田「住吉へ行くのは嘘で、ほんまは天王寺へ御参詣する」
吉「おォ、丁度宜しい！」
田「あァ、またじゃ」
吉「今日は親父の命日で、引導鐘を撞《つ》くよって、一緒に行きます」
田「天王寺も嘘で、玉造へ行く」
吉「おォ、丁度宜しい！　玉造の稲荷神社は、月参りしてます」

田「ほんまは、天満の天神さんへ行くわ」
吉「おォ、丁度宜しい！」
田「コレ、ええ加減にしなはれ！　今から行くのは、気の張るお宅じゃ。人の顔を見たら『呑も、呑も』と、蟒蛇《うわばみ》みたいに言う男は連れて行けん」
吉「蟒蛇と言われようが、虱と言われようが、一杯呑まんことには離れん」
田「話をしてる内に、先方へ着いたわ。一人で用を足すよって、随いてきなはんな」
吉「ほな、ここで待ってます。用を足して、呑む段取りになったら、呼んどおくなはれ」
田「あァ、難儀じゃ。いつまでも、そこへ立ってなはれ。（家へ入って）えェ、御免」
○「まァ、旦さん。お忙しい中、お越し下さいまして有難うございます」
田「御長男の岩田帯の祝いの時も、お招きいただきまして」
○「旦さんに祝《いお》ていただきましたお陰で、長男は風邪も引かず、スクスク育ちました。次の子も縁起を祝て、お腹へ宿ってから、五ツ月の戌の日。白い晒を妊婦のお腹へ巻く岩田帯の祝いへ、旦さんにお越し願いまして、祝ていただきます。奥の座敷へ、お膳の支度がしてありますよって、どうぞ、お上がり下さいませ。旦さんの後ろで、ニコニコ笑ておられる御方は、誰方でございます？」
田「（振り返って）コレ、随いてきなはんな！」

吉「薄情なことを言わんと、呑ましとおくれやす。岩田帯の祝いで私に呑ますと、福々しい子どもが生まれますわ」
○「御陽気な御方ですけど、旦さんのお連れで？」
田「いや、連れではございません」
○「ほな、お供さんで？」
田「いえ、滅相も無い！」
吉「もし、お供と言うとおくれやす。一杯呑ましてもらえたら、お連れでも、お供でも、下男・下僕・召使いでも結構！」
田「コレ、情け無いことを言いなはんな。この男は、奥の座敷へ参りません」
○「ほな、走り元（※台所のこと）で御飯を食べていただきます」
田「いえ、御飯を食べる者やございません」
吉「もし、無茶言いなはんな！　飯を食わなんだら、何を食べます？」
田「表で藁《わら》でも食べなはれ」
吉「まるで牛や」
○「ほな、お茶でも」
田「いえ、お茶を呑む者でもない。この男に水気は要りません」

○「まるでサボテンや」
田「さァ、早う帰りなはれ！　岩田帯の祝いの席へ出たかったら、洒落たことの一つも言えるようになるのじゃ。ほな、一杯呑ますわ」
○「表で藁をお食べやす」
吉「コラ、何を吐かしてけつかる！　言葉は丁寧でも、えげつないことを言うわ」
○「もし、旦さん。お上がり下さいます時は、縁起を祝て、三ツ重ねの大きな盃・大盞で二、三杯、祝ていただきますように」
田「他の祝いは大盞で頂戴致しますが、今日は岩田帯の祝い。産が重いのは縁起が悪いよって、大盞・中盞の上の、一番軽い小盞《しょうさん》でいただきます」
○「ほな、軽い盞で祝ていただきまして」
吉「あァ、奥へ入ってしもた。仕方無いよって、この家は出よか。（表へ出て）『洒落たことが言えたら、一杯呑ます』と言うてたけど、そんな智慧《ちえ》があったら苦労せんわ。腹の大きな者を捜して、旦那の言うた通り言うて、酒を呑んだろ。戌の日やよって、岩田帯の祝いのことを言うたら、酒を出してくれる。えェ、どこかに腹ボテの者は居らんか？　あァ、この人に聞いたろ。一寸、お尋ねします」
甲「はい、何か御用で？」

吉「この辺りに、腹の大きな人は居りませんか？」
甲「それやったら、横町の割木屋《わりき》ですわ」
吉「あァ、割木屋の嫁？」
甲「いや、親爺です。太って、こんな大きな腹で」
吉「親爺は岩田帯の祝いをしますか？」
甲「男は子どもを産まん」
吉「ほな、あかんわ。（歩いて）男の腹が大きなって、岩田帯の祝いをしたら、相撲取りもせんならん。あァ、この人に聞いたろ。一寸、お尋ねします」
乙「へェ、何か御用で？」
吉「この辺りに、腹の大きな女子は居りませんか？」
乙「それやったら、向かいの内儀ですわ」
吉「ほゥ、腹が大きな女子で？」
乙「大きい、大きい！　腹へ水が溜まって困ってますけど、良え医者は居りませんか？」
吉「あァ、あかんわ。（歩いて）病人の相談されても、仕方無い。あの長屋へ入って行った女子は、腹が大きかった。髪を後ろで巻いて、杉の楊枝《ようじ》を刺してるわ。帯も芯が出て、継ぎ接《は》ぎだらけの着物に、尻切れ草履や。（長屋へ入って）一寸、お尋ねします。お宅は、お腹が大きいみたいで？」
家「丁度、五ツ月でございます」
吉「えッ、五ツ月！　ほゥ、誂《あつら》えたような。（口を押さえて）いえ、此方のことで。今日は戌の日やよって、岩田帯の祝いをしなはれ」
家「御覧の通りの貧乏暮らしで、岩田帯の祝いは出来ません。主人が三年越しの患いで、臥《ふ》せっております」
吉「コレ、一寸待った！　御主人が大病で、御家内の腹が大きなるとは奇怪しい？　ひょっとしたら、余所の男の子どもと違うか？」
家「もし、ケッタイなことを仰いませんように。間違い無しに、主人の子どもで」
吉「あァ、訳がわからん。取り敢えず、御主人に出てもらいたい！」
主「コレ、家内。一体、誰が来てなさる？」
吉「おォ、御主人！　お内儀の腹が五ツ月で、戌の日やったら、岩田帯の祝いをしなはれ」
主「見ての通りの貧乏暮らしで、岩田帯の祝いは出来ません」
吉「あァ、それでは酒や肴にならんわ。（口を押さえて）いや、何でもない。日が暮れてきたよって、この家で手を打つしかないわ。そやけど、一寸ぐらい蓄えがあるやろ」

主「いえ、僅かな蓄えもございません」
吉「こんな時のために、何で蓄えとかん！」
家「ほんまに、お腹の子どもが不憫《ふびん》でございます。（泣いて）ハァーッ！」
主「おォ、甲斐性無しの亭主を許せ。（泣いて）あァ、情け無い！」
吉「夫婦で泣かれたら、此方が辛いわ。（金を出して）仕方無いよって、この金で酒・肴を買うてきなはれ。ほな、今から岩田帯の祝いをするわ。あァ、三ツ重ねの盃を出しなはれ」
主「いえ、そのような物はございません」
吉「コレ、黙らっしゃい！　三ツ重ねの盃も無うて、お内儀を孕《はら》ませるとは何事じゃ！御主人が大人しゅう寝てたら、こんな大事に至らんわ。コレ、以後は慎みなはれ！」
主「はァ、申し訳無いことで」
吉「謝ったら、それで宜しい！　三ツ重ねの盃が無いと、具合悪いわ。コレ、御家内。酒・肴を買いに行く時、家主の家で借りてきなはれ」
主「さァ、行っといで。何の因果で、今日は戌の日」
吉「一々、ゴジャゴジャ言いなはんな。そやけど、器量の良え御方や。どこで、あんなイキの良え上物《じょうもの》が手廻りました？」

主「鰯みたいに仰いますけど、知り合いの世話で見合いをしまして」
吉「私も見合いはしたけど、碌な女子は居らなんだ。お宅の御家内を見てると、また見合いをしょうという気になりますわ。(笑って) わッはッはッは!」
主「しかし、御陽気な御方ですな」
吉「はい、お蔭様で」
主「あァ、応えん御方じゃ」
家「只今、帰りました」
吉「そこへ酒・肴と、三ツ盃を置いてもらいたい。コレ、御主人。これだけ揃えたのに、何を黙ってる。頭を下げて、『これは、旦さん。お忙しい中、お越し下さいまして有難うございます』と仰れ!」
主「何で、そのようなことを?」
吉「コレ、黙らっしゃい! それを言わなんだら、岩田帯の祝いが出来ん」
主「岩田帯の祝いは、白い晒を家内の腹へ巻くだけでございます」
吉「コレ、黙らっしゃい! 御主人が出来んよって、私が代わりにする。酒・肴も揃えたよって、岩田帯の祝いをさしてもらいます!」
主「あァ、どうやら逆らわん方が良さそうな。これは、旦さん。お忙しい中、お越し下さいまして有難うございます」
吉「おォ、それで宜しい。さァ、その後を言いなはれ」
主「はァ、その後？」
吉「あァ、何にも知らん人や。次は、『旦さんに祝ていただきましたお陰で、長男は風邪も引かず、スクスク育ちました』と仰れ！」
主「ウチは、この度の子どもが初めてで」
吉「コレ、黙らっしゃい！　御家内に内緒で、余所の女子へ子どもが出来たとか」
主「いえ、滅相も無い！　今まで、そんなことはございません」
吉「ほな、御家内に隠し子があって」
主「一々、ケッタイなことを仰いませんように！」
吉「取り敢えず、言う通りしなはれ！」
主「あァ、難儀じゃ。旦さんに祝ていただきましたお陰で、長男は風邪も引かず、スクスク育ちました。（溜め息を吐いて）ハァ！」
吉「コレ、溜め息を吐きなはんな。次は、『奥の座敷へ、お膳の支度がしてございます』と仰れ！」
主「ウチの奥に座敷はございません」

吉「取り敢えず、言う通りしなはれ！」
主「あァ、目の色が変わってきた。奥の座敷へ、お膳の支度がしてございます」
吉「ほな、失礼！」
主「あァ、上がってきなはった」
吉「次は、『後ろで、ニコニコ笑ておられる御方は誰方でございます？』と仰れ！」
主「お宅の他に、誰が居られます？」
吉「誰も居らんけど、そんな段取りになってる」
主「あァ、難儀じゃ。後ろで、ニコニコ笑ておられる御方は誰方でございます？」
吉「(振り返って) コレ、随いてきなはんな。さァ、早う帰りなはれ！」
主「後ろに、誰も居りません」
吉「あァ、気の利かん人や。そう言うたら、『ほな、お連れでございますか？』『いえ、連れやございません』『ほな、お供で？』『いえ、お供でもございません』『ほな、此方で御飯でも食べていただいたら』『いえ、御飯を食べる男やございません』『ほな、藁でも食べなはれ』『まるで牛や！』」
主「一体、何を言うてなはる！　どうぞ、お引き取り下さいませ」
吉「コレ、黙らっしゃい！　酒・肴の段取りまでして、一口も呑まんと帰れるか。さァ、

『三ツ重ねの下の大きな盃で、二、三杯祝ていただきますように』と仰れ！」
主「あァ、まだ続きますか？　家内が震え出したよって、これで終いにしてもらいたい。三ツ重ねの下の大きな盃で、二、三杯祝ていただきますように。（泣いて）アハハハハッ！」
吉「めでたい日に、泣かんでも宜しい。他の祝い事やったら、大盞でいただきます。今日は岩田帯の祝いだけに、大盞・中盞の上の、一番軽い小盞でいただきたい」
主「もし、今の言葉は聞き捨てならん。小産は、子どもが流れてしまうことで。岩田帯の祝いに小盞で祝うのは、縁起が悪い」
吉「えッ、ほんまか？　良えことを聞いたよって、一寸行ってくる！」
主「一体、何方へ？」
吉「今の洒落たことを言うて、最前の家で御馳走になるわ」

解説「大盞」

昔から落語は笑いの芸の代表のように言われてきましたが、漫才やコントのように、最初から奇抜なことを言ったり、面白い所作で観客を笑わせることは少ないと言えましょう。

仕込みとバラシと言い、最初に仕込んでいたことが、中盤から後半で崩れたり、謎が解けて笑いにつながるパターンが多いのです。

そのようなネタの代表が「子ほめ」「池田の牛ほめ」「道具屋」などの爆笑落語で、丁寧に効率良く演れば、良い成果が得られるだけに、昔から名作落語と言われてきました。

しかし、このパターンを踏襲し、以前は寄席や落語会で上演されていたのに、近年は置いてきぼりになった落語も数多くあるのです。

ネタに出てくる風習や言葉が忘れられたり、古くさいと感じる内容になると、時代からズレたことになり、上演されなくなりますが、埃を払い、カビを落とし、磨きを掛ければ、再び高座へ掛けられるネタになる訳で、例えて言えば、寝た切りの病人が独力で歩き、トイレへ行けるぐらいの体力を、嘶へ持たせることが出来ましょう。

ネタの再生や復活は、約三五〇年間も続く東西落語界で、いつも繰り返されてきた作業です。

落語の創成期でさえ、原話を膨らませたり、削ったり、オチを付けたりして、一席の落語に仕上げてきたのですから……。

置いてきぼりになったネタの一つが「大盞」で、近年は高座に掛けられることが少なくなり、二代目笑福亭松之助師や、松之助師に習った桂千朝兄が高座に掛けるぐらいでした。

しかし、昔の速記本では、面白い演出やギャグがあるだけに、それらの速記を下敷きにして再構成すれば、頻繁に上演することが出来るのではないかと思い、私の学生時代、このネタの主人公のような友達がいたので、その男をモデルにして演ってみようと考えた次第です。

落語の話から逸れますが、私の友達が、どのような人間だったかを述べておきましょう。

とにかく、自分が良いと思ったことを、私にも強烈に勧めました。

例えば、中華そばの美味しい店を見つけると、連れて行って食べさせたり、面白い漫才を見ると、私に台詞を覚えさせ、秋の文化祭の舞台で演らせるのです。

私が断ると、不機嫌になり、しばらくの間、雰囲気が悪くなるので、嫌々でも付き合いましたが、リスを飼い出し、私にもリスの購入を勧めた時は、本当に困りました。

三重県松阪市の山間部で育った私は、自然の生き物と接する機会が多かっただけに、ペットショップで動物を購入する考えなど、全く無かったのです。

部屋の中で放し飼いにしていたリスが、窓の隙間から逃げてしまい、再び購入する蓄えが無いため、私へ購入を勧めたことが知れました。

約四十五年前の話ですが、ペットショップで売っていたリスは、一匹が三千六百円で、東芝

ＥＭＩから発売されていた『桂米朝上方落語全集』のＬＰレコードと同じ値段。

リスを買うぐらいなら、同時期に発売されていた『六代目笑福亭松鶴　上方はなし』のレコードを買うと言って断ったのですが、彼が一歩も引かないため、私は泣く泣く貯金を切り崩し、リスの購入を決めたのです。

籠《かご》へ入れて持ち帰ると、「よし、リスを洗お！」と言い出しましたが、理解不能な意見だけに断ると、「生き物は衛生管理が大事で、リスは風呂が好きらしい」と、訳のわからない理屈まで言い出す始末。

私も馬鹿で、彼の言うことに従ったのが、運の尽き。

わが家の玄関先で、彼がリスを両手でつかみ、私がホースで水を掛け、使い古しの歯ブラシで、リスの頭を洗うことになった時、私たちの目の前を、赤いスポーツカーが走ったので、彼が「あッ、カッコええ！」と言って、両手を放してしまったのです。

リスは喜んで、裏山へ逃げてしまい、どこへ行ったのかわからなくなりました。

わが家の前を赤いスポーツカーが走ることなど、この時以外ありませんでしたから、神様のいたずらとしか言いようがありません。

逃げたリスを見送り、私の肩をポンと叩き、彼が言ったことは、「お互いに、リスと縁が無かったな。ほな、帰るわ」。

このような友達を持ったのが身の因果と諦めましたが、約四十五年経った今でも、その時のことを思い出すと、腹が立ちます。

一つだけ、彼が私のために役立ったのが、「大盞」を再生する時、主人公のモデルにピッタリだったことでしょう。

ネタの解説から逸れましたが、このような性格の人間が本当にいると思って聞いていただければ、「大盞」を違った目で、面白く見たり聞いたりしていただけるのではないかと思い、不思議な性格の友達の逸話を述べた次第です。

さて、このネタに出てくるしきたりについて、少しだけ述べておきましょう。

帯の祝いは、妊娠五カ月目の戌の日を選び、嫁の実家から紅白の帯（※腹帯という）を持参し、米や小豆などを贈り、振舞うことです。

これは新生児の生存権の最初の承認で、間引き（※堕胎のこと）が習慣化した近世でも、帯の祝いが済んだ胎児は育てなければなりませんでした。

ちなみに、奈良から桜井へ向かう上《かみ》街道の帯解寺は、腹帯を受けることで有名な寺院だけに、近くを通られた方は来寺されると、良い思い出になることは間違いないでしょう。

このネタの主人公につかまった長屋の夫婦は気の毒ですが、この男に腹帯の祝いをしてもらったのですから、リスを失った私より、マシだと思います。

別題は「小産」と言い、元来は「小産は、子どもが流れてしまうことです」「流れるぐらいやったら、最前の銭で利上げをしといたらよかった」というオチでしたが、わかりにくいのと、

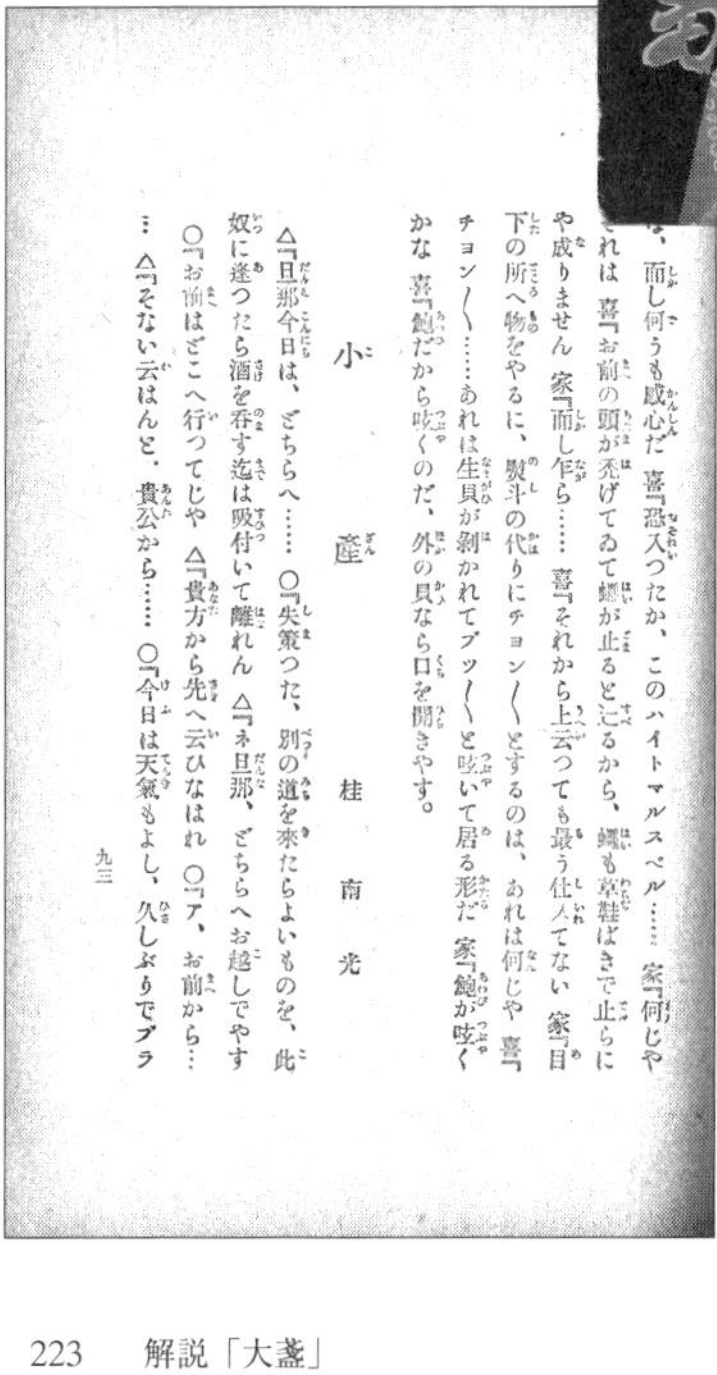

…な、而《しか》し何《ど》うも感心《かんしん》だ　喜『恐入《おそれい》つたか、このハイトマルスペル……　家『何じや
それは　喜『お前《まへ》の頭《あたま》が禿《は》げてゐて蠅《はい》が止《と》まると辷《すべ》るから、蠅《はい》も草鞋《わらぢ》ばきで止《とま》らに
や成《な》りません　家『而《しか》し乍《なが》ら……　喜『それから上《うへ》云つても最《も》う仕入《しいれ》てない　家『目《め》
下《した》の所《ところ》へ物《もの》をやるに、熨斗《のし》の代《かは》りにチョン〳〵とするのは、あれは何《なん》じや　喜『
チョン〳〵……あれは生貝《なまがひ》が剥《は》かれてブツ〳〵と呟《つぶや》いて居《ゐ》る形《かたち》だ　家『鮑《あはび》が呟《つぶや》く
かな　喜『鮑《あはび》だから呟《つぶや》くのだ、外《ほか》の貝《かひ》なら口《くち》を開《ひら》きやす。

小《こ》產《ざん》　桂南光

△『旦那《だんな》今日《こんにち》は、どちらへ……　〇『失策《しま》つた、別《べつ》の道《みち》を來《き》たらよいものを、此《こ》奴《やつ》に逢《あ》つたら酒《さけ》を吞《のま》す迄《まで》は吸付《すひつ》いて離《はな》れん　△『ネ旦那《だんな》、どちらへお越《こ》しでやす　〇『お前《まへ》はどこへ行《い》つてじや　△『貴方《あなた》から先《さき》へ云《い》ひなはれ　〇『ア、お前《まへ》から……　△『そない云《い》はんと、貴公《あんた》から……　〇『今日《けふ》は天氣《てんき》もよし、久《ひさ》しぶりでブラ

九三

『名人落語十八番』（鈴木泰江堂、昭和4年）の表紙と速記。

『新作落語 負けない男』（三亞書房、昭和18年）の表紙と速記。

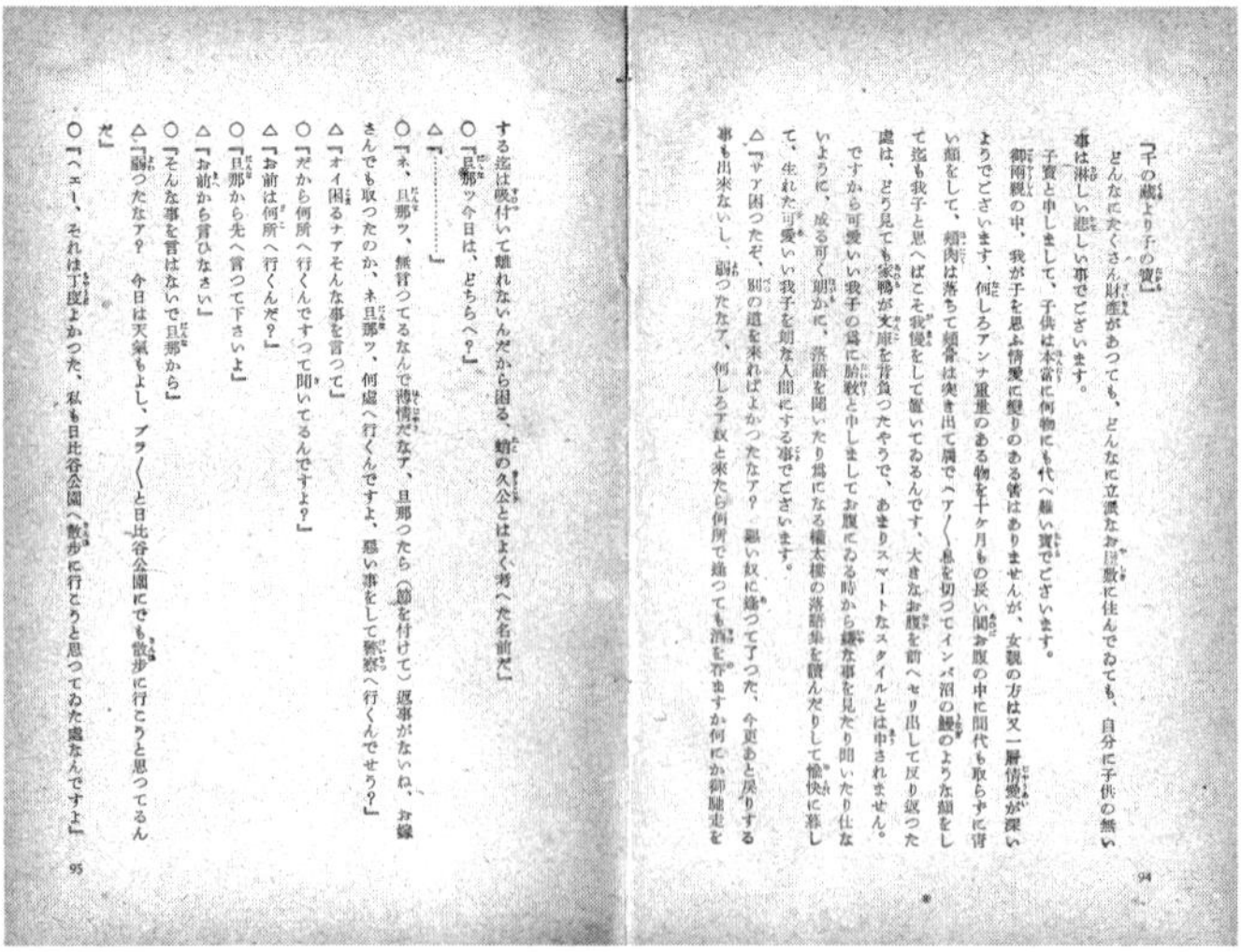

「子の藏より子の寶」

どんなに大くさん財産があつても、どんなに立派なお屋敷に住んでゐても、自分に子供の無い事は淋しい悲しい事でございます。

子寶と申しまして、子供は本當に何物にも代へ難い寶でございます。

御兩親の中、我が子を思ふ情愛に變りのある筈はありませんが、女親の方は又一層情愛が深いようでございます、何しろアンナ重量のある物を十ケ月もの長い間お腹の中に間代も取らずに宿して、頬肉は落ちて頬骨は突き出て肩でヘア〳〵息を切つてインバ沼の鰻のような顔をして迄も我子と思へばこそ我慢をして置いてゐるんです、大きなお腹を前へセリ出して反り返つた處は、どう見ても家鴨が文庫を背負つたやうで、あまりスマートなスタイルとは申されません。

ですから可愛いい我子の爲に胎敎と申しましてお腹にゐる時から嫌な事を見たり聞いたり仕ないように、成る可く朗かに、落語を聞いたり爲になる權太樓の落語集を讀んだりして愉快に暮して、生れた可愛いい我子を朗な人間にする事でございます。

△『ヤア困つたぞ、別の道を來ればよかつたなア？　酷い奴に逢つて了つた、今更あと戻りする事も出來ないし、弱つたなア、何しろ了奴と來たら何所で逢つても酒を吞ますか何にか御馳走をする迄は喰付いて離れないんだから困る、蛸の久公とはよく考へた名前だ』

○『旦那《だんな》ッ今日は、どちらへ？』

△『…………』

○『ネ、旦那《だんな》ッ、無言つてるなんて薄情だなア、旦那つたら（節を付けて）返事がないね、お嫁さんでも取つたのか、ネ旦那《だんな》ッ、何處へ行くんですよ、惡い事をして警察へ行くんでせう？』

△『オイ困るナアそんな事を言つて』

○『だから何所へ行くんですつて聞いてるんですよ？』

△『お前は何所《どこ》へ行くんだ？』

○『旦那《だんな》から先へ言つて下さいよ』

△『お前から言ひなさい』

○『そんな事を言はないで旦那《だんな》から』

△『弱つたなア？　今日は天氣もよし、ブラ〳〵と日比谷公園にでも散歩に行こうと思つてるんだ』

○『ヘエー、それは丁度よかつた、私も日比谷公園へ散歩に行こうと思つてゐた處なんですよ』

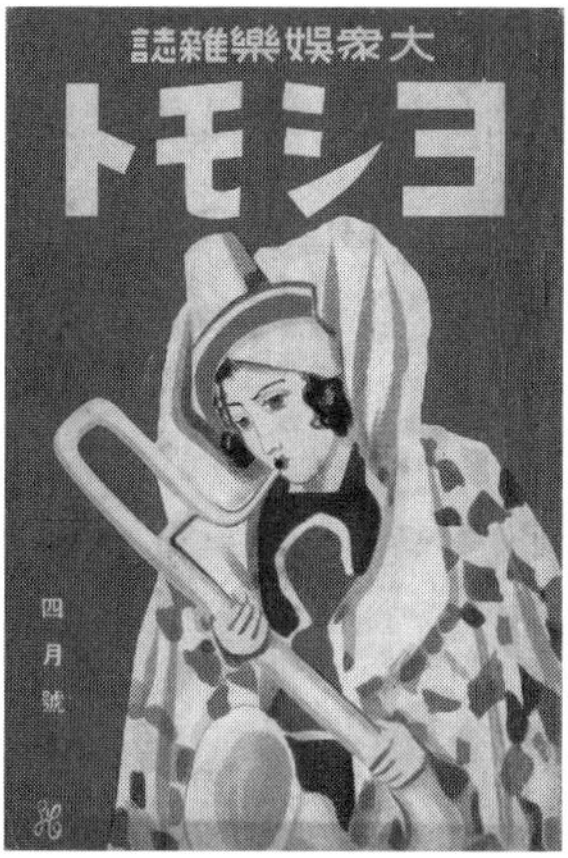

『大衆娯楽雑誌 ヨシモト』第３巻第４号（吉本興行合名会社、昭和12年）の表紙と速記。

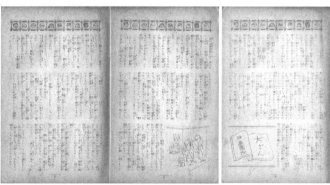

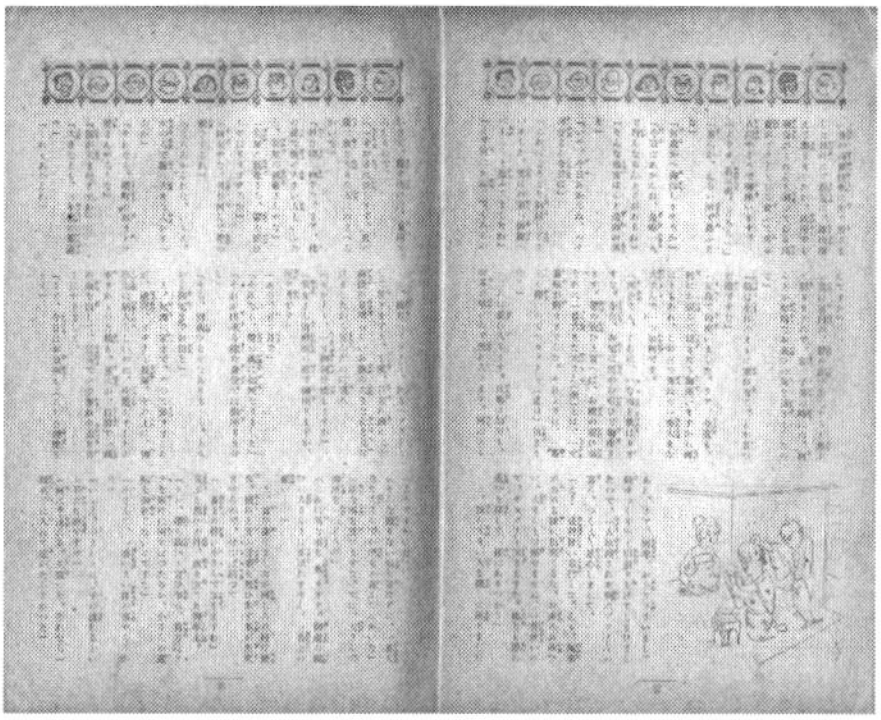

旦那の酒席へ戻りたいことへつなげたいと考え、新しいオチに改めました。

戦前に刊行された速記本は、ほとんどが二代目桂南光（桂仁左衛門）の速記で、『名人落語十八番』（鈴木泰江堂、昭和四年）、『講談落語全集』（泰江堂、昭和六年）、『続落語全集』（大文館書店、昭和七年）へ収録されていますが、東京落語の初代柳家権太樓の落語集『新作落語負けない男』（三亞書房、昭和十八年）に、「祝いの酒」という演題で掲載されているのが珍しいと言えましょう。

古い雑誌では、二代目桂春團治の速記で『大衆娯楽雑誌 ヨシモト』第三巻第四号（吉本興行合名会社、昭和十二年）に、四代目橘家圓蔵が「子宝」という演題で『はなし』霜月之巻（田中書店、明治四十一年）へ掲載しています。

左甚五郎猫餅

ひだりじんごろうねこもち

京都伏見で修業した左甚五郎が、江戸へ行く気になった。

京都を東へ出て、大津・草津・水口・土山から、鈴鹿の峠を越え、坂ノ下から関の宿場へ出てきたが、ここから東海道と、参宮街道へ続く伊勢別街道に分かれる。

甚「江戸へ行く前に、お伊勢参りも洒落てる。伊勢へ行く道の手前に、立派な店が建ってるわ。赤前垂《あかまえだ》れに、姐さん被りした女子衆が、客の袖を引いてる。ほゥ、本家猫餅か。これだけ繁盛したら、商いも面白かろう。向かいの店は、腐り掛かった焼き板へ、鍋墨を塗り付けたような字で、元祖猫餅と書いてある。店の中でお婆ンが欠伸してるわ。二軒の餅屋は、同じ店か？　別の店が街道を挟んで、同じ名前の餅屋の看板を上げるのもケッタイな。大抵は流行ってる店へ入るけど、人の行かん方が好きじゃ。ほな、お婆ンの店へ行ったろか。（店へ入って）えェ、御免」
小「誰じゃ、表で謝ってるのは？」
甚「いや、誰も謝ってないわ」
小「店の表で、『えェ、御免』と謝ってた」
甚「黙って入ったら悪いと思て、『えェ、御免』と言うただけじゃ」
小「何じゃ、ややこしい。あァ、何か用か？」
甚「すまんけど、餅を一つおくれ」
小「あんたは、何じゃな？」
甚「あァ、客じゃ」
小「客が餅を買うのに、下から出る奴があるか。客は銭を払て、わしは銭をもらう。客やったら客らしゅう、偉そうに入れ。もう一遍、出直しといで」
甚「いや、お婆ンの方が偉そうじゃ。ほな、出直すわ。さァ、表へ出た。ほな、もう一遍入ろか。（店へ入って）お婆ン、出直してきた」
小「おォ、何か用か？」
甚「おい、餅を一つ買うたる！」
小「ほゥ、気に入った！　さァ、此方へ入り」

甚「あァ、ほんまに変わってるわ。ほな、座らしてもらう。おい、餅を一つおくれ」
小「今、持って行く。直に、お茶も淹れるわ」
甚「コレ、お婆ン。その茶は、一寸も色が出てないわ」
小「ほゥ、そこから見てわかるか。十日と一寸、茶の葉を替えてないわ。餅代はもらうけど、茶代は取らん。ウチの茶が気に入らなんだら、出て行っとおくれ！」
甚「あァ、また始まった。茶の香りがする湯と思て、辛抱するわ」
小「大分、ウチに慣れてきたな。いや、えらい！」
甚「褒めてもろても、嬉しないわ」
小「(餅を出して）さァ、食べなはれ」
甚「ほな、よばれるわ。(餅を齧って）おい、お婆ン。この餅は、えろう固いな」
小「あァ、ウチの自慢じゃ」
甚「コレ、ケッタイな自慢をするな。こんな固い餅は、とても食えん」
小「そんなことを言わんと、しっかり噛んでみい。ほな、ジンワリ味が出るわ」
甚「わァ、スルメみたいな餅じゃ。一体、いつ搗いた？」
小「(首を傾げて）さァ？」
甚「搗いた日がわからんか？」

小「齢取ると、物忘れが酷なる。餅を搗いて、確か七日になるわ」
甚「何ッ、七日！　そんな餅を、客に食わすな。大分、お婆ンは変わってるわ」
小「初めて会うて、わかるか？」
甚「あァ、当たり前じゃ。向かいの餅屋は、客の切れ目が無いほど繁盛してる。この店に客は一人も居らん。わしも餅を食べるのやのうて、餅が固《かと》て、くわえただけじゃ。繁盛してる店の向かいで、同じ看板を上げて商売するのは変わってるわ」
小「そやけど、若いの。大分、あんたも変わってるな。柔らかい餅を食べて、色の良えお茶を啜《すす》って、若い女子がチヤホヤしてくれる店へ行ったらええ。その向かいで、固い餅を売ってる婆の店へ入るのは変わってるわ」
甚「ほんまに、言うことが憎たらしいな。向かいの店の餅は柔らかいか？」
小「店から出てくる客が、『こんな柔らかい餅は、初めて食べた。キメが細《こま》て、ツルツルして、羽二重餅と名前を替えた方がええ』と言うてるわ。ウチの餅は、はおり餅と言われてる」
甚「固いよって、丈夫な羽織に譬《たと》えてるか？」
小「ウチの餅を齧って、大工の吉兵衛さんが前歯を折ったよって、歯折り餅」
甚「わァ、食べるのに命懸けじゃ。向かいの店とは勝負にならんよって、餅屋を畳むとか、余所の町で商いした方が良えのと違うか？」
小「わしの目の黒い内は、ここで餅屋を続けるわ」
甚「ほゥ、訳がありそうな。良かったら、訳を聞かしとおくれ」
小「ほな、先を急かなんだら聞いてもらうわ。そこにある仏壇の位牌は、わしの連れ合いじゃ。子どもが無いよって、齢取って、爺さんと淋しゅう暮らしてた。雪の降る晩、野良猫がウロチョロしてな。爺さんが『可哀相やよって、家の中へ入れたろ』と言うて、猫を炬燵《こたつ》へ放り込んだら、えろう気に入って。わしらの足をペロペロ舐めたり、擦《す》り寄るよって、情が湧いて、その猫を飼うことになってな」
甚「ほゥ、フンフン」
小「タマという名前を付けて、可愛がってた。畜生ながら賢い猫で、銭箱の上へ座って、店番しよる。お客が餅代の六文を銭箱の上へ置いたら、それを銭箱の中へ掻き込むよって、『あの餅屋には、賢い猫が居る』と評判になって。元祖猫餅という看板を上げたら、お客が仰山来てくれた。爺さんは腕へ縒《よ》りを掛けて、美味しい餅を拵えたわ」
甚「その頃は、歯折り餅やなかったか」
小「歯で噛まんでも溶けそうな餅やよって、歯噛まん餅と言われてた」
甚「羽織が袴やったか」

小「向かいのうどん屋が、餅の方が儲かると思て、またたび餅を売り出した。猫に釣られて来た客を、またたびで誘えると思たらしい。うどん屋が餅を搗いても、良え餅が出来る訳が無い。向かいの親父が『爺さん、当てが外れた。商売を止めて、余所へ行こと思う。店終いに一花咲かしたいよって、あるだけの餅を売り切るまで、猫を貸してもらいたい』と頼みに来たわ。『コレ、止めときなはれ』と言うたのに、爺さんは人が良えよって、『困った時は、お互い様』と言うて、貸してやった」

甚「ほゥ、フンフン」

小「タマが向かいへ行ったら、欠伸ばっかりしてる。明くる日、向かいの親父が『猫が銭箱から落ちて、鼻を打って死んだ』と言うて、タマを返しに来た。爺さんは生来のお人好しで、文句が言えん。『あァ、寿命やったか』と涙を零して、裏の柿の木の根方へ埋めて、手を合わしてたら、近所の子どもが『爺ちゃん、猫は可哀相やったな。向かいの親父に、ドツかれて死んで』『タマは銭箱から落ちて、鼻を打って死んだそうな』『猫が欠伸ばっかりするよって、割木で鼻をドツきよった。屋根から落ちても平気な猫が、銭箱から落ちて、鼻を打つか？』と言うて」

甚「子どもの言うことに無理は無いわ」

小「爺さんが涙を零して、『あァ、可哀相なことした。向かいへ貸さなんだら、こんな惨《むご》たらしい目に遭わなんだ。ウチでドツいたことが無いよって、逃げ方を知らなんだらしい』と言うて悔やんでる。『そんなに苦にしたら、身に障る。前世からの因縁と思て、諦めなはれ』と言うのに、『タマよ、タマよ』と言うて。その内に寝込んで、食べ物が喉を通らんようになった。医者から『どうやら、今晩が峠』と言われた時、わしを枕許へ呼んで、『コレ、婆さん。わしは先にタマの所へ行くけど、お前の息がある内は、ここで餅屋を続けてくれ』と言うて、あの世へ行ってしもたわ」

甚「ほゥ、気の毒に」

小「向かいの店は、腕の良え職人を雇て、本家猫餅の看板を上げて、柔らかい餅を拵えて売って、えらい繁盛。わしも負けんと、見様見真似《みようみまね》で餅を搗いたけど、柔らかい餅は出来ん。搗き立てでも固い餅が、十日も売れ残ったら、カチカチになる。あんたも齧ってたけど、腹の具合に変わりないか？」

甚「コレ、ケッタイなことを言うな。お婆ン一人で、この餅屋をやってるか？」

小「近所の人が気の毒がって、餅を食べに来てくれるけど、ウチの餅を食べた人の顔色が冴えん。大工の吉兵衛さんが『爺さんが死んで、淋しいと思う。気が紛れるように、猫を一匹拵えたろ』と言うて、木彫りの猫を拵えてくれた。タマの替わりに銭箱の上へ置いたら、その晩に鼠が猫の鼻を齧って、鼻無し猫になったわ。鼠に猫の鼻を齧られるとは、話が逆様じゃ。阿呆らしいやら、腹が立つやら、面白いやら。話が長なって、すまなんだ。お茶が冷めたよって、淹れ替えよか?」

甚「いや、結構。淹れ替えても、お茶の匂いがするだけじゃ。それより、鼠に鼻を齧られた猫を見せとおくれ」

小「店へ出したら皆が笑うよって、隠してある。さァ、この猫じゃ」

甚「わァ、えらい顔してるな。この猫やったら、鼠に鼻を齧られるわ。コレ、お婆ン。すまんけど、一晩泊めてくれんか? この家で、猫を拵えるわ」

小「コレ、若いの。中々、すじこい(※筋濃。一筋縄ではいかないという意味)な。猫を拵える代わりに、宿賃浮かそと思て」

甚「あァ、腹の立つ婆じゃ。(小判を出して)この一両は、お婆ンへ預けとく。鼠に鼻を齧られるような猫を拵えたら、その一両はやるわ!」

小「コレ、若いの。わしの言うことを、気にすなよ。年寄りは、憎まれ口を利きたがるわ。わしと同じ食べ物でよかったら、何日でも居ったらええ」

甚「ほな、泊まらしてもらうわ。この一両は、どうする?」

小「あァ、わしが預かる」

甚「お婆ンの方が、すじこいわ。古い唐傘が二本と、木切れは無いか?」

小「普請場《ふしんば》でもろた風呂の焚《た》き付けが、裏へ積んである。爺さんの唐傘が何本もあるよって、好きに使たらええ。御飯を食べたら、二階で寝なはれ」

甚「ほな、後は放っといて」

千両万両積まれようとて、気が向かなんだら彫らんという名人が、頼みもせんのに、コツコツコツコツと、一晩掛け、猫を一匹彫り上げた。

甚「お婆ン、お早うさん」

小「二階で夜通し、コツコツ音がするよって、寝られなんだ」

甚「寝んと猫を拵えた。(猫を出して) さァ、見てくれるか?」

小「ほゥ、出来たな。しかし、この猫はあかん。招き猫は見たことあるけど、この猫は手を受けてる。受け猫という、ケッタイな猫は知らんわ」

甚「まァ、見てなはれ。あァ、昨日の餅代を払うのを忘れてた」

小「六文ぐらい、どうでもええ」

甚「いや、勘定は勘定じゃ。餅代の六文を、猫の手の上へ乗せるわ」

小「ほゥ、ケッタイな所へ乗せるのじゃな。コレ、若いの！　猫の手の上へ六文乗せたら、猫が手を下げて、銭箱の中へ落としよった」
甚「なァ、面白いじゃろ?」
小「面白いけど、ビックリした! 何と、えらい猫を拵えたな」
甚「この猫を銭箱の上へ置いたら、これが評判になって、ドンドン客が来るわ」
小「この猫は、何ぼで譲ってくれる?」
甚「勝手に拵えた猫やよって、一文も要らん。気持ち良え仕事をした時は、何ぼか払いたいぐらいじゃ。猫は只で、お婆ンにやる。高かったら、値切ってみるか」
小「コレ、無茶言いなはんな。あァ、猫は呉れるか。ほな、預かった一両返すわ」
甚「その一両は、次に泊めてもろた時の宿賃の前払いじゃ」
小「世の中には、気前の良え御方がある。ほな、遠慮無しにもらうわ。せめて、あんたの名前と所を聞かしてくれんか?」
甚「風の向くまま、気の向くまま、所定めん草枕。名前も所も、あって無いような物。また泊めてもらうよって、それまで達者に暮らしてや」
小「あんたも達者で、気を付けて行きなはれ。(合掌して)爺さん、有難い。あの猫を只で呉れて、金まで恵んでくれた。ひょっとしたら、弘法大師やなかろか?」

芳「（店へ入って）お婆ン、御無沙汰」
小「誰じゃと思たら、小間物屋の芳《よ》っさん。暫くの間、江戸へ行ってたのと違うか？」
芳「あァ、江戸小間物を仕入れに行ってた。家へ帰っても、お婆ンのことが気になって、一番に飛んできたわ。江戸の土産話を持って帰ってきたよって、また笑わしたる」
小「あァ、笑わしてよ」
芳「ところで、店は繁盛してるか？」
小「お陰で、サッパリじゃ」
芳「あァ、言うことが変わらんな。久し振りに餅をよばれるよって、一つおくれ」
小「さァ、食べて」
芳「ほな、よばれる。（餅を齧って）相変わらず、固いな」
小「どうじゃ、懐かしいじゃろ」
芳「あんまり、懐かしない方がええ。（茶を啜って）お茶の香りがする湯も、懐かしいわ。有難て、涙が零れる。半分食べたよって、後は持って帰るわ」
小「この頃、一寸だけ齧って、持って帰る客が増えてる」
芳「あァ、そやろ。ほな、餅代の六文置くわ」
小「コレ、一寸待った！　銭箱の上の、猫の手の上へ乗せてくれるか」

芳「あァ、鼠に鼻を齧られた猫か？」
小「それは先代で、今度は三代目じゃ」
芳「この店の猫は、何ぼでも出来るな。ほゥ、手を受けてる。六文乗せたよって、また来るわ」
小「コレ、一寸待った！　六文は、どこへ置いてくれた？」
芳「あァ、猫の手の上へ乗せたわ」
小「いや、どこにもありゃせんで」
芳「アレ、確かに六文乗せた。払わん物を、払たとは言わんわ」
小「もろた物を、もらわんとは言わん」
芳「いや、六文や七文の端銭《はしたぜに》は誤魔化さんわ。無い物は仕方無いよって、お婆ンの目の前で払う。一文、二文、三文、四文、五文、六文。何や、この猫は！　手を下げて、銭箱の中へ六文落としよった！」
小「どうじゃ、不思議じゃろ？」
芳「ほな、もう一つおくれ。一文、二文、三文、四文、五文。五文では、手を下げん。もう一文乗せるまで、手を受けて待ってるわ。もう二文乗せて、七文にすると、六文の時より勢い良う落としよった。この猫は、死んだタマより賢いな。タマは何文でも銭箱の中へ掻き込んだけど、この猫は一文足らなんだら、手を受けて待ってるわ」
小「コレ、芳っさん。店の表を、大工の吉兵衛はんが通るわ」
芳「あァ、ほんまや。前を通ったら、寄ったらええのに」
小「吉兵衛さんが拵えた猫の鼻を鼠が齧ったよって、恥ずかしいような」
芳「ほな、わしが呼んだる。おい、吉っつぁん！　コレ、鼻齧られの吉兵衛はん！」
吉「コラ、何を吐かしてけつかる。それでのうても、この店の前を通るのは面目無い。誰やと思たら、芳っさんか。いつ、江戸から帰ってきた？」
芳「最前、帰ってきたわ。あんたの猫は、鼠に鼻を齧られた！」
吉「何遍も大きな声で言うな！　あれから得意先に、『鼠に猫の鼻を齧られるような腕の大工は、出入り差し止めや』と言われた。親切でしたことが、仇になってしもたわ」
芳「ほゥ、それは災難やったな。座って、餅を食べなはれ」
吉「いや、結構。ここの餅を齧って、前歯を折ったよって、歯折り餅の名付け親になってしもて」
芳「ほな、もう一本折ったら？」
吉「コラ、ええ加減にせえ！　餅代は払うよって、食べるのは堪忍して」
芳「銭箱の上の、猫の手の上へ、六文乗せてくれるか」

吉「また、鼻の欠けた猫を出してきたな」
芳「いや、そやない。お前の猫は二代目で、今度は三代目や」
吉「また、誰か拵えたか？　ほな、六文乗せるわ。一文、二文、三文、四文、五文、六文。何や、この猫は！　六文の銭を、銭箱の中へ落としよった」
芳「お前の細工とは、出来が違うやろ？」
吉「おい、お婆ン。この猫は、誰に拵えてもろた？　名前も所もわからん者が、一晩で彫って、一両呉れたか。ほゥ、只者やないわ。こんな見事な細工は、皆へ見せなんだら勿体無い。おい、芳っさん。わしも仕事を休むよって、お前も休め。近郷近在へ、この猫のことを触れて廻ったろ。評判になったら、この店は大繁盛間違い無し！　向かいの店へ、一泡吹かすことが出来るわ」
芳「よし、引き受けた！　おい、お婆ン。後は、わしらに任しとけ！」

芳っさんと吉っつぁんが、近郷近在へ触れて廻る、廻る、廻る、廻る！
直に、お客が来た、来た、来た、来た！
餅が売れる、売れる、売れる、売れる！
向かいの餅屋が慌てた、慌てた、慌てた、慌てた！

角「何で、お客が向かいの店へ行く？　何ッ、餅代を銭箱の中へ落とす猫が評判になってる？　お前らの手に持ってる餅は、何じゃ？　猫が見たいよって、向かいの餅を買うたか。これでは、ウチの店が潰れてしまうわ。（閃いて）あァ、よし！」

本家猫餅の主が『キリシタンバテレンの怪しげな猫で、客を呼ぶ店がございますよって、お調べ下さいませ』という願書を認《したた》め、奉行所へ訴えた。

早速、原告・被告へ差し紙が届くと、お呼び出しになり、お白州が開かれる。

正面の一段高い所へ奉行が座り、その前の白い砂利が敷き詰めてある所へ、目の荒い筵を敷き、原告・被告が座らされると、周りには役人連中。

奉行が目の前の書面へ目をお通しになると、威儀を正す。

奉「本家猫餅の主・角兵衛、面《おもて》を上げい。元祖猫餅の主・お小夜が、キリシタンバテレンの邪法により、怪しげな猫を使いおるとは誠か？」
角「ほんまに怪しげな猫で、木彫りの猫の手の上へ、六文の銭を乗せると、銭箱の中へ落とします。怪しげな商いを致しますのは、餅屋の風上にも置けず、キリシタンバテレンの邪法に間違いございません。あのような猫が居る店の前で商いは出来ませんよって、お裁きを宜しくお願い申し上げます」
奉「ほゥ、相わかった。お小夜、面を上げい。角兵衛の訴えによる猫の彫り物は、キリシタンバテレンの猫であるか？　コリャ、真っ直ぐ申せ」
小「はい、お恐れながら申し上げます。名前も所もわからん御方が泊まりまして、私を気の毒に思て、夜通しで猫を彫ってくれました。その御方が、キリシタンバテレンの邪法使いかどうか存じません。御勘弁下さいますよう、お願い申し上げます」
奉「その猫を、これへ持て」
役「ハハッ！　（猫を出して）お小夜の猫は、これでございます」
奉「猫の手の上へ、六文の銭を乗せてみよ。手を下げ、銭箱の中へ落としたな。（猫を引っ繰り返して）猫の足の裏に、甚の印がある。ほゥ、左様であったか。角兵衛に、お小夜。キリシタンバテレンの邪法使いより、上の者の細工じゃ」
角「ほゥ、有難い！　お小夜を、火炙《あぶ》りにしていただきますように」
奉「ええい、控えよ！　コレ、角兵衛。奉行が調べるに、その方の評判の悪《あ》しきは許し難し。この猫を拵えし者は、飛騨の匠・墨縄《すみなわ》の弟子の甚五郎利勝。またの名を左甚五郎と申す、世にも稀なる名工の細工に間違い無し。千両万両積もうとて、気が向かねば仕事をせぬという名人の品。お小夜を気の毒に思い、魂を込め、猫を彫ったのじゃ。コリャ、お小夜。この猫は甚五郎の細工故、この後も大切に致し、元祖猫餅の看板を上げ、商いに勤《いそ》しむがよい。コレ、角兵衛。自らの訴状で墓穴を掘ったは、その方じゃ。本家猫餅の看板を下ろし、この地より立ち去れ！　本日の裁きは、これまで！　皆の者、立ちませェーい！」

ゾロゾロゾロゾロと、お白州を下がる。

本家猫餅の主が店を畳んで立ち去った後、お小夜の元祖猫餅は大繁盛。

芳「お婆ン、良かったな。女子衆も仰山雇て、大忙しや」

小「搗いては売れるよって、餅が固なる暇が無い。歯折り餅は、もう出来ん。あんたは、あの餅が好きやったな」

芳「いや、嫌いや！　あんな固い餅を好きで食べる者は居らんわ。しかし、お婆ン。こないだまでとは、えらい違いや。大忙しで、猫の手も借りたいやろ？」

小「いや、それは出来ん。わしより、猫の手の方が忙しい」

解説「左甚五郎猫餅」

松阪工業高等学校に在学中、背は低くても、バレーボール部へ所属し、彫刻が得意で、高校卒業後は京都の仏師の許へ入門を希望していた友達がいました。

卒業後は付き合いが途切れたので、その後の動向は知りませんが、当時の見事な彫刻は、先生方も驚くほどの出来栄えだったのです。

私は不器用で、幼い頃から彫刻刀を持つと、手に傷を作るのが関の山で、まともな作品が出来たことがなかっただけに、あのような見事な彫刻が出来るのは不思議でした。

ある日のこと、彼がくれたのが、左甚五郎を題材にした講談の速記本。

通り掛かった古本屋の店先へ積んであった講談本の一番上へ置いてあったそうで、今でも左甚五郎の落語を上演する時は、彼を思い出します。

左甚五郎の名人談は、講談や浪曲が圧倒的に多い割りに、その中から落語へ仕立て直されたネタは、極めて少ないと言えましょう。

芝居や映画の題材へも採り上げられましたが、一人芸で表現された、想像の世界で活躍する左甚五郎が一番面白く、イキイキしているように思います。

落語の左甚五郎ネタで上演頻度が高いのは「ねずみ」「三井の大黒」「竹の水仙」で、「叩き

初代日吉川秋斎のLPレコード（ローオンレコード）。

蟹《がに》」「掛川宿」などもありますが、前述の三席へは遠く及びません。

時代を経るに連れ、数多くの演者の手に掛かり、講談や浪曲の匂いが薄れ、従来から伝わる落語の構成や演出で染め替えられたのが、前述の三席と言えましょう。

殊に「ねずみ」は、数多く伝わる古典落語の名作と比べても遜色が無いほど、秀逸なオチが付いているだけに、落語でも見事な仕上がりになっています。

「左甚五郎猫餅」は、関西浪曲界の名門である広沢系・日吉川系のお家芸として伝えられている名作ですが、このネタを師匠（二代目桂枝雀）から教わりました。

「爆笑落語の枝雀さんが、このネタを演った?」と不思議に思われる方もあるでしょうが、紛れもない事実です。

昭和三十年代、大阪ミナミにあった千日デパートに、千日劇場という寄席があり、桂米朝師が頻繁に出演していたため、弟子の桂小米（二代目桂枝雀）の出番もありました。

その寄席では、漫才・奇術・浪曲・音楽ショーなどの先輩と接することが出来、師匠は初代日吉川秋斎師の浪曲に魅せられ、いつも舞台の袖で食い入るように見ていたそうです。

秋「小米はんは、ほんまに浪花節が好きやな。いつも、わしの舞台を見てるわ。わしが演るネタの中で、何が一番好きや?」

小「はい、『猫餅』が好きです」

秋「あれは面白いよって、わしも好きや。毎日見てたら、もう覚えてるやろ。その内に、落語に直して演ったらええわ」
小「えッ、ほんまに演らしてもろても宜しいですか？」
秋「あァ、構へん。落語やったら、三味線と喧嘩することも無いわ。わッはッはッは！」

豪快に笑う隣りで、いつも秋斎師と喧嘩をしていた、曲師の日吉川眞《ま》寿《す》師が苦い顔をされていたそうです。

秋斎師の許可が出たとは言え、すぐに高座へ掛けることも出来ず、不幸なことに、しばらくして、千日デパートが火事になり、寄席も閉鎖。

その後、秋斎師も亡くなり、当時の桂小米も二代目桂枝雀を襲名し、「左甚五郎猫餅」を演じる機会を逸したという訳です。

ある日のこと、師匠が突然、「レコードで、秋斎先生の『猫餅』を聞かしてもろた。そのうち、どこかの会で演ってみよと思う」と言い出しました。

大阪本町南御堂の落語会で演じるつもりで、その会の昼間、自宅の稽古場で私を観客に見立て、「左甚五郎猫餅」を演じた後、「また、あんたも演ったらええ。このネタのポイントは、こういう所で」と、構成や演出を細かく述べた後、タクシーで会場へ向かいましたが、開演までにアクシデントが起こり、上演は見送りになってしまったのです。

その日の「猫餅」は幻の一席となりましたが、私にとっては掛け替えのない、貴重な稽古を付けてもらえたことになり、平成十四年十一月二十五日、東京中野小劇場で開催した「第七回・文我なかの東西戦」で初演しました。

以前に刊行した『続々珍品復活落語選集』（燃焼社、平成十五年）の解説で、「平成十五年三月、東京の会で初演」と記しましたが、この機会に訂正させていただきます。

私の場合、元祖猫餅の婆さんや、近所の者にポイントを置き、左甚五郎は主人公でありながら、物語の狂言廻しとなる構成にしました。

後半の奉行の裁きは私の創作ですが、このようなシーンをラストへ付ける方が、噺の納まりが良いと考えた次第です。

左甚五郎を愛嬌者にした方が、見事な細工をした時、エピソードの値打ちが上がると思いますし、物語の主人公は実像と掛け離れている方が面白いのでないでしょうか。

本物の左甚五郎を詳しく知りたい方は、『名工左甚五郎の一生』（左光挙著、名工顕彰会、昭和四十六年）を一読されることをお勧めします。

レコード・カセットテープ・ＣＤで、初代日吉川秋斎・初代京山幸枝若の浪曲の名調子を味わうのも一興でしょう。

今後も師匠のアドバイスを守り、秋斎師の雰囲気やギャグを生かすように務め、大切に演じていきたいと考えています。

なつかしい築港広沢館の表玄関、故人日吉川秋斎を始め岡本玉治、天光軒満月（初代）宮川松安、一園市柳雪、雷尾利一館、京山雪州、広沢菊水師等の顔が見える

偲び草　梅中軒鶯童

日吉川秋斉・直寿追善公演出演順

日吉川和千代
斉東満
浪花歌笑
松風軒栄楽
京山幸枝

大刀原幸門
春野百合子
吉田一若
天光軒満月

日吉川秋水
松浦四郎
富士月の栄
天龍三郎
吉田奈良丸

若き日の秋斉夫婦

昭和46年5月3日（一日限り）

午前10時開場・午前11時開演（1回公演）

会場：
四ッ橋厚生年金会館第二ホール

主催：日吉川秋斉一門会
後援：関西浪曲親友会・ニッポン習老児援会

秋斉師を想う

初代日吉川秋斎・眞寿追善浪曲名人会のパンフレット（昭和46年）。

五両残し《ごりょうのこし》

旦「コレ、お美奈。これからは、この五十両で暮らしとおくれ」

美「いえ、いただけません！　私は日陰の身でも、旦さんのことは御寮人さんより知ってるつもりです。お母《か》はんの面倒も見てもろた旦さんと、縁が切れるやなんて。（泣いて）エェーン！　お母はんも、旦さんへ言うて」

母「ほな、私も申しますわ。お美奈は日陰の身でも、旦さんのことは御寮人さんより知ってるつもりです。私の面倒まで見てもろた旦さんと、縁が切れるやなんて」

美「もし、お母はん。それは、私が言うたことばっかり」

母「あァ、そうか？　（泣いて）エェーン！」

旦「お母はんが泣くと、雑巾《ぞうきん》を絞ってるような顔になるわ。最前も言う通り、店が借金だらけ。借金取りに追われて、生きて行けんよって、四ツ橋から身を投げるつもりじゃ。

取り敢えず、五十両は受け取っとおくれ」
母「お美奈、旦さんは死になさるそうな。ほな、五十両は頂戴しょうか？」
美「お母はん、何を言いなはる！　お母はんも、旦さんを止めて！」
母「ほな、旦さん。死になさる前に、一杯呑みなはれ」
美「もし、何を言うてなはる！　旦さんが死ぬと仰るのやったら、私も死にます！」
旦「人間は際にならなんだら、本心が知れんと言うわ。そこまで言うてくれるのは嬉しいよって、三人で死ぬことにしょうか」
母「えッ、私も！　私は、老い先長い身やよって」
旦「どう考えても、お母はんが一番短いわ。ほな、お母はんは断るか？」
母「いえ、そんなつもりやございません。ほな、身の回りを片付けますわ」
旦「夜中の八ツ刻に、四ツ橋で会おか。死ぬ前に寄りたい所があるよって、先へ出るわ」
母「ほな、後ほど。（表の戸を閉めて）お美奈、ほんまに死ぬつもりか？」
美「最前、お母はんも死ぬと言うた」
母「愛想で言うただけで、四ツ橋へ行くけど、旦さんだけ死んでもろたらええ。心中は男が先に死ぬと決まってるよって、先へ飛び込んでもろて、私らは帰ったらええわ」
美「心中は男が先に死ぬと、昔から決まってるの？」

母「今、私が決めた。旦さんが身を投げたら、帰ったらええわ。取り敢えず、五十両は直しといた。提灯へ灯を入れて、表へ出なはれ。ほな、四ツ橋へ行こか。〔ハメモノ／凄き。三味線・大太鼓・銅鑼で演奏〕また、良え旦那を世話したる。金持ちの旦那を見付けるのは、誰よりも上手や」
美「まァ、四ツ橋へ来たわ。橋の真ん中で立ってはるのは、旦さんや。もし、旦さん！」
旦「おォ、お美奈。ひょっとしたら来んかと思たが、ちゃんと来たな」
母「正直者の私らが、嘘を吐きますかいな。こうなったら、覚悟は出来てます」
旦「ほな、三人で飛び込もか」
母「昔から、心中は男が先に死ぬと決まってますわ。旦さんが飛び込みはった後で、草履を揃えて、私らも飛び込みます」
旦「ほな、三途の川の畔《ほとり》で待ってる。（身を投げて）ソォーレ！」〔ハメモノ／水音。大太鼓で演奏〕
母「気の早い御方で、念仏も唱えんと飛び込んだ。余程、急いてはったような」
美「まァ、旦さん！（泣いて）エェーン！」
母「済んだ、済んだ！　お美奈、泣きなはんな。これも前世からの約束で、私らが背中を押した訳やなし。手を合わしたら、成仏しはる。さァ、帰ろか」

美「旦さんが、三途の川の畔で待ってはる」
母「コレ、誰が阿呆正直に待ってるかいな。閻魔の庁へ、トントン走りで行きはったわ。さァ、家へ帰ってきた。中へ入って、閂《かんぬき》を下ろししなはれ。ほな、一杯呑んで寝よか」
藤「(表の戸を叩いて)もし、夜中に済まんことで。一寸、開けてもらいたい」
母「はい、誰方? まァ、藤助はん。コレ、お美奈。閂を外して、開けなはれ」
美「(戸を開けて)どうぞ、お入りやす」
藤「星野屋の旦那がお越しやなかったか?」
母「あァ、最前。(口を押さえて)いや、知らん。また、何で?」
藤「不思議なことがあって、一杯呑んで寝てたら、胸の辺りが苦しい。目を覚ますと、星野屋の旦那が、胸の上へ乗ってはる。金縛りで身体が動かんし、旦那は血塗れで、右目が腫れ上がってたわ。『星野屋は借金だらけで、死のと思て、お美奈の家へ行ったら、お美奈とお母はんが一緒に死ぬと言うてくれた。妾《てかけ》ながら、本妻にも勝る情の深さ。八ツ刻に四ツ橋から身を投げたが、お美奈とお母はんは、後を追わんと帰ってしもた。それが悔して、よう浮かばん。お前の世話で、お美奈を囲た。二人と一緒に、お前も取り殺す』と仰る。『化け筋が違うよって、堪忍!』と言うたら、金縛りが解けた。周りを見ても、旦那の姿が無いよって、此方へ来たという訳や。何も無かったら、それでええ。

ほな、帰るわ」
母「もし、藤助はん！　星野屋の旦さんは、お越しになったわ」
藤「あァ、やっぱり！　旦那が仰った通り、死ぬ約束したか？　気が残るのも無理は無い。必ず、取り殺されるわ。あァ、怖ァ！　ほな、帰るわ」
母「コレ、一寸待った！　幽霊は嫌いで、性に合わんよって、何か良え思案は無いか？」
藤「親子で髪を下ろして、尼になって、菩提を弔《とむろ》たら、許してくれはる」
母「ほな、そうするわ。私の後で、お美奈が髪を下ろしなはれ。ほな、奥へ行ってくる」
藤「親子で髪を下ろしたら大丈夫や」
母「(藤助の所へ戻って）もし、藤助はん。ほな、こんな塩梅でええか？」
藤「ほゥ、早かった。頭へ手拭い巻いて、御苦労さん。下ろした髪は、わしが預かる。(髪を持って）あァ、女子の髪は温《ぬく》い。これやったら、旦那は成仏しはる。成仏せんと仰っても、わしが成仏させるわ。(表へ向かって）旦那、成仏しますな？」
旦「(家へ入って）する、する！」
母「まァ、旦さん！　一体、どういうことで？」
藤「お母ン、惜しいことしたな。星野屋は大繁盛やけど、御寮人さんが病いに倒れはって、今日明日の命。旦那も良え御方やけど、御寮人さんも生き仏みたいな御方。苦しい息の下《もと》で、『私の亡き後は、お美奈さんを後添えにしてもらいたい。私は若い頃から病身で、女子の役を果たせなんだ。私が頼んで、お美奈さんを囲てもろた。後添えになってもらいたいけど、母親の評判が良うないよって、母親の料簡を確かめてもらいたい』と頼まれて、一芝居打ったという訳や」
母「まァ、さよか。それを先に言うてくれたら、どうにでもなったのに」
藤「今更、何を言うてる。四ツ橋から飛び込んだ旦那は、船へ引き上げた。二人が飛び込んだら、店の若い者が助けて、星野屋へ納まるという塩梅やったわ。ケチな料簡で、大きな魚を釣り落とした。コレ、お母ン。坊主になった気分は、どうじゃ？」
母「一々、偉そうに吐かすな！　顔の真ん中に、二つ光ってる物は何じゃ？　まさか、銀紙が貼ってある訳やなかろう。そんなに髪が欲しかったら、いつでも取りに来い。それは髢《かもじ》（※少ない髪へ添え足す髪のこと）で、（頭の手拭いを取って）この通りじゃ！」
藤「あッ、髪がある！」
母「齢は取っても、髪は女子の命。これぐらいのことで、大事な髪が下ろせるか！」
藤「どこまで、えげつない婆や。お上へ訴えるよって、奉行所へ随いてこい！」
母「私が、どんな悪いことした？」
藤「旦那が渡した五十両は、贋金《にせがね》じゃ。料簡を確かめる時、ほんま物の小判は使わん。贋金は持ってるだけで罪になるよって、奉行所へ随いてこい！」
母「（小判の入った包みを放り出して）こんな怖い物は、其方へ返すわ」
藤「（小判の入った包みを受け取って）ほんまに、どこまで阿呆じゃ。これが贋金やったら、拵えた者が捕まるわ。それは、ほんま物の小判じゃ。そうとも知らず、金を返しやがって。態《ざま》ァ見さらせ、阿呆！」
母「お前こそ、阿呆じゃ！　そう思て、此方へ五両残してある」

解説「五両残し」

この落語は、小学生の頃からラジオで聞いており、わからない所も多かったのですが、何度も聞いているうちに、理解できるようになったのです。

当時、このネタが放送で流れることも多く、演者によって構成や演出が違っていたのですが、六代目春風亭柳橋師の語りが理解しやすく、面白く感じました。

上方落語では聞いたことがなかったのですが、後に先代（三代目桂文我）の弟子だった桂我太呂さん（※二度廃業）が上方落語界へ復帰し、このネタを上演したのです。

私が内弟子修業を終え、あちらこちらの落語会の手伝いへ行き出した頃、大阪ミナミの坂町近辺のスナックで落語会が始まりましたが、その店の店長だったのが、一度目廃業中の我太呂さん。

その頃から噺家へ復帰する機会をうかがっていたようですが、その後、先代の許しを得て、以前に名乗っていた桂我朝から、先代の前名・桂我太呂へ改めたのです。

私が四代目桂文我を襲名した後、大阪ミナミ・三津寺筋の近所の焼肉屋へ入ると、その店の店長が、二度目の廃業をした我太呂さんだったことは驚きました。

我太呂さんは達者な口調で、高座も面白く、本当は芸人向きの方だったのでしょう。

以前から面白いネタと思っていただけに、速記本やレコードから、さまざまな構成や演出を調べ、米朝師にも先人の高座の様子を教わった上で、平成十四年二月十八日、大阪梅田太融寺で開催した「第二三回・桂文我上方落語選（大阪編）」で初演し、その後も全国各地の落語会や独演会で上演を続け、今では演じて楽しいネタになっています。

私の場合、全ての責任や罪を、旦那の妾の母親へ押し付けることにしました。

母親には気の毒ですが、このような複雑な内容のネタは、誰かへスポットが当たっている方が理解しやすく、笑いへつながります。

周りの者が、兵糧攻めのように母親を追い詰めて行きながら、最後は母親にしてやられるという結末は、最初からオチまで聞いていただくと、味の濃い楽しみとなりましょう。

このネタの母親のような人物は、近くにいると難儀ですが、どこかにいれば、世間へ話題を提供してくれると思いますが、いかがでしょうか？

この落語の原話は『初音草噺大鑑（恋の重荷にあまる知恵）』巻一（元禄十一年、上方板）で、現在の落語の形と比べても面白いので、紹介しておきましょう。

＊　＊　＊　＊

末摘花《すえつむはな》といふすがれたる大夫《たゆう》にあふ者、久米の岩橋中たたんとおもふ折ふし、金子拾両の無心いはれて、かなしながら「心得た」といふてかへり、太鼓持のうんとくを呼んで、「何とぞやらぬ分別はないか」といふ。

「つかハされねバひける」といふ。

「やれハ談合ハ要らぬ。それならバ明日ゆきてたちざまに、約束の物をここにおくと床におゐてたとう。さすがは大夫ぢやほどに、手にハ取《とる》まい。送《おくっ》て出たまに、そち、取《とっ》てこい」としめし合せ、扨《さて》その日件《くだん》のしゆびにして、「此中《じゅう》の御申越し、ここに置く」といへバ、大夫「はずかしながら御無心を」といふ。

男「かさねてもお心おかれず」など、「さらばさらば」といふてわかれ、道にて、「どれ、うんとく、今の小判ハ」とあれバ、「てんと失念しました」。

八まん。「大夫が見付《つけ》たらバ男がすたる。似小判《にせ》じや」といふ。

うんとく「似せ小判ならバ取《とっ》て参つた」と渡しければ、
男「忝《かたじけ》ない。生《いき》がね拾両、にせといはずハ出しやるまい。神《しん》ぞ正真《しょうじん》正真」といへば、
うんとく「正真なら、まだ三両残した。ぬかりハしませぬ」

＊＊＊＊

江戸で寄席が始まった頃には上演されていたようで、私は未見ですが、喜久亭寿暁のネタ帳

『滑稽集』（文化四年）へ記されており、その内容は『初音草噺大鑑』の原話を引き延ばした噺だそうです。

後に旦那の店の屋号・星野屋が演題になったり、噺の時代を明治に替え、小判を札《さつ》にした者もあるようで、「三両残し」「入れ髪」という演題もありました。

東京落語界の八代目桂文楽・五代目古今亭志ん生・八代目林家正蔵という重鎮も上演しましたが、冒頭の入り方や、中身の構成は、各師の工夫で少しずつ違っています。

東京落語では数多くの演者がありながら、上方の噺家が高座へ掛けることは少なかったようで、第二次世界大戦前に刊行された速記本で、上方の噺家が上演している速記を見つけることはできませんでした。

東京落語の初代三遊亭圓左は「三両残し」の演題で掲載していますが、原話の本は上方版だけに、構成や演出は上方の雰囲気が濃厚に含まれていると思います。

昔の速記本は全てが東京落語で、『改良落語』（駸々堂書店、明治二十四年）、『柳枝落語会』（三芳屋書店・松陽堂書店、明治四十年）、『落語あはせ』（共盟館、明治四十年）、『圓歌新落語集』（三芳屋書店、明治四十四年）、『三遊派柳派落語合研究会』（大盛堂書店、大正四年）、『講談落語頓智くらべ』（いろは書房、大正五年）、『新撰小せん落語全集』（盛陽堂、大正六年）、『三遊亭小圓朝落語全集』（三芳屋書店、大正九年）、『圓窓落語集』（石渡正文堂、大正十四年）、『名作落語全集』探偵白浪編（騒人社書局、昭和四年）、『評判落語全集』（大日本雄辯會講談社、

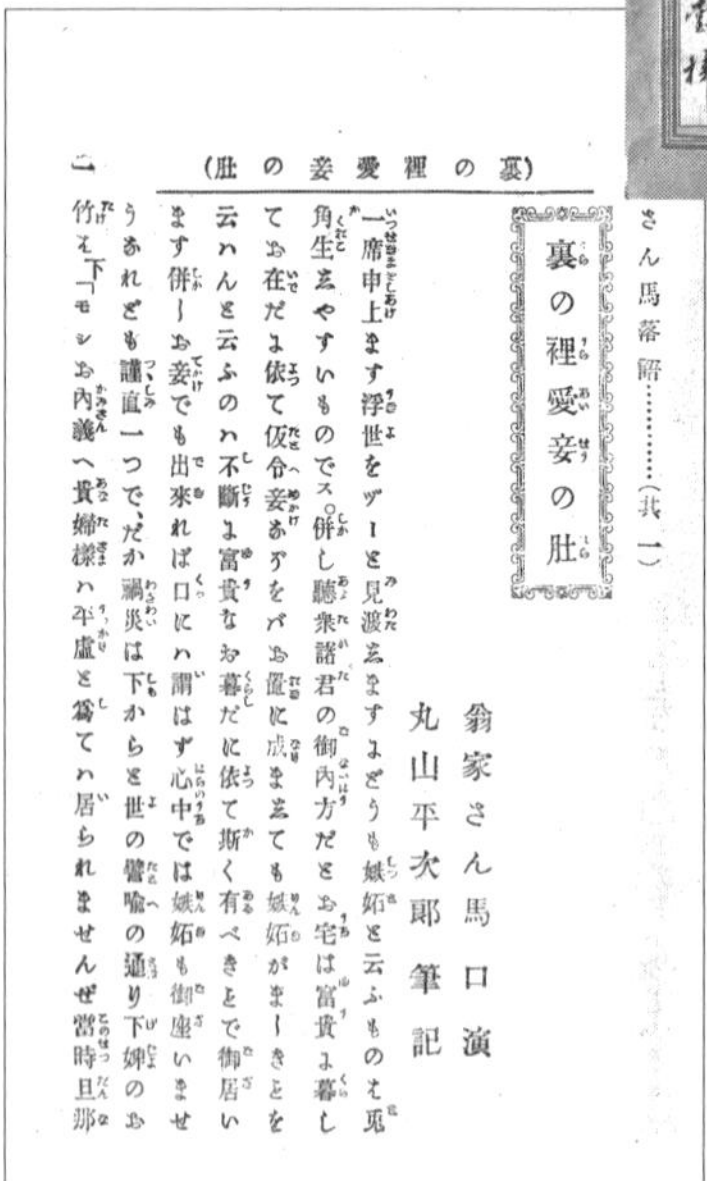

さん馬落語……（其一）

裏《うら》の裡《うら》愛《あい》妾《せう》の肚《はら》

翁家さん馬口演
丸山平次郎筆記

一席申上《いつせきまをしあげ》ます浮世《うきよ》をヅーと見渡《みわた》しますまどうも嫉妬《しつと》と云ふものは兎《と》角《か》生《くれと》しやすいものでス。併《しか》し聴衆諸君《あなたがた》の御内方《ごないはう》だとお宅《うち》は富貴《ふうき》に暮《くら》してお在《いで》だに依《よつ》て仮令《たとへ》妾《めかけ》あるをバお置《おき》に成《なり》ましても嫉妬《りんき》がましきことを云れんと云ふのハ不断《しじゆう》に富貴《ゆう》なお暮《くらし》だに依《よつ》て斯《か》く有《ある》べきとで御居《ござ》いますが併《しか》し〳〵お妾《てかけ》でも出来《でき》れば口《くち》にハ謂《い》はず心中《はらのうち》では嫉妬《りんき》も御座《ござ》いませうあれども謹直《つゝしみ》一つで、だか禍災《わざわい》は下《しも》からと世《よ》の譬喩《たとへ》の通《とほ》り下婢《げじよ》のお竹《たけ》ゑ下「モシお内儀《かみさん》へ貴婦様《あなたさま》ハ平臚《うつかり》と為《し》ては居《い》られませんぜ當時《このせつ》旦那《だんな》

『改良落語』（駸々堂書店、明治24年）の表紙と速記。

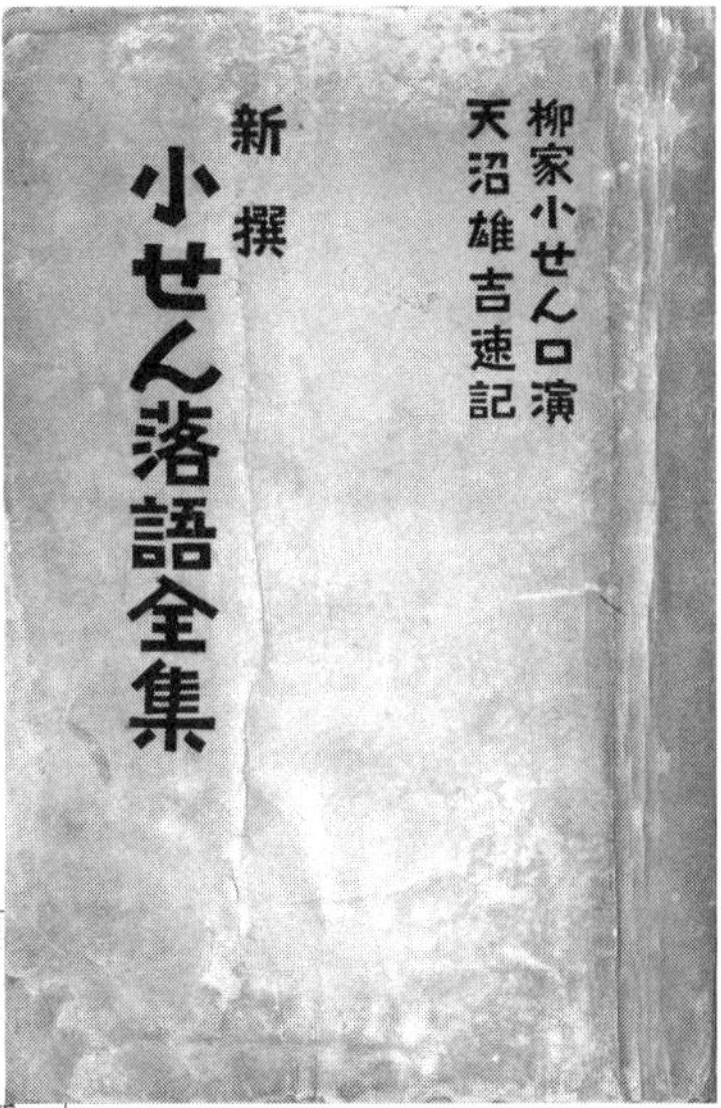

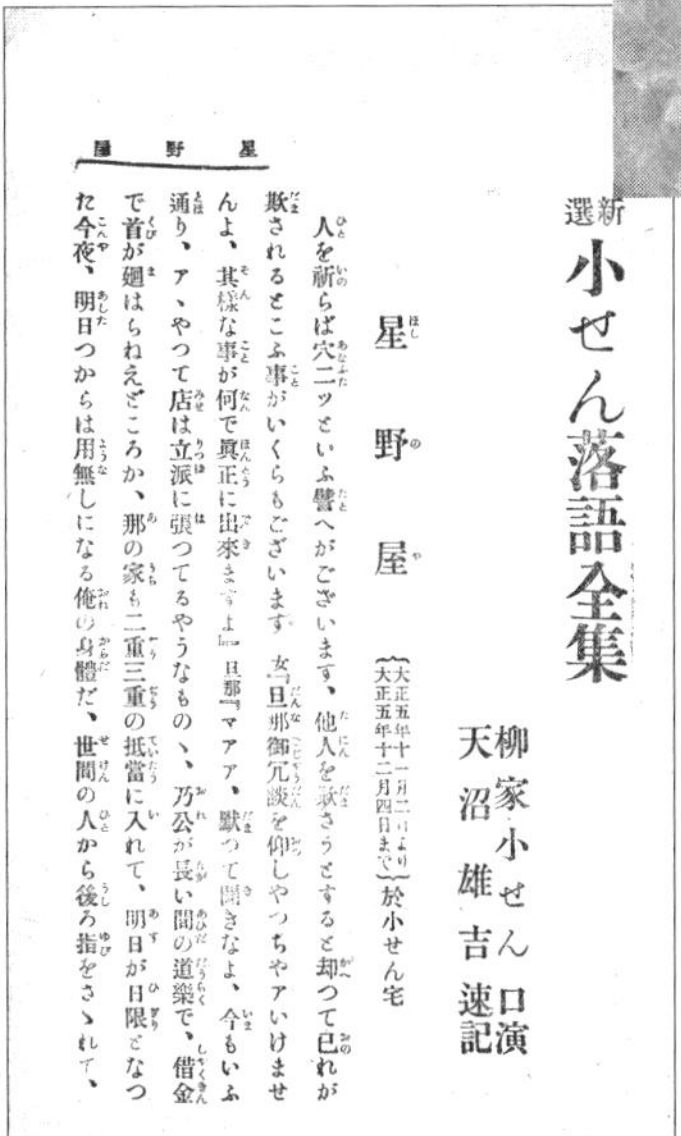
星野屋

新選
小せん落語全集

柳家小せん口演
天沼雄吉速記

星《ほし》野《の》屋《や》　〔大正五年十一月二日より大正五年十二月四日まで〕於小せん宅

人《ひと》を祈《いの》らば穴二《あなふた》ツといふ譬《たと》へがございます、他人《たにん》を欺《だま》さうとすると却《かへ》つて已《おの》れが欺《だま》されるといふ事《こと》がいくらもございます　女「旦那《だんな》御冗談《ごじようだん》を仰《おつ》しやつちやアいけませんよ、其様《そんな》な事《こと》が何《なん》で眞正《ほんたう》に出來《でき》ますよ」旦那「マアア、默《だま》つて聞《き》きなよ、今《いま》もいふ通《とほ》り、ア、やつて店《みせ》は立派《りつぱ》に張《は》つてるやうなもの丶、乃公《おれ》が長《なが》い間《あひだ》の道樂《だうらく》で、借金《しやくきん》で首《くび》が廻《まは》らねえどころか、那《あ》の家《うち》も二重三重の抵當《ていたう》に入《い》れて、明日《あす》が日限《ひぎり》となつた今夜《こんや》、明日《あした》つからは用無《ような》しになる俺《おれ》の身體《からだ》だ、世間《せけん》の人《ひと》から後《うし》ろ指《ゆび》をさ丶れて、

『新撰小せん落語全集』（盛陽堂、大正６年）の表紙と速記。

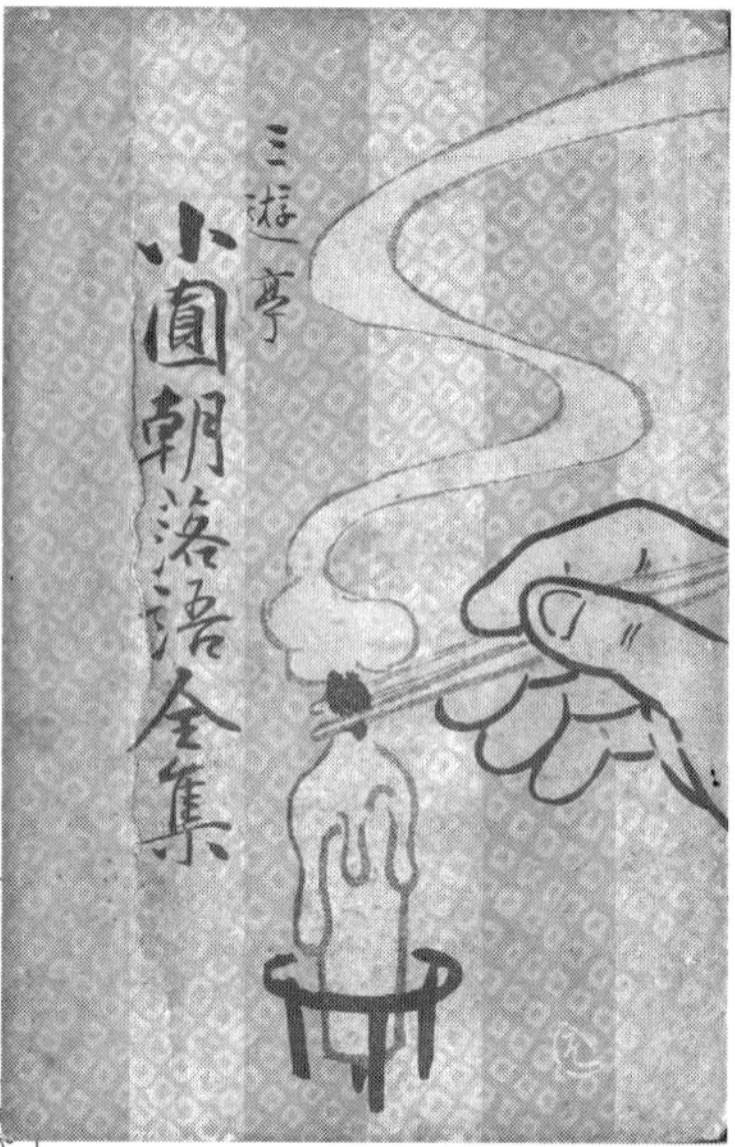

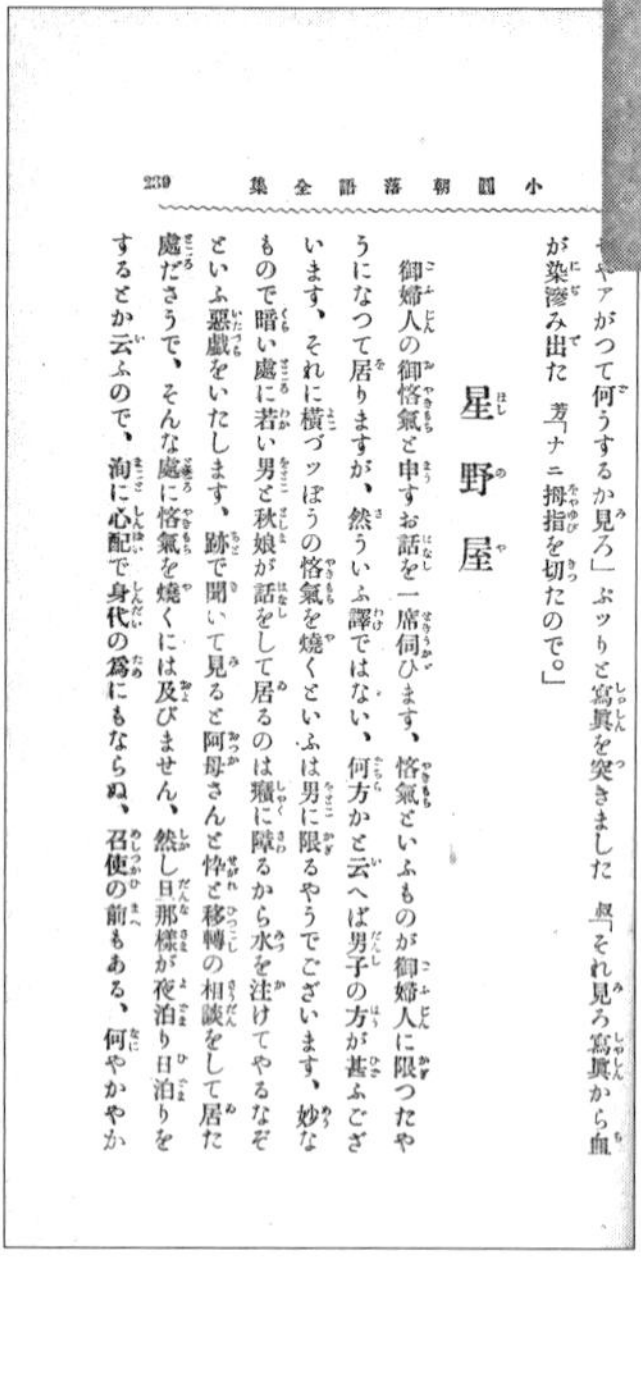
小圓朝落語全集　239

ヤアがつて何《ど》うするか見《み》ろ」ぷッりと寫眞《しやしん》を突《つ》きました　長「それ見《み》ろ寫眞《しやしん》から血《ち》が染滲《にじ》み出《で》た　芳「ナニ拇指《おやゆび》を切《きつ》たので。」

星《ほし》野《の》屋《や》

御婦人《ごふじん》の御悋氣《おやきもち》と申《まう》すお話《はなし》を一席伺《せきうかゞ》ひます、悋氣《やきもち》といふものが御婦人《ごふじん》に限《かぎ》つたやうになつて居《を》りますが、然《さ》ういふ譯《わけ》ではない、何方《どちら》かと云《い》へば男子《だんし》の方《はう》が甚《ひど》ふございます、それに横《よこ》づッぽうの悋氣《やきもち》を燒《や》くといふは男《をとこ》に限《かぎ》るやうでございます、妙《めう》なもので暗《くら》い處《ところ》に若《わか》い男《をとこ》と秋娘《むすめ》が話《はなし》をして居《ゐ》るのは癪《しやく》に障《さわ》るから水《みづ》を注《か》けてやるなぞといふ惡戯《いたづら》をいたします、跡《あと》で聞《き》いて見《み》ると阿母《おつか》さんと忰《せがれ》と移轉《ひつこし》の相談《さうだん》をして居《ゐ》た處《ところ》ださうで、そんな處《ところ》に悋氣《やきもち》を燒《や》くには及《およ》びません、然《しか》し旦那樣《だんなさま》が夜泊《よどま》り日泊《ひどま》りをするとか云《い》ふので、洵《まこと》に心配《しんぱい》で身代《しんだい》の爲《ため》にもならぬ、召使《めしつかひ》の前《まへ》もある、何《なに》やかやか

『三遊亭小圓朝落語全集』（三芳屋書店、大正９年）の表紙と速記。

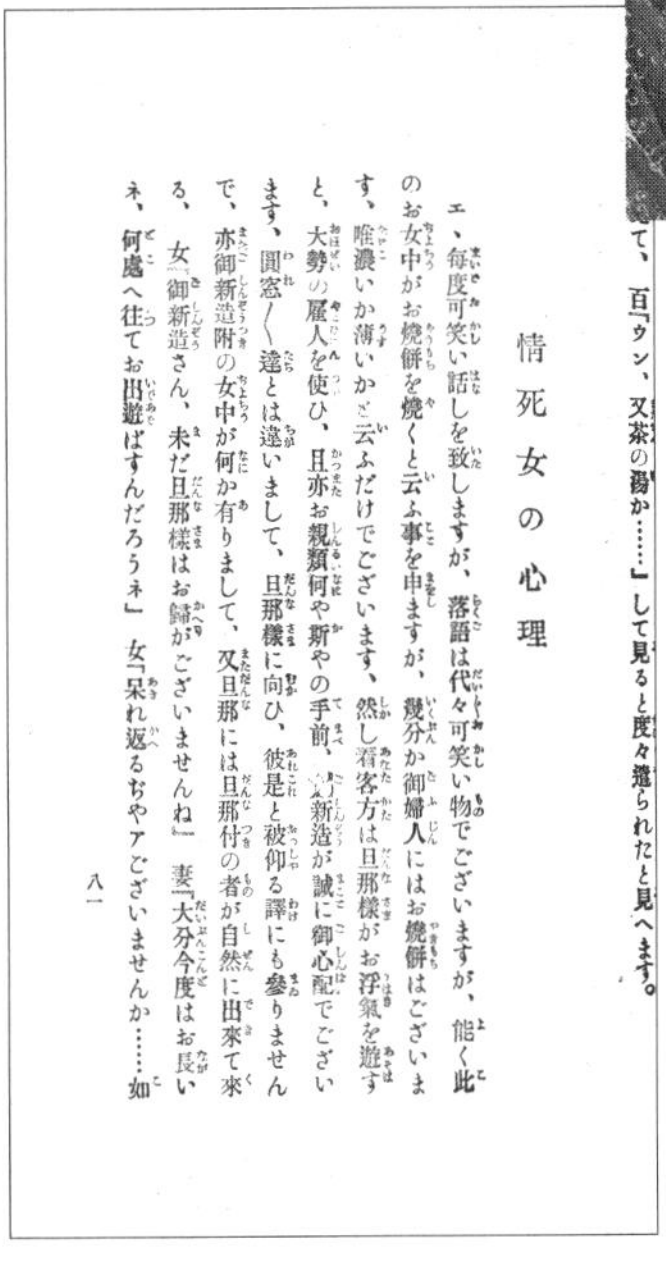

て、百「ウン、又茶の湯か……」して見ると度々遣られたと見へます。

情死女の心理

エ、毎度《まいど》可笑《をかし》い話《はな》しを致《いた》しますが、落語《らくご》は代々《だい〳〵》可笑《をかし》い物《もの》でございますが、能《よ》く此《こ》のお女中《ぢよちう》がお燒餅《やきもち》を燒《や》くと云《い》ふ事《こと》を申《まを》しますが、幾分《いくぶん》か御婦人《ごふじん》にはお燒餅《やきもち》はございます、唯濃《たゞこ》いか薄《うす》いかゞ云《い》ふだけでございます、然《しか》し看客方《あなたがた》は旦那樣《だんなさま》がお浮氣《うはき》を遊《あそ》ばすと、大勢《おほぜい》の雇人《やとひにん》を使《つか》ひ、且亦《かつまた》お親類《しんるい》何《なに》や斯《か》やの手前《てまへ》、御新造《ごしんぞう》が誠《まこと》に御心配《ごしんぱい》でございます、圓窓《われ》〳〵達《たち》とは違《ちが》いまして、旦那樣《だんなさま》に向《むか》ひ、彼是《あれこれ》と被仰《おつしや》る譯《わけ》にも參《まゐ》りませんで、亦御新造附《またごしんぞうつき》の女中《ぢよちう》が何《なに》か有《あ》りまして、又旦那《まただんな》には旦那付《だんなつき》の者《もの》が自然《しぜん》に出來《でき》て來《く》る、女「御新造《ごしんぞう》さん、未《ま》だ旦那樣《だんなさま》はお歸《かへ》りがございませんね」妻「大分今度《だいぶんこんど》はお長《なが》いネ、何處《どこ》へ往《いつ》てお出遊《いであそ》ばすんだろうネ」女「呆《あき》れ返《かへ》るぢやアございませんか……如《こ》

八一

『圓窓落語集』（石渡正文堂、大正14年）の表紙と速記。

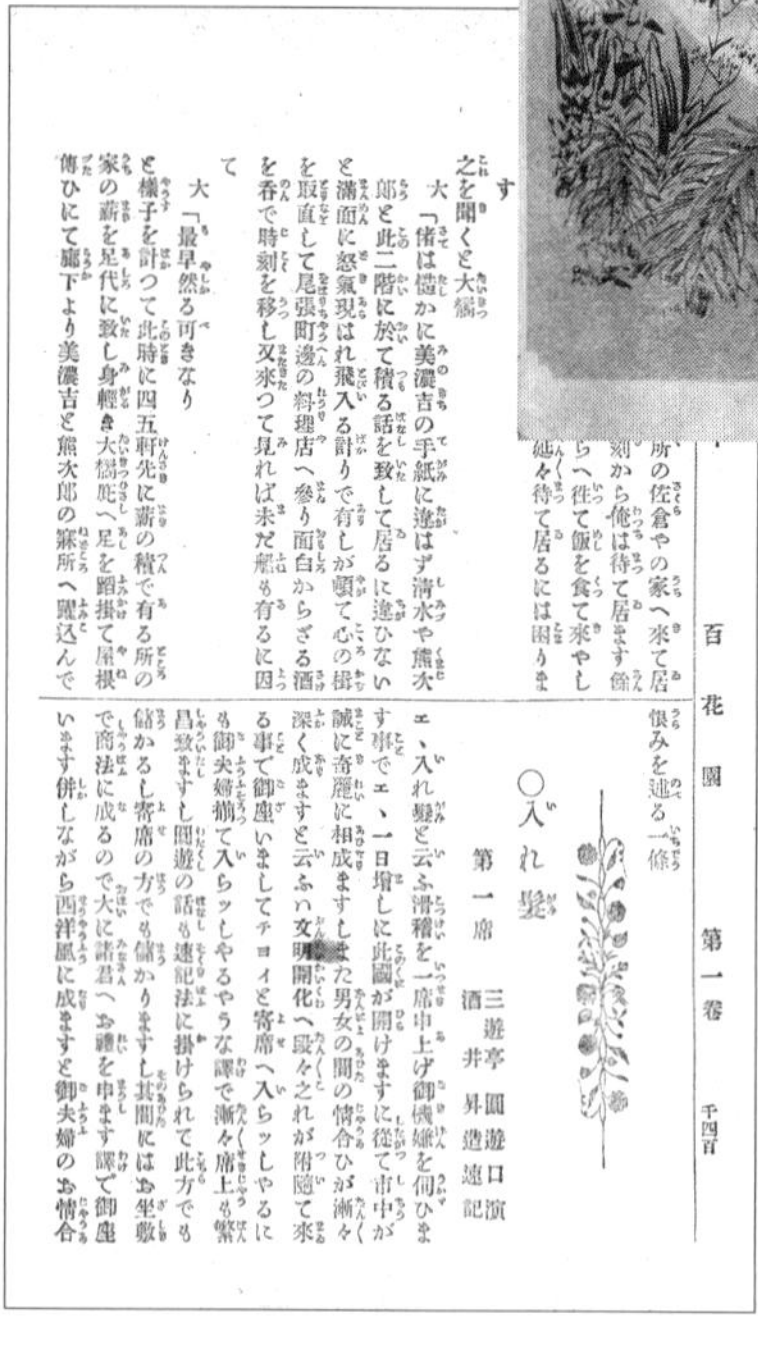

所の佐倉《さくら》やの家《うち》へ来《き》て居《ゐ》
刻から俺《わつち》は待《ま》て居《ゐ》ます餘《うえ》
らへ往《いつ》て飯《めし》を食《くつ》て来《き》やし
延《えん》々待《ま》て居《ゐ》るには困《こま》りま
す

之《これ》を聞《き》くと大吉《たいきつ》

大「偖《さて》は慥《たし》かに美濃吉《みのきち》の手紙《てがみ》に違《たが》はず清水《しみづ》や熊次《くまじ》郎《らう》と此《この》二階《かい》に於《おい》て積《つも》る話《はなし》を致《いた》して居《ゐ》るに違《ちが》ひないと満面《まんめん》に怒氣《どき》現《あら》はれ飛入《とびい》る計《ばか》りで有《あり》しが頓《やが》て心《こゝろ》の掛を取直《とりなほ》して尾張町《をはりちやう》邊《へん》の料理店《れうりや》へ参《まゐ》り面白《おもしろ》からざる酒《さけ》を呑《のん》で時刻《じこく》を移《うつ》し又来《またきた》つて見《み》れば未《ま》だ船《よね》も有《ある》に因《よつ》て

大「最早《もはや》然《しか》る可《べ》きなり

と様子《やうす》を計《はか》つて此時《このとき》に四五軒《けん》先《さき》に薪《まき》の積《つん》で有《あ》る所《ところ》の家《うち》の薪《まき》を足代《あしろ》に致《いた》し身輕《みがる》き大樋庇へ足《あし》を踏掛《ふみかけ》て屋根《やね》傳《づた》ひにて廊下《らうか》より美濃吉と熊次郎の寐所《ねどころ》へ躍込《をどりこ》んで

恨《うら》みを述《のべ》る一條《いちでう》

百花園　第一巻　千四百

○入《い》れ髪《がみ》

第一席　三遊亭圓遊口演
酒井昇造速記

エ、入《い》れ髪《がみ》と云《い》ふ滑稽《こつけい》を一席《いつせき》申上《あ》げ御機嫌《ごきげん》を伺《うかゞ》ひます事《こと》でエ、一日増《ひま》しに此國《このくに》が開《ひら》けますに従《したが》つて市中《しちう》が誠《まこと》に奇麗《きれい》に相成《あひなり》ました男女の間の情合《にやうあひ》が漸々《だん／＼》深《ふか》く成《なり》ますと云《い》ふ文明開化《ぶんめいかいくわ》へ段々《だん／＼》之《これ》が附隨《つい》て来《まゐ》る事《こと》で御座《ござ》いましてチョイと寄席《よせ》へ入《い》らッしやるにも御夫婦《ごふうふ》揃《そろ》て入《い》らッしやるやうな譯《わけ》で漸々《ぜん／＼》席上《せきじやう》も繁昌《はんじやう》致《いたし》ますし圓遊《わたくし》の話《はなし》も速記法《そくきはふ》に掛《か》けられて此方《こなた》でも儲《まう》かるし寄席《よせ》の方《はう》でも儲《まう》かりますし其間《そのあひだ》にはお坐敷《ざしき》で商法《しやうはふ》に成《な》るので大《おほい》に諸君《みなさん》へお禮《れい》を申《まう》します譯《わけ》で御座《ござ》いますが併《しか》しながら西洋風《せいやうふう》に成《な》りますと御夫婦《ごふうふ》のお情合《にやうあひ》

『百花園』20号（金蘭社、明治23年）の表紙と速記。

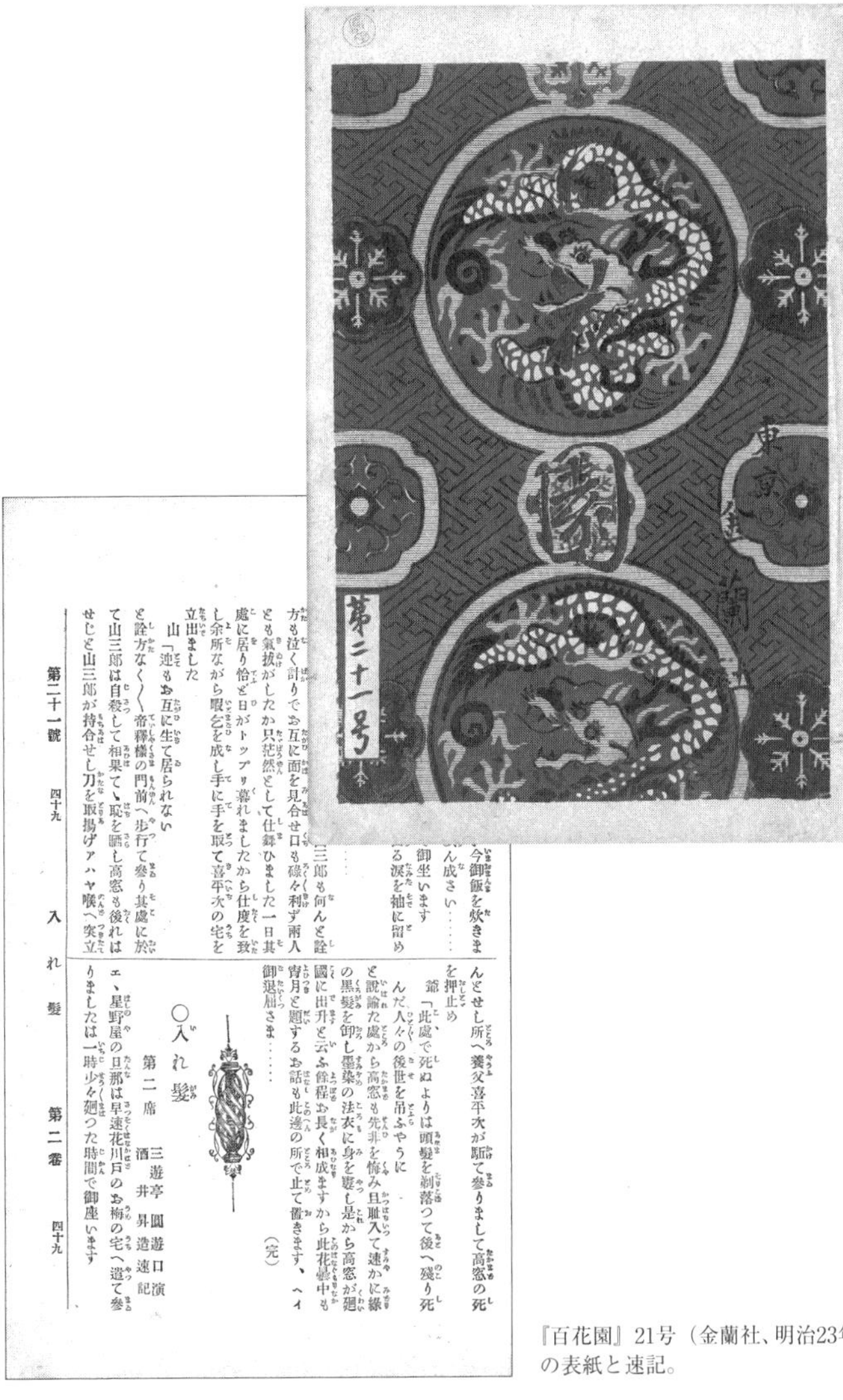

第二十一號　四十九

……今御飯《いまおまんま》を炊《た》きま……ん成《な》さい……御坐います……る涙《なみだ》を袖《そで》に留《と》め……

……三郎も何《な》んと詮《し》方《かた》も泣《な》く計《ばか》りでお互《たがひ》に面《かほ》を見合《みあは》せ口《くち》も碌々利《ろく〳〵きけ》ず兩人とも氣拔《きぬけ》がしたか只茫然《ばうぜん》として仕舞《しま》ひました一日其《そ》處《こ》に居《を》り恰《ちよ》ど日《ひ》がトップリ暮《く》れましたから仕度《したく》を致《いた》し余所《よそ》ながら暇乞《いとまごひ》を成《な》し手《て》に手《て》を取《とつ》て喜平次《きへいち》の宅《うち》を立出《たちいで》ました

山「迚《とて》もお互《たがひ》に生《いき》て居《ゐ》られない

と詮方《しかた》なく〳〵帝釋樣《たいしやくさま》の門前《もんぜん》へ歩行《やつ》て參《まゐ》り其處《そこ》に於《おい》て山三郎は自殺《じさつ》して相果《あひは》て丶恥《はぢ》を晒《さら》し高窓も後《おく》れはせじと山三郎が持合《もちあは》せし刀《かたな》を取揚《とりあ》げアハヤ喉《のんど》へ突立《つきたて》んとせし所《ところ》へ養父《やうふ》喜平次が駈《かけ》て參《まゐ》りまして高窓《たかまど》の死《し》を押止《おしとゞ》め

爺「此處《こゝ》で死《し》ぬよりは頭髮《あたま》を剃落《そりこぼ》つて後《あと》へ殘《のこ》り死《し》んだ人々《ひと〴〵》の後世《ごせ》を吊《とむら》ふやうに

と說諭た處《ところ》から高窓《たかまど》も先非《せんぴ》を悔《くや》み且耻入《かつはぢいつ》て速《すみや》かに緣の黑髮《くろかみ》を卸《おろ》し墨染《すみぞめ》の法衣《ころも》に身《み》を窶《やつ》し是《これ》から高窓が廻國に出升《でます》と云《い》ふ餘程《よつぽど》お長《なが》く相成《あひなり》ますから此花譽中も宵月《よひづき》と題《だい》するお話《はなし》も此邊《このへん》の所《ところ》で止《とめ》て置《お》きます、ヘイ御退屈《ごたいくつ》さま……

（完）

入れ髮　第二席　四十九

○入《い》れ髮《かみ》

第二席　三遊亭圓遊口演
酒井昇造速記

エ、星野屋《ほしのや》の旦那《たんな》は早速《さつそく》花川戸《はなかはど》のお梅《うめ》の宅《うち》へ遣《やつ》て參《まゐ》りましたは一時《いちじ》少々廻《せう〳〵まは》つた時間《じかん》で御座います

『百花園』21号（金蘭社、明治23年）の表紙と速記。

昭和八年）などがあり、古い雑誌は『百花園』二〇・二一号（金蘭社、明治二十三年）、『百花園』九七・九八号（金蘭社、明治二十六年）、『講談倶楽部』（大日本雄辯會講談社、昭和七年）などへ掲載されました。

ＬＰレコード・カセットテープ・ＣＤは、八代目桂文楽・五代目古今亭志ん生・六代目春風亭柳橋・八代目林家正蔵・五代目三遊亭圓楽などの各師の録音で発売されています。

数珠繋ぎ
じゅずつなぎ

徳「さァ、此方へ入りなはれ。コレ、婆さん。仙吉っつぁんが、奉行所の牢《ろう》から出てきなさった」
婆「(涙を拭いて) 仙さん、これから悪いことはしなはんな」
仙「差し入れをいただき、有難うございました。それに引き替え、仲間の不義理。いつも兄弟分と言うてた者が、お縄になってからは、洟《はな》も引っ掛けん。今日、牢から出ることを知ってても、迎えに来る者が無い。呆れ返って、物が言えません」
徳「いや、恨みなはんな。兄弟分が迎えに来んのは、あんたの幸せ。仲間の許へ帰ったら、綺麗になった身体へ、墨を零すのと同じ。昔から『朱に交われば、赤《あこ》なる』と言うて、見捨てられたのが、あんたの徳。どうぞ、これから悪いことはしなはんな」
仙「はい、肝へ命じます」

徳「仙吉っつぁんは、死んだ伜に生き写しじゃ。あんたを見てると、伜が生き返ったような気がする。これから先は、どこへ行っても、便りだけは送っとおくれ」

仙「必ず、そうします。汗水垂らして働いて、形になったら、お礼に参りますわ」

徳「あァ、その日を楽しみにしてる。老い先短いけど、あんたの身が落ち着くまで、目は瞑らん。唯、慌てなはんな。焦ると、道を踏み間違えるわ」

仙「重々、心します。実は、お願いがございまして。夜まで休んで、夜中に旅立ちたい。牢を出てから、疲れが出まして」

徳「おォ、わかった。婆さん、布団を敷きなはれ！」

本町橋東詰に住む、徳兵衛夫婦。

後ろ手に縛られ、西町奉行所へ引っ立てられた盗人・仙吉を見て、死んだ伜に生き写しということだけで、毎日、改心するように綴《つづ》った手紙を添え、差し入れを運んだ。

徳兵衛が頭を下げて頼むのを、役人が奉行へ伝えると、「然らば、手紙を見せよ」。

縁も所縁《ゆかり》も無い老夫婦の、仙吉の改心を促す心が切々と綴られてるだけに、「おォ、これは罪人の薬になる。格別の計らいで、差し入れは許して遣わす」。

牢から出た仙吉が、一番初めに立ち寄ったのが徳兵衛夫婦の家。

仙吉が横になり、グッスリ休む内に、日がトップリ暮れた。
徳「コレ、仙吉っつぁん。夜中になったよって、起きなはれ」
仙「お陰様で、疲れが取れました」
徳「ところで、行く所はあるか？　何やったら、ウチに居りなはれ」
仙「この上、お世話になるのも心苦しいよって、旅立ちます。生涯、御恩は忘れません。落ち着きましたら、お礼に参ります。どうか、お達者で」
徳「その日を楽しみに、鶴やないけど、首を長して待ってる」
婆「（涙を拭いて）呉々も身体に気を付けて、風邪を引かんように。食べ過ぎは身体に悪い。お酒は程々にして、煙草も控えなはれ。朝は早起きして、夜は早う休むように。いつも身綺麗にして、女子に溺《おぼ》れなはんな。あァ、それから！」
徳「いつまで、クドクド言うてる。決して、ケッタイな気は起こしなはんな。もう一遍、顔を見せとおくれ。ほな、気を付けて！」
仙「ヘェ、御免！　（表へ出て）後ろ髪を引かれるけど、この後も世話になることは出来ん。（空を見上げて）あァ、良え月や。あの月みたいに、心の雲も晴れてほしい。必ず、悪事は止める。唯、三十過ぎてから、蔵を持つ身にはなれまい。ボチボチ稼いで、それなりに食えたら上等。人間の寿命は、五十そこそこ。身を粉にして働いたら、何とかなるわ」

独り言を言いながら、大店の裏道を通ると、板塀の中から延びてる松の木の枝へ紐を掛け、年寄りが首を吊ろとしてる。

仙「(羽交《はが》い締めにして)コレ、早まるな!」
爺「どうぞ、お放し下さいませ。助けると思て、殺しとおくれやす!」
仙「コレ、阿呆なことを言うな! 話を聞いた上で、死ぬのが道理と思たら、この手に掛けてでも殺したる。気を落ち着けて、話をしなはれ」
爺「ほな、聞いてもらいます。わしは南河内の百姓で、三年の不作続き。自棄《やけ》になって、酒浸り。去年の暮れから、家内が患い付きました。食べて行けんよって、十八になる娘を新町へ連れて行きまして。お茶屋から借りた金を懐へ入れて、酒屋の前を通り掛かると、酒の良え匂いがする。我を忘れて、仰山呑みました。良え塩梅で表へ出て、気が付いたら、懐の中の金が無い。酒屋へ戻ったけど、そんな金は知らんと仰る。大事な娘を売った金で酒を呑んだよって、罰が当たりまして。死んで詫びるより仕方無いと思て、首を吊ることにしました」
仙「自業自得とは言いながら、気の毒な。無くなった金は、何ぼや？　何ッ、五十両！　そんな大金は無いけど、放っとけんわ。ほな、ここで待ってなはれ。取り敢えず、何とかしたる。呉々も、ケッタイな気は起こさんように。あァ、難儀な親爺に出くわした。悪さは止めるつもりやったけど、放っとく訳に行かん。これだけの大店やったら、五十両が無くなっても、痛いことも痒《かゆ》いことも無かろう。金より命が大事や！」

松の木へ掛けてた紐を掴み、塀の上へ上ると、塀伝いにツッツッツッ！
足音を忍ばせ、奥座敷へ来ると、障子の内で男と女が話をしてる。

角「番頭、此方へ来なはれ。旦那が生きてたら、落ち着いて、話が出来ん。いっそのこと、旦那を手に掛けよと思う」
番「えッ、旦那を殺す！」
角「コレ、大きな声を出しなはんな！　内々で、曹白《そうはく》のヨセキという毒を手に入れた。お酒へ混ぜて呑ましたら、苦しまずに死んで、誰が見ても、毒で死んだとは思わん。上手に呑ますよって、番頭は知らん顔してなはれ。私の言う通りにしたら、この家の旦那へ納まることが出来る。男のクセに、顔色が変わってるわ。私は女子でも、一人や二人の人殺しは平気や。どうやら、旦那が帰ってきた。さァ、店へ出なはれ」
旦「(襖を開けて) コレ、お角。今、帰った」
角「まァ、お帰りなさいませ。遅かったのは、山口屋へお越しで？」
旦「その後、備前屋へ寄った。最前まで、誰か居ったか？　何やら、座布団が温いわ」
角「目眩がして、横になってました」
旦「そんな時は、誰か起きてたらええよって、先へ休みなはれ」
角「お酒の仕度がしてありますよって、お一つ」
仙「コレ、待った！　その酒を呑んだら、死ぬぞ！」
旦「今、何か言うたか？」
角「いえ、何も言うてません」
旦「いや、『その酒を呑んだら、死ぬぞ！』と聞こえた。この頃、空耳が多い。ほな、よばれるわ」
仙「その酒を呑んだら、死ぬぞ！」
旦「また、『その酒を呑んだら、死ぬぞ！』と聞こえた。誰か、そこに居るような。コレ、誰じゃ？」

仙「（障子を開けて）へェ、御免。訳は後で申し上げますけど、私の素性より、酒の素性が悪いみたいで。お内儀も、そう思うやろ？」
角「勝手に余所の家へ上がって、訳のわからんことを言いなはんな！」
仙「その酒は、お内儀が呑め。それとも、番頭が呑むか？」
角「えッ！」
仙「間違ても、呑めん酒や。世の中、悪いことは出来ん。私は奉行所の牢を出てきた盗人で、悪いことはせんと決めた。通り掛かった、お宅の裏手。塀の中から出てる松の木の枝で首を吊ろとした年寄りを助け、訳を聞くと、娘が身を売った金が無くなったらしい。爺さんを助けるために、塀を乗り越え、奥の間へ忍び込むと、男と女が旦那を殺す悪企《だくみ》。その酒には、毒が入ってるわ」
旦「お角、そこを動くな。コレ、番頭！」
番「（襖を開けて）はい、何か御用で？」
旦「さァ、此方へ入りなはれ。丁稚の頃から目を掛けて、これまでにしてやった。主の女房と密通するとは、犬にも劣る奴。コレ、お角。ミナミの色街から身請けして、家内へ据えたのが間違い。持たす物は何も無い。さァ、とっとと出て行け！　飼い犬に手を噛まれたとは、このことじゃ。もし、盗人さん。どうやら、お宅に命を助けてもろた」

仙「この家へ盗人へ入ったのが、身の終わり。さァ、奉行所へ突き出してもらいたい」
旦「いや、何を仰る！　私にとって、命の恩人。首を吊ろとした御方は、何ぼあったら宜しい？　ほゥ、五十両。（手文庫から、金を出して）この五十両は、その御方へ渡してもらいたい。この後、元の五十両が出てきても、返さんでも結構。その御方が首を吊ろとしたお陰で、私の命が助かりました」
仙「ほゥ、爺さんは喜びますわ。ほな、行って参ります」
旦「爺さんへ金を渡したら、戻ってきとおくれ」
仙「ほな、そうします。（座敷へ戻って）旦那、お待たせ致しまして。『酒は止めて、汗水垂らして働きます。娘を身請けしてから、お礼に参りますよって』と言うて、涙を零して帰りました。年寄りは一晩で、地獄と極楽を見たような塩梅で」
旦「いや、それは私も同じことじゃ。毒酒を呑んだら、今頃、地獄の一丁目をウロウロしてた。今から、どこへ行きなさる？　良かったら、ウチで奉公する気は無いか？　今までは悪いことをしたかも知れんが、今は善人。嫌やなかったら、奉公してもらいたい」
仙「えッ、宜しゅうございますか？　私も今日一日で、地獄と極楽を見たような塩梅で。実は泊まる所にも困ってまして、飯炊きでも何でもしますよって」
旦「いっそのこと、番頭になっとおくれ」

仙「奉行所の牢を出てきた盗人が、一遍に大店の番頭になるのは間違てますわ」
旦「いや、そやない。最前、番頭を追い出した。ウチへ雇うにしても、番頭しか空いてない。明日の朝、店の者へ伝えるよって、番頭になっとおくれ」
仙「あァ、何が何やらわからんようになってきた。首吊りを助けたことで、この店の番頭になるやなんて。あァ、よう首を吊ろとしてくれた。宜しゅう、お願いします！」

不思議な縁で、次の日から仙吉が、この店の番頭へ納まる。

奉公人の先へ立って働くので、若い者の働きも良うなって、店は益々繁盛。

三年の月日が流れた、その年の十一月。

今日は恵比寿講で、店中が無礼講で、呑めや唄えの大騒ぎ。

夜中になり、皆が寝ると、仙吉は休む前に、手水へ入った。

ミシッ、ミシッという怪しい足音を聞くと、元は盗人だけに、蛇《じゃ》の道は蛇《へび》。

手水の窓から覗くと、怪しい二人の影が忍んで行く。

手水を出て、足音を忍ばせ、後を随けると、二人は旦那の座敷の前で、足を止めた。

酒に酔うた旦那が横になった所へ、二人が忍び込み、床の間にある手文庫へ、女子が手を掛けた時、座敷へ飛び込んだ仙吉が、女子の後ろへ立ってた男を張り倒した。

ビックリした女子が逃げ出す所を、襟髪を掴み、引き戻す。

旦「コレ、番頭。一体、どうした？」

仙「お手水へ入りましたら、旦那の座敷へ怪しい者が忍び込みまして。取り押さえて、帯で数珠繋ぎに括《くく》りました。（盗人の顔を見て）もし、旦那。どうやら、犬でございます」

旦「何ッ、犬？　なるほど、犬か。犬の沙汰は、番頭へ任せる」

仙「へェ、承知致しました。どうやら、未だ野良の料簡が直らんらしい。不義を働いて、野良になったのと違うか？　逃がしたるよって、賢い犬になって戻ってこい。正直にしてたら、良えこともある。命だけは助けたるよって、ワンとでも言え」

番「ウゥ、ワン！　へェ、有難うございます」

仙「器用な犬で、しゃべりよった。野良ながら、言いたいことがあったら言え」

番「この店を追い出されてから、何をしても形にならん。この後は悪いことはせんよって、御勘弁。この家へ盗みに入らなんだら、店の裏で首を吊るしか無かった」

仙「旦那、お聞きになりましたか？　この度は、許した方が宜しい。盗みへ入らなんだら、店の裏で首を吊ったそうですわ」

旦「いや、堪忍！　また仙吉が首吊りを助けたら、番頭から主人にさせなあかん」

解説「数珠繋ぎ」

明治維新以降、日本で議会政治が始まったことで、議事録を作るための速記術が導入され、その効用を世間へ知らせるための手段として、明治十七年、三遊亭圓朝の速記本『怪談牡丹燈籠』が出版されましたが、この本がベストセラーになったことから、落語の速記本が次々刊行されるようになりました。

三遊亭圓朝や談洲樓燕枝のような東京落語界の大立者に止まらず、後には前座・二ツ目クラスまで採り上げられるようになり、掲載する噺もポピュラーな物ばかりではなく、目先の変わった、他の噺家が演らないネタで構成した本も刊行されています。

明治末期ぐらいまでは、現在使用されている落語の演題も定着しておらず、その当時の速記本へ目を通すと、同じ内容でも全く違う演題が付いている場合が数多くありました。

また、本の販売促進を考えた結果、その噺家が上演したとは思えない速記まで掲載されることもあり、一例を挙げると、東京落語の廓噺へ、上方落語の初代桂春團治の名前が付けられている本まで刊行されたのです。

その中で、明治末期から昭和初期までの大看板や実力者の、しっかりした内容の個人全集を刊行したのが東京の三芳屋書店で、松陽堂書店と組んだ本もありました。

142

○「其《そ》の時《とき》は逃《に》げ出《だ》す」

×「何故《なぜ》」

○「食《く》はぬ内《うち》から腹《はら》が大《おほ》きい」

珠《じゆ》數《ず》繋《つな》ぎ

一席《せきまを》申し上《あ》げます、事實《じじつ》ありました事《こと》で、自然《しぜん》と落語《はなし》に出來《でき》て居《ゐ》るやう、企《たく》まずして面白《おもしろ》いお話《はな》しがあるものでございます、落語《はなし》に限《かぎ》らず何《ど》うも企《たく》みました事《こと》は面《おも》白《しろ》くない、人間《にんげん》も奸智《かんち》とか申《まを》しまして、悪《わる》い方《はう》に智惠《ちゑ》の進《すゝ》んだ者《もの》は、何《な》に事《こと》にも企《たく》みがありまして、其《そ》れ故《ゆゑ》に監獄《かんごく》に行《ゆ》くやうな事《こと》にもなります、然《しか》し人《ひと》の性《せい》は善《ぜん》で、悪《わる》い事《こと》をする者《もの》も、之《こ》れは善《い》いと思《おも》つていたします者《もの》は一人《ひとり》もございません、必《かな》らず悪《わる》いと思《おも》つてして居《を》ります、シテ見《み》ると人間《にんげん》には良心《りやうしん》があるに相違《さうゐ》ない、けれども悪《あく》の爲《た》めに良心《りやうしん》をくらまして、知《し》らず〳〵悪《わる》い事《こと》をして監獄《かんごく》の御厄介《ごやくかい》になります

『圓遊とむらくの落語』（松陽堂書店、大正11年）の表紙と速記。

無論、個人全集ばかりではなく、二、三名の速記を併せて刊行した本もあり、三代目三遊亭圓遊と七代目朝寝坊むらく（三代目三遊亭圓馬）の落語を集めた『圓遊とむらくの落語』（松陽堂書店、大正十一年）も、その一つです。

その中へ掲載されたのが、むらくが口演した「数珠繋ぎ」で、このネタは他の速記本で見たことがなく、『落語事典』（青蛙房、昭和四十四年）へも掲載されていません。

『圓遊とむらくの落語』は、約三十年前、東京神保町の豊田書房で見付けました。

いつも店の奥のレジの横で、背広を着て、腕を組んで座っている豊田書房の主人と会話が出来るまでに五年ほど掛かり、常に怖い顔で此方を睨んでいる感じでしたが、何度も通い、古い落語の速記本を購入している内に、いつしか声を掛けてくれるようになったのです。

後年、店へ入るなり、奥で腕組みをして座っている主人が、最初に大声で言うのは、いつも「無いッ！」の一言で、「あなたが持ってない本は、この店には無いよ。まァ、座りなさい」と言うと、私を椅子へ座らせ、お茶やコーヒーを出し、神保町の思い出話や、昨今の噂話に、古本の仕入れ方まで、さまざまなことを教えてくれました。

ある日のこと、店へ入ると、いつもの「無いッ！」の声がありません。

店の奥で嬉しそうに笑みを浮かべ、「こんな時に、君は来るんだね。今、古い落語の速記本を十一冊、本棚へ並べた所なんだ。私が並べていたのを、どこかで覗いていたんじゃねえか？」と、悪戯《いたずら》っ子のような目をしながら言ったのです。

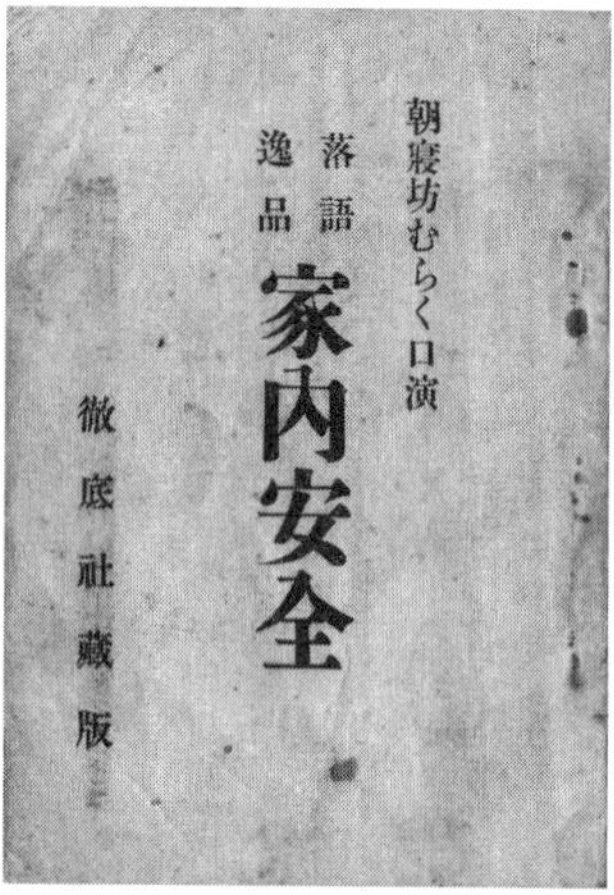

七代目朝寝坊むらくの速記本の表紙。

十一冊の古書は、私が探していた速記本ばかりで、本棚が光り輝いていました。

当然、全冊購入し、家へ持って帰る時の幸せな気分は、今、思い出しても嬉しくなります。

その中の一冊が『圓遊とむらくの落語』で、掲載されていた落語で知らなかったネタが「数珠繋ぎ」だったのです。

東京落語も上方落語も上演し、八代目桂文楽や三代目三遊亭金馬へ稽古を付けた名人が七代目朝寝坊むらくで、膨大なネタ数を誇っていたそうですが、「数珠繋ぎ」は何が原話で、どこから引っ張ってきたネタかわかりません。

何となく講釈の匂いがする上、落語の形へ面取りした感じもします。

奉行所へ連れて行かれた若者を、亡くした息子と似ているだけで、改心を促しながら、差入れを続けるという冒頭部分に濃厚な人情を感じますし、盗みは二度としないと誓いながら、年寄りの命を助けるため、再び盗みを働く所などは、他の落語には無い演出でした。

長い間、構成を考えた上、平成二十六年八月四日、大阪梅田太融寺で開催した「第五八回・桂文我上方落語選（大阪編）」で初演し、その後も時折、高座へ掛けていますが、この落語を演る度に、世の中の偶然は必然かも知れないという気になりますし、どこに縁と運が転がっているかわからないことへも考えが及びます。

今後も丁寧に、情の押し売りにならないように気を付けながら、上演を続けたいと思っていますので、どこかでお聞き下さいませ。

狼講釈

おおかみごうしゃく　その一

昔の噺家は、借金取りから逃げるため、旅へ出ることも多かったそうで。

泥丹坊堅丸《どろたんぼうかたまる》という噺家が借金だらけになり、大坂を飛び出すと、彼方此方の町や村で座敷をしてもらいながら、中国筋の芸州海田《かいだ》の町外れにある、汚い髪結床《かみゆいどこ》の前へ来た。

玄関を入った所へ畳を一枚敷き、台輪の外れた火鉢へ、蓋の違う、口の欠けた、真っ黒な土瓶が乗せてある。

潰れた植木棚みたいな鬢《びん》台があり、柱へ七、八寸の曇った鏡を掛けると、髪結床の親爺が胡座を掻き、毛抜きで髭を抜いてた。

泥「えェ、御免」

床「(毛抜きで、髭を抜いて) 表で謝ってるのは、誰じゃ?」

泥「いや、謝ってないわ。アノ、大坂の噺家で」
床「ほゥ、あんたは裸足か？　足が痛いよって、草履を履きなはれ」
泥「裸足やのうて、噺家で」
床「ほゥ、鼻血が出たか？」
泥「いえ、噺家で！」
床「あァ、鼻が鹿か？」
泥「いえ、大坂の芸人で」
床「一体、どんな芸を演る？」
泥「へェ、落とし噺を演ります」
床「あァ、噺家か。噺家やったら、初めから噺家と言いなはれ」
泥「いえ、初めから言うてますわ。どこか、座敷で噺をさしてもらえる家はございませんか？」
床「去年の今頃も、大坂の噺家が訪ねてきた。お庄屋へ相談したら、座敷で演らせる話が纏まったわ。その噺家は男前で、あんたみたいな面白い顔やなかった」
泥「一々、気の悪いことを言いなはんな。その噺家は、どうなりました？」
床「お庄屋の娘が噺家に惚れて、家の金を持ち出して、行方が知れんようになったわ。手分けして捜すと、娘は鞆《とも》ノ浦の宿屋へ置き去りにされてた。連れ帰ったけど、お庄屋の怒りが納まらん。それからは噺家と聞いたら、簀《す》巻きにして、海へ放り込むことになった」
泥「わァ、えらいことや！　ほな、どうしたら宜しい？」
床「あんたは人が良さそうやよって、悪いことはせんと思う。ほな、講釈は出来んか？」
泥「へェ、一寸ぐらいやったら出来ます」
床「ほな、講釈師と言うたらええわ。お庄屋の家で風呂へ入って、飯も食べて、講釈を語れ。上手に演れなんだら、便所へ行くと言うて、裏口から逃げるのじゃ。西へ走ったら、本街道へ出る。もう二度と、この町へ来るな。これからは講釈師が来たら、簀巻きにされて、海へ放り込まれるわ」
泥「お宅の算段で、講釈師を助けとおくれやす」
床「能役者にし、逃がしたる。お庄屋の家へ頼みに行くよって、随いといで。（庄屋の家へ来て）えェ、御免」
庄「おォ、床屋の由《よ》っさんか。まァ、上がりなされ。一体、何の用じゃ？」
床「大坂から講釈師が来て、座敷をしてもらいたいと言うて」
庄「コレ、まさか噺家やなかろな？」

床「ほゥ、勘が良え。（口を押さえて）いや、講釈師に間違い無い」
庄「ほな、先生に上がってもらいなはれ」
泥「お初に、お目に懸かります。以後は宜しく、お引き立て下さいませ！」
庄「おォ、愛想の良え講釈師じゃ。確か、前に来た噺家が同じようなことを言うてた」
床「（制して）シャイ！　講釈師は、もっと堂々としなはれ」
泥「あァ、なるほど。コレ、お前が庄屋か！」
床「急に偉そうにしたら、わざとらしいわ」
庄「中々、面白い先生じゃ。講釈を演るそうじゃが、名前は何と仰る？」
泥「へェ、泥丹坊堅丸と申します」
庄「ほゥ、ケッタイな名前じゃ。ところで、お腹は空いてないか？」
泥「へェ、ペコペコで！」
庄「鼻息が荒《あろ》なったが、余程、お腹が空いてなさる。コレ、お鍋。早速、お膳拵えしなはれ。大坂で美味い物を食べてなさるじゃろが、冷飯と漬物じゃ」
泥「へェ、結構でございます。（食べ終えて）ふゥ、御馳走様で」
庄「遠慮無しに、もっと食べなはれ」
泥「いや、もう御飯がございません」

庄「コレ、お鍋。もっと、大きなお櫃《ひつ》を出しなはれ」
鍋「一番大きな釜で三升炊いて、お昼に皆で食べましたけど、仰山残ってました」
庄「講釈師の先生は、えろう大食いじゃ。もう一遍、炊きなはれ。御飯が炊けるまで、風呂へ入り。その内に、村の者が集まってくるわ」
泥「へェ、有難うございます。（風呂から上がって）あァ、良え湯加減で」
庄「まァ、ゆっくりしなはれ。講釈を演る時は、何が要る？」
泥「釈台にしますよって、机か蜜柑箱を貸してもらいたい。その両側へ燭《しょく》台を置いて、土瓶へ白湯を入れて、火鉢へ乗せて、お盆の上へ湯呑みを置いとおくれやす」
庄「ほな、先生の仰る通りにするわ。村の者が集まってくるよって、ボチボチ支度してもらいたい。畑仕事の後、一風呂浴びて、集まってくるわ」
泥「（呟《つぶや》いて）あァ、外題を考える間が無かった。正体がバレたら、簀巻きにされて、海へ放り込まれるよって、逃げるしかないわ。お手水は何方で？」
庄「廊下へ出て、突き当たりじゃ」
泥「一寸、行ってきます」

廊下へ出ると、手水場へ行く振りをして、履物を履く。

音がせんように裏の切り戸を開け、表へ出ると、尻からげして、逃げ出した。

泥「や、どっこいさのさ！」〔ハメモノ／韋駄天。三味線・〆太鼓・大太鼓・当たり鉦・篠笛・ツケで演奏〕

何も知らん村の衆が、庄屋の家へ集まってきた。

庄「他の芸と違て、講釈は面白い。一体、どんな外題を演ってくれる？　軍談やったら、『川中島』『太閤記』『慶安太平記』がえぇ。ほな、ボチボチ演ってもらおか。コレ、久七。早速、先生に始めてもらうように言うとおくれ」

久「旦さん、先生が居られません！　お手水も離れも捜しましたけど、姿が無い。荷物も見当たらず、裏の切り戸が開いて、履物が無くなってます！」

庄「食べるだけ食べて、逃げてしもたか。あの講釈師は、噺家みたいな男じゃ！」

噺家みたいな男やのうて、噺家そのもので。

夜になり、何方へ逃げたかわからんだけに、捜すに捜せん。

泥丹坊堅丸は、本街道へ出損ね、山道を上り、右は谷川、左は山の間の細い道を歩いてると、周りで光り物が二つずつ増える。
目を凝らすと、この深山《みやま》に住む狼が唸《うな》りながら、目を光らせ、周りを取り囲んでた。

泥「わァ、狼に食われる！　あァ、罰が当たった。南無阿弥陀仏、南無阿弥陀仏！」
狼「ウゥーッ！　コレ、大坂の噺家！」
泥「狼が人間の言葉を遣た！」
狼「徳を積むと、狼も人間の言葉が遣えるようになるわ。貴様は講釈師と偽って、飯を腹一杯食て、逃げたそうな。お頭が『ほな、食てしまえ』と仰るよって、有難う思え！」
泥「狼に食われて有難がる者が、どこに居る」
狼「さァ、皆。遠慮無しに、不届きな噺家を食てしまえ！」
泥「(泣いて) アハハハハッ！　もし、狼さん。お庄屋の家から出てきたけど、講釈を語れんことはないわ。ほな、講釈を演る。命ばかりは、お助けを」
狼「ほんまに講釈が語れたら、命だけは助けてやる。その切株を釈台にして演ったら、わしらが傍聴するわ。噺家が講釈を語るよって、皆も正座して聞け。さァ、早う演れ！」
泥「(咳払いをして) エヘン！　一席申し上げまするは、慶元両度、『難波戦記』のお噂。

頃は慶長の十九年も相改まり、明くれば元和元年五月七日の儀に候や。所は大坂城中、千畳敷、御御上段の間には内大臣秀頼公、御左座には御母公・淀君。介添えとして大野道犬、主馬修理之助数馬。軍師には真田左衛門尉海野幸村、倅・大助幸安。四天王の面々には、木村長門守重成、長曽我部宮内少輔秦元親、薄田隼人正紀兼相、後藤又兵衛基次。七手組の番頭《ばんがしら》には、伊藤丹後守、速見甲斐守時定、塙団右衛門ら、何れも持口持口を目配ったりしが、今や遅しと相待ったる所へ、関東方の同勢五万三千五百有余人。辰の一点より、城中を目掛けて押し寄せたりしが。中にも先手の大将、その日の扮装《いでたち》、如何にと見てあれば、黒革縅《おどし》の大鎧には、白檀磨きの籠手脛当《こてすねあて》。鹿の角、前立打ったる兜を猪首に着なし。駒は何しおう、荒鹿毛《あらしかげ》と名付けたる名馬には、金覆輪の鞍を掛け、ユラリガッシと打ち跨がり。『我こそは、駿遠三三ケ国に、さる者ありと知られたる徳川家康公の臣下にて、本多平八郎忠勝なり。我と思わん者は、我が首取って、功名・手柄を表し給え』と、大音声に呼ばわったり。この時、大坂方は『やァ、憎き本多方の振る舞いかな』と、大手の門を八文字に押し開き。先ず、一番に駆け出したは新田左衛門義貞、楠正成、浅野内匠守、大石蔵之助、鼠小僧、石川五右衛門、谷風、雷電、阿武松、小林一茶に松尾芭蕉。槍に薙刀、腰の大小、廻しに軍配、筆・短冊を持ち、駆け付けたり。本多の一騎に斬り立てられ、秋の木の葉の散る如く、チリチリパッと逃げ失せたりしが、逃げる者へは目も掛けず。ザザザッと駒を波間へ乗り入れたる後ろより、日の丸の軍扇を押し開き、春の朝《あした》の海風に、誘《いざな》う轡《くつわ》の音高く、『我こそは、熊谷次郎丹治直実。敵に後ろを見せ給うや、引き返して勝負あれ。見参、見参！』と呼ばわったり。呼び止められて、何のオメオメ落ち延びんと、駒の頭を立て直し、兜の錣《しころ》を引っ掴み、エイヤエイヤと引き合う所へ馳せ参じたは曽我兄弟。兄・十郎祐成、弟・五郎時致が『やア、珍しや、工藤左衛門祐経。父の仇、覚悟せよ！』と討ち掛かれば、海中より義経の家来・武蔵坊弁慶が現れ、数珠サラサラと押し揉んで、『東方に降三世《ごうざんぜ》、南方軍陀利夜《なんぽうぐんだりや》叉明王《しゃみょうおう》。西方に大威徳夜叉明王、北方に金剛夜叉明王。中央は、大日大聖不動明王』と称うれば、四方の山々雪解けて、水嵩《みずかさ》増さる宇治川にて、佐々木四郎高綱と梶原源太景季の先陣争い。池月・磨墨の両馬へ跨がり、ザンブとばかり飛び込めば、鐘は難無く、鐘楼堂へ捲上がり、道成寺へ住まいをなしたる安珍清姫。身の因果を嘆きつつ、『我こそは信田の森で保名殿に助けられ、鬼界ケ島へ流されたる菅原道真に紛れなし。イザ、懐中に良き薬は無いか？』と、旅人の懐中へ手を差し入れれば、縞の財布に五十両。天より我に与えられし賜り物と勇み進んで、駆け行く所へ現れ出たる太田道灌、大音声に一首の歌。『石川や　浜の真砂は　尽きるとも　我泣きぬれて　蟹と戯る。高い山から谷底見れば、瓜や茄子の花盛り。オッペケペッポゥ、ペッポッポ！』。この歌を聞いたる敵も感心し、軍は互いに引き別れた。これより小野小町と弘法大師の忍術比べは、後《ご》席《せき》を改め、また口演！」

無茶苦茶な講釈を演り、ホッとした堅丸が周りを見ると、今まで正座して聞いてた狼が、一匹も居らんようになる。

狼の面々は、ウゥーッと唸り、山奥に潜《ひそ》んでる頭の所へ戻ってきた。

狼「ヘェ、お頭。只今、帰りました」

頭「おォ、御苦労。偽り者の噺家を寄ってたかって、食い殺したか？」

狼「食い殺すどころか、狼より恐ろしい奴で」

頭「あの噺家が、狼より恐ろしい？　一体、どういう訳じゃ？」

狼「わしらより、人を食た奴ですわ」

狼講釈《おおかみごうしゃく》　その二

大店の若旦那が、呑む・打つ・買うの三道楽が過ぎ、親から勘当される。知り合いを頼っても、金の切れ目が縁の切れ目で、彼方此方で嫌がられ、行く所が無くなったので、お店に奉公してた吉兵衛の家へ世話になろと考えた。

若「えェ、御免」
吉「はい、誰方？　そこを開けて、お入り」
若「開けなんだら入れんわ」
吉「ケッタイなことを言うのは、誰や？　コレ、お入り」
若「(戸を開け、家へ入って)吉兵衛、お久し振り」
吉「誰やと思たら、若旦那やございませんか。どうぞ、此方へお入り。こないだ、お店へ顔を出しましたら、旦さんが『また、伜が家を飛び出した』と仰いましたわ」
若「飛び出したというのは嘘で、家を放り出された」
吉「あァ、余計悪いわ。ほんまに、どこまでも気楽な御方ですな」
若「この度は勘当という栄誉に浴して」
吉「若旦那は、一向に応えませんな」
若「親父が愚知《ぐち》なことを吐かして、腹が立ったよって、親父を勘当した」
吉「親を勘当する人が、どこに居ります？」
若「(自分を指して）おォ、ここに」
吉「一々、阿呆なことを言いなはんな。今日は何の御用で？」
若「勘当されたよって、権八（※居候のこと）を決め込もと思て」
吉「若旦那は、権八という名前に替わりましたか？」
若「いや、そやない。お前の家で、居候を決め込もと思て。お前が居候を置く気があるか
どうか知らんけど、居候する気やよって、覚悟を決めなはれ！」
吉「あァ、何という言い種や。居候の押し売りに、初めて出会いました」
若「初物は縁起が良え。居候を置いたら、この家は子々孫々《ししそんそん》栄える」
吉「コレ、ええ加減なことを言いなはんな。お世話せんこともございませんけど、辛抱出

来ると思います？」
若「私は辛抱するけど、置く方が辛抱出来るか？」
吉「一々、ケッタイなことを言いなはんな。暫くの間、ウチに居りなはれ」

極楽トンボの若旦那が、吉兵衛の家の居候になる。
暫くの間、朝寝もせず、家の用事を手伝てたが、半月もせん内に不精になり、昼過ぎになっても起きてこん。
そうなると、吉兵衛の家内の額から、角が生えてくる。

嬶「一寸、あんた！」
吉「怖い顔して、どうした？」
嬶「あァ、怖い顔にもなるわ。二階の居候を、どうするつもりや。居候を置くのは、もう堪忍！」
吉「一々、ガミガミ言うな。お世話になった親旦那へ、御恩返しのつもりで置いてる」
嬶「それを知ってるよって、今まで黙ってたけど、あんな厚かましい居候は居らん。あんたは仕事で出るけど、私は朝から晩まで顔を合わしてる。いつも二階でゴロゴロして、何の手伝いもせん。あんたが仕事へ出ると、私は掃除や洗濯して、御飯を炊く。二人世帯やったら、御飯が足らなんでも、うどんの一膳も食べてたらええ。居候が居ったら、そんな訳には行かん。御飯を炊いて、おかず拵え。味噌汁を拵えよと思て、味噌を擂鉢《すりばち》へ入れて、ゴリゴリ摩《す》って、水を入れよと、水壺の中へ杓《しゃく》を入れた。水が無くなってたよって、汲みに行ったら、御飯が焦げてしもたわ。そんな時でも、居候は手伝てくれん。胡座を掻いて、船頭が船を見送るような恰好で、煙管で煙草を喫うてる。辛抱出来んよって、私を取るか、居候を取るか、ハッキリして。いっそのこと、居候と夫婦になるか？」

吉「おい、阿呆なことを言うな！　ペラペラと油紙へ火が点いたみたいに言うたら、何も言えん。『雌鳥《めん》が勧めて、雄鳥《おん》が刻を告げる』という譬えもあるよって、わしが文句を言うわ。お前が居ると言いにくいよって、どこかへ行ってこい」

嬶「ハッキリしてくれなんだら、あんたは居候と夫婦や！」

吉「コレ、何遍も同じことを言うな。さァ、早う行ってこい。ほんまに、若旦那は不精や。あァ、いつまで二階で寝てる。一遍、箒で突いたろか。（箒で、天井を突いて）もし、若旦那。さァ、起きなはれ！」

若「（下を見て）もう一寸、右」

吉「コレ、気楽なことを言いなはんな。用事があるよって、起きなはれ」
若「いや、もう起きてる」
吉「ほな、下りてきなはれ」
若「いや、お前が上がってきた方が早いと思う」
吉「コレ、ズボラなことを言いなはんな。さァ、早う下りてきなはれ」
若「ほな、仕方無い。(踊って) チャチャラチャラチャラ、チャラチャラチャン。下りてきたったけど、何の用?」
吉「下りてきたったとは、御挨拶や。ウチやよって、そんなことを言うても済みますけど、世間は通らん。取り敢えず、ウチの嫥へ遠慮してもらいたい」
若「お前の嫁には、ちゃんと気兼ねしてるわ」
吉「朝も同じように起きて、朝御飯を一緒に食べても、罰は当たらん」
若「こんなことは言いとないけど、この家へ来てから、御飯を腹一杯食べたことが無いよって、朝御飯は遠慮してる」
吉「もし、ケッタイなことを仰る。ウチの嫥が、若旦那へ御飯を食べさしてないみたいで」
若「いや、食べさしてもろてる。まァ、死なんほどに」

吉「わァ、えらいことを仰る。一体、どういうことで？」
若「皆、言うてしまう。私が来た頃は朝御飯も一緒に食べてたけど、お前の嫁は皮肉や。お前は朝御飯を食べて仕事へ出る。私のお膳の上は、茶碗と湯呑みしか置いてない。居候の悲しさで、『もし、御飯をいただきたい』とは言いにくいよって、茶碗を持ってウロウロしてると、『若旦那、その茶碗を此方へ出しなはれ』。やっと願《がん》が届いたと思て、感涙に咽《むせ》びながら茶碗を出すと、『お茶ですか？　御飯ですか？』。先に、お茶を聞くのが皮肉や。『ほな、御飯をいただきます』と言うと、ニヤッと笑て、『何にもせんのに、朝早うから御飯を食べなさる。まァ、胃が丈夫やこと！』。皮肉を言うだけ言うて、お櫃の蓋をパッと取って、ヌクヌクッと湯気が上がった御飯の上を、しゃもじでペタペタペタッと叩く。その上をグッと押さえて、御飯の面がカチカチになったら、それをスゥーッと削《そ》いで、茶碗へ移す。上から見たら、御飯がよそてあるみたいやけど、中は空っぽや。宇都宮の吊り天井飯、真田の抜け穴飯。その上へお茶を掛けると、ガサッと御飯が陥没するわ。茶碗の底で僅かばかりの飯粒が、お茶の中で泳いでる。『お茶漬け、サクサク』という言葉があるけど、『お茶漬け、サ』で終わるわ。こんな家に居ったら腹へ力が入らん」
吉「わァ、えげつないことを仰る。そんなことを言われてまで、お世話は出来ん。薄情なことを言いますけど、出て行ってもらいたい」
若「あァ、助かった！」
吉「コレ、何を言いなはる。私が若旦那を見放したら、困るのと違いますか？」
若「いや、何も困らん。この家を出ても、食べて行く手があるわ。お前には内緒にしてたけど、講釈場で聞き覚えた講釈を語ったら、食べて行ける」
吉「そんなことを言うたら、講釈師が怒りますわ。寒中、皹《ひび》・あかぎれを切らして修業する講釈師でも、給金が取れるようになるには、長い歳月が掛かります。素人の聞き覚えで食えるぐらいやったら、講釈師は蔵が建ってますわ。腕に覚えがあるのやったら、聞き手を捜して、どこへでも行きなはれ」
若「そう言われたら、いよいよ講釈で食べてみせる。私の名人芸で、世の中の者の度肝を抜いてみせるわ！」
吉「どうぞ、お好きに。あァ、あかなんだら戻ってきなはれ。その時は、お世話します」
若「何の、お前の世話になるか。名人芸で世間を唸らせるわ！」
極楽トンボの若旦那が、吉兵衛の家を出て、小さな風呂敷包みを持つと、田舎の方が聞き手は多いと、大坂を離れ、亀岡の峠へ差し掛かった頃には、日がズンボリ暮れた。

右は谷川、左は崖という山道を歩いてると、周りで光り物が二つずつ増える。

若「目の前へ星が見えるとは、不思議や。いや、星と違う。一体、どういうことや？」

目を凝らして見ると、この深山に住む狼が二、三十匹。

ウゥーッと唸りながら、目を光らせ、若旦那の周りを取り囲んでる。

若「あァ、狼に食われてしまう！　吉兵衛に生意気なことを言うたよって、罰が当たったらしい。南無阿弥陀仏、南無阿弥陀仏！」

狼「(唸りながら、若旦那へ近付いて) ウゥーッ！　おい、道楽息子！」

若「狼が人間の言葉を遣た！」

狼「狼も徳を積むと、人間の言葉が遣えるようになる。親に勘当されて、恩人も袖にするとは、何たる奴。お頭が『不届きな人間は、食てしまえ』と仰るよって、有難う思え」

若「コレ、阿呆なことを言うな。狼に食われるのを有難がる者が、どこに居る」

狼「さァ、皆。遠慮無しに、不届きな人間を食てしまえ！」

若「あァ、一寸待った！　(泣いて) アハハハハッ！　もし、お宅らは勘違いしてる。

私は道楽息子やのうて、大坂の講釈師で、ちゃんと講釈が語れるわ」
狼「命惜しさに、ええ加減なことを言うな。コレ、講釈が出来る訳がない」
若「ほんまに講釈が語れたら、命を助けてくれるか？」
狼「よし、わかった。ほんまに演れたら、許したる。その切り株を見台にして、我々が傍聴するわ。こいつが講釈を語るよって、皆も正座して聞け。さァ、演れ！」
若「(咳払いをして) エヘン！　一席申し上げまするは、慶元両度、『難波戦記』のお噂。頃は慶長の十九年も相改まり、明くれば元和元年五月七日の儀に候や。所は大坂城中、千畳敷、御御上段の間には内大臣秀頼公、御左座には御母公・淀君。介添えとして大野道犬、主馬修理之助数馬。軍師には真田左衛門尉海野幸村、伜・大助幸安。四天王の面々には、木村長門守重成、長曽我部宮内少輔秦元親、薄田隼人正紀兼相、後藤又兵衛基次。七手組の番頭には、伊藤丹後守、速見甲斐守時定、塙団右衛門ら、何れも持口持口を目配ったりしが、今や遅しと相待ったる所へ、関東方の同勢五万三千五百有余人。辰の一点より、城中を目掛けて押し寄せたりしが、中にも先手の大将、その日の扮装、如何にと見てあれば、黒革縅の大鎧には、白檀磨きの籠手脛当。鹿の角、前立打ったる兜を猪首に着なし。駒は何しおう、荒鹿毛と名付けたる名馬には、金覆輪の鞍を掛け、ユラリガッシと打ち跨がり。『我こそは、駿遠三三ケ国に、さる者ありと知られたる徳川家康公の臣下にて、本多平八郎忠勝なり。我と思わん者は、我が首取って、功名・手柄を表し給え』と、大音声に呼ばわったり。この時、大坂方は『やァ、憎き本多方の振る舞いかな』と、大手の門を八文字に押し開き、先ず、一番に駆け出したは新田左衛門義貞、楠正成、浅野内匠守、大石蔵之助、鼠小僧、石川五右衛門、谷風、雷電、阿武松、小林一茶に松尾芭蕉。槍に薙刀、腰の大小、廻しに軍配、筆・短冊を持ち、駆け付けたり。本多の一騎に斬り立てられ、秋の木の葉の散る如く、チリチリパッと逃げ失せたりしが、逃げる者へは目も掛けず。ザザザッと駒を波間へ乗り入れたる後ろより、日の丸の軍扇を押し開き、春の朝の海風に、誘う轡の音高く。『我こそは、熊谷次郎丹治直実。敵に後ろを見せ給うや、引き返して勝負あれ。見参、見参！』と呼ばわったり。呼び止められて、何のオメオメ落ち延びんと、駒の頭を立て直し、兜の錣を引っ掴み、エイヤエイヤと引き合う所へ馳せ参じたは曽我兄弟。兄・十郎祐成、弟・五郎時致が『やァ、珍しや、工藤左衛門祐経。父の仇、覚悟せよ！』と討ち掛かれば、海中より義経の家来・武蔵坊弁慶が現れ、数珠サラサラと押し揉んで、『東方に降三世、南方軍陀利夜叉明王、西方に大威徳夜叉明王、北方に金剛夜叉明王。中央は、大日大聖不動明王』と称うれば、四方の山々雪解けて、水嵩増さる宇治川にて、佐々木四郎高綱と梶原源太景季の先陣争い。池月・磨墨の両馬へ跨がり、ザンブとばかり飛び込めば、鐘は難無く、鐘楼堂へ捲上がり、道成寺へ住まいをなしたる安珍清姫。身の因果を嘆きつつ、『我こそは信田の森で保名殿に助けられ、鬼界ケ島へ流されたる菅原道真に紛れなし。イザ、懐中に良き薬は無いか？』と、旅人の懐中へ手を差し入れれば、縞の財布に五十両。天より我に与えられし賜物と勇み進んで、駆け行く所へ現れ出たる太田道灌、大音声に一首の歌。『石川や　浜の真砂は　尽きるとも　我泣きぬれて　蟹と戯る。高い山から谷底見れば、瓜や茄子の花盛り。オッペケペッポゥ、ペッポッポ！』この歌を聞いたる敵も感心し、軍は互いに引き別れた。これより小野小町と弘法大師の忍術比べは、後席を改め、また口演！」

無茶苦茶な講釈を演った若旦那が周りを見ると、今まで正座して聞いてた狼は、一匹も居らんので、コレ幸いと、その場を逃げ出す。

狼の面々は、ウゥーッと唸り、山奥に潜んでる頭の所へ戻ってきた。

狼「えェ、お頭。只今、帰りました」

頭「おォ、御苦労。道楽息子を寄ってたかって、食い殺したか？」

狼「食い殺すどころか、狼よりも恐ろしい奴で」

頭「道楽息子が、狼よりも恐ろしい？　一体、どういう訳じゃ？」

狼「わしらより、人を食た奴ですわ」

解説「狼講釈」

この落語は、五代目笑福亭松鶴が私費を投じ、昭和十一年から十四年まで、四十九冊刊行した雑誌『上方はなし』第三五集（樂語荘、昭和十四年四月）へ掲載されていたのを、三一書房の復刻本で読み、高校生の頃から面白いと思っていただけに、内弟子が開けてから、早々に手掛けました。

その頃は、師匠（二代目桂枝雀）に口移しでネタを付けてもらうばかりではなく、速記本などで覚え、自力でネタを構成することも始めていたのです。

当時、師匠に随いて、落語会や放送局へ行かなければならなかったため、アパートを探す暇もなく、内弟子が明けてから後も、一年以上、師匠宅へ住まわせていただきました。

その間に『上方はなし』で「狼講釈」を覚え、風呂でネタの稽古をしていたのを師匠が耳にしたようで、風呂から上がると、「今、何のネタを繰ってた？」と聞かれ、「今度、稽古を付けていただこと思てます『狼講釈』です」と答えると、「よし、明日聞くわ」ということになったのです。

急な話でしたが、有難いことだけに、翌日、自分なりの形にしたネタを演りましたが、その時に意外な意見が飛び出しました。

「この噺には苦い覚えがある。チャーちゃん（三代目桂米朝）の許で内弟子をしてた頃、このネタを面白いと思て、本を書き写してたら、内弟子部屋を覗いたチャーちゃんが、『そこで、何してる?』『このネタが面白いと思て、書き写してます』『そんなことをする暇があったら、習たネタを稽古する方が良えのと違うか』と言うて、スッとおらんようにならはった。このネタを聞いてるうちに、その頃のことを思い出したわ」。

余程、その時の記憶が強烈だったようで、天井を仰ぎ見る師匠の表情で、その時の辛さを知ったような気がしました。

「まァ、演ってみなさい」との許可を得て、その後、高座へ掛けるようになり、現在まで形を変化させながら、上演し続けています。

このネタの原話らしき物は複数ありますが、一番古いのは『囃物語（浄瑠璃語りはなし）』下巻の六（延宝八年、京都版）で、全文を紹介しておきましょう。

＊＊＊＊＊

当時嘉太夫曲節角太夫ぶしなどとて、洛中に専《もっぱら》浄瑠璃流《はやり》けり。

去者此二流をひたと稽古して、随分の上手に成しが、爰《えん》の日待、かしこの月に雇《やとわ》れて、是を所作とする。

有時太秦《うずまさ》に近付有てやとハれ行、夜に入て京へ帰るに、朧《おぼろ》月夜の覚束《おぼつか》なきに、野辺を只ひとりすこすこと歩《あゆみ》しか、何とやらん心すごく思ふ所に、行べきさき半町はかりに、狼二三十立ならび、此者ちかづかバ、一口にくらハんと待かけた。

此躰を見て、扨々《さてさて》是非もない事かな、逃たりともやわかにがしハせじ、すすむべきやうもなし、斗方《とほう》にくれて居けるが、畜生でハあれども、随分詫言《わびごと》してミんと思ひ、わなくわなく申しけるハ、

男「いかに狼さま、私ハ都の者てこざりますが、浄瑠璃をかたりに、うつまさ辺へ、今朝よりやとハれて参り、只今帰ります、命を御たすけ下され候ハハ、成程面白き所をかたつてきかせませせう」

といふ。

余多の狼の中に、顫頭《かぶり》ふるも有、うなづくも多し。

此者思ふやう、先諾《うなづく》狼多けれバ、語つて見ばやと思ひ、声繕《つくろい》してふるひふるひ、善光寺といふ浄瑠璃を、角太夫ぶしのんぬきに語けり。

二三十の狼ども、つくつくとして動きもせず聞居たり。

既に六段語り仕舞《しまい》けれとも、一疋もかへらず。

男「さてハわが浄瑠璃上手ゆへ、畜類といへども感にたへて、今すこし聞度思ふてかへらぬと見えたり。最早命ハたすくるなるへし、先心ハ落着た、去ながら、又浄瑠璃をそなハりてハあしかりなん」

と思ひ、今度は賀太夫ぶし、三社の託宣を、つりがね三柱《じゅう》七つゆり、爰を大事と語りしが、初段過しかバ夜ハしらしらと明にけり。

朝日のさし出るに能々《よくよく》見れバ、狼でハなくて、芳《よし》を苅《かり》たばねて置しにてそ有ける。

宵よりかふりふつたり、うなづいたりせしハ、風の吹しゆへなり。

憶病さに夜一術ない目に逢た。

＊＊＊＊

もう一つの原話は、『楽牽頭《がくだいこ》（旅人）』（明和九年、笹屋嘉右衛門板）。

＊＊＊＊

二人つれにて山みちへ掛りしに、狼親子にて山のいただき二居るを見付、こんな時ハ気をのまれてハわるひ。

強い事を云ふか能ひと、一人ハ金時のばつよふだと云ふ。今壱人は仁田四郎《にたんの》が末、いのししなどにちとでつくわして見たいなどと咄し行。

狼云ふよう。

狼「とッさん、あれもてつほうだの」

＊　＊　＊　＊　＊

しかし、完璧に後の落語につながっているのが、『繪本千里藪《やぶ》（山道の講釈）』巻の五（天保十二年、大坂播磨屋新兵衛板、花枝房円馬作・月亭生瀬序）です。

当時の噺本のネタとしては長編ですが、折角の機会ですから、全て記しておきましょう。

＊　＊　＊　＊　＊

ある所の息子、勘当を受け、とかくあかの他人の所に居候すれバ、かるがる敷《しく》されねバならず、きもよけいにづつなしとて、いろいろと思案したる所、わが内に已然《いぜん》勤《つと》めて居たる番頭ふうふ、かけ向ひにて小ていにくらし居けるを思ひ出し、ある日ぶらぶらと吉兵衛かたへ行き、

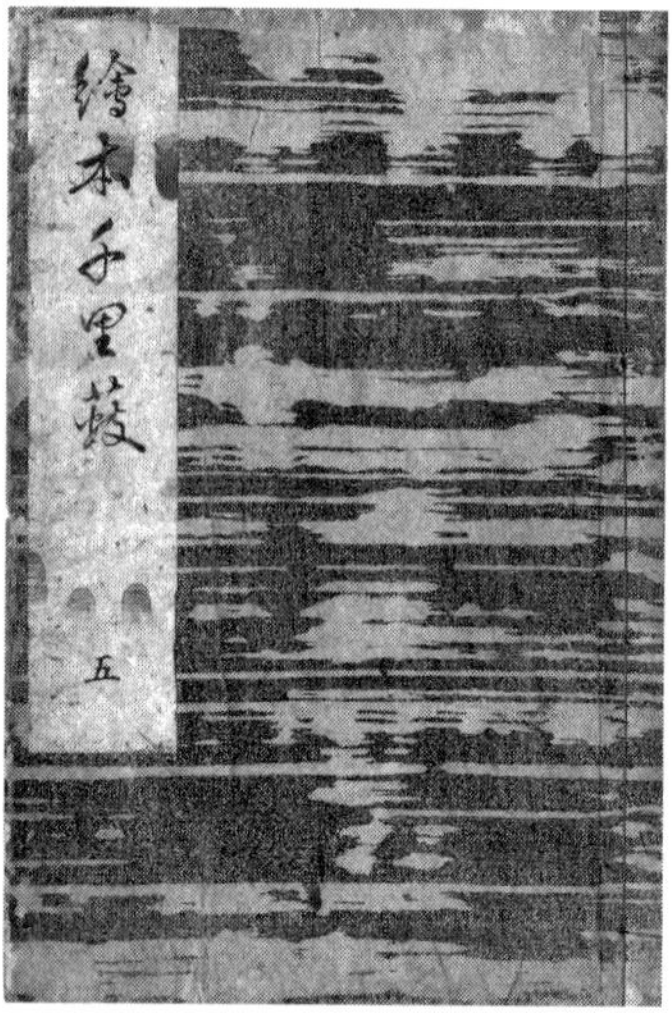

『繪本千里藪（山道の講釈）』巻の５（天保12年、大坂播磨屋新兵衛板、花枝房円馬作・月亭生瀬序）の表紙と速記。

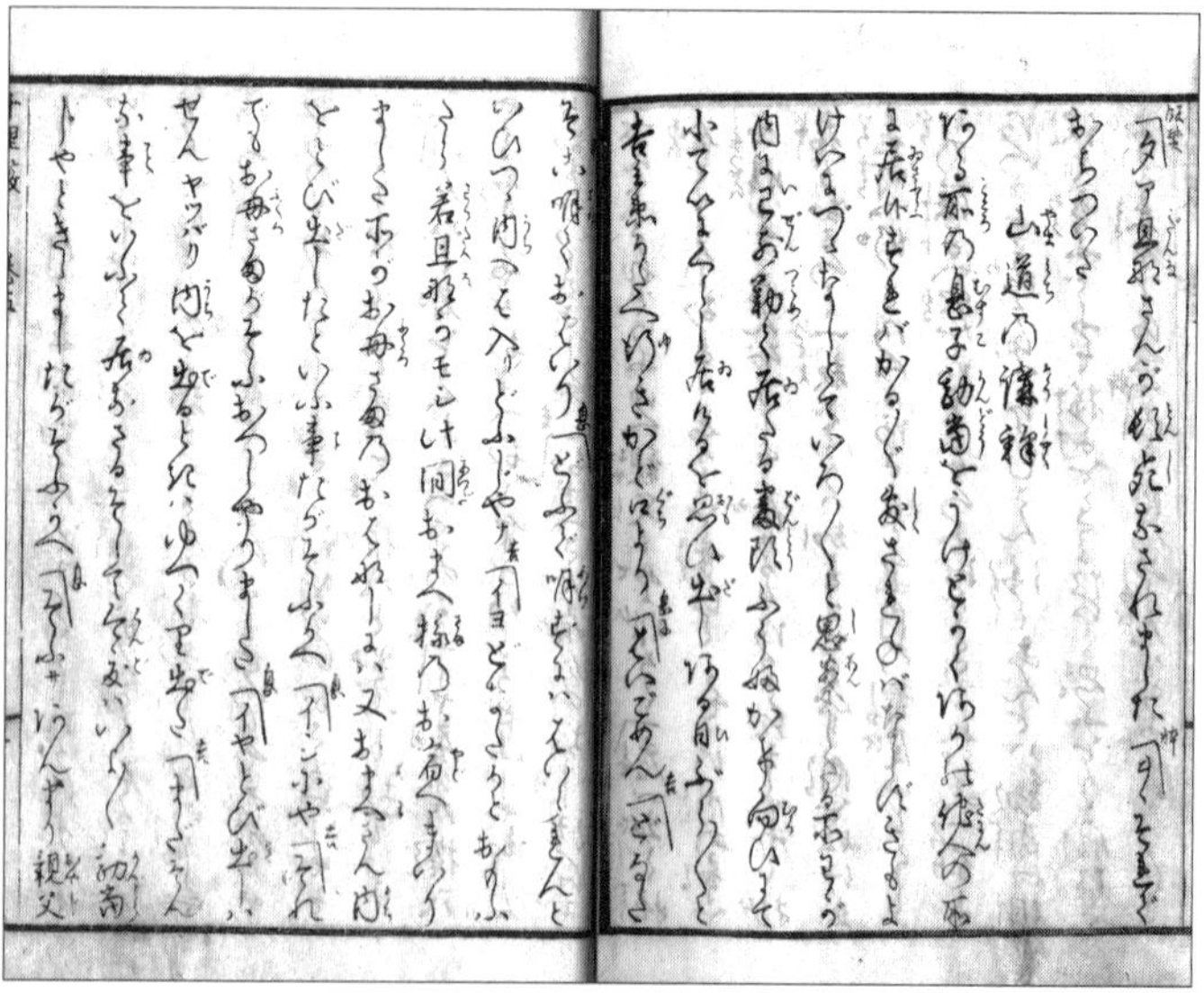

かど口より、
息「はい、ごめん」
吉「どなた。そこ明《あけ》ておはいり」
息「どふで明ずにハはいられん」
といひつつ内へは入り、
息「どうじゃな」
吉「イヨ、どなたかとおもふたら若旦那か。モシ此間《あいだ》、おまへ様のお宿へまいりました所が、お母《ふくろ》さまのおはなしにハ、又おまへさん、内をとび出したといふ事たが、そふかへ」
息「イインにや」
吉「それでもお母さまが、そふおつしやりました」
息「イヤ、とび出しハせん。ヤツパリ内を出るときハゆつくり出た」
吉「まだそんな事をいふて居なさる。そして今度ハいよいよ勘当じやとききましたが、そふかへ」
息「そふサ。あんまり親父としがよつて愚痴《ぐち》になつて、ごてごてぬかすよつて、いまいましいから勘当した」
吉「親をかんどうするものが、どこにあるものか。おまへさんが勘当されたのじやあろ」
息「コウわかれわかれになつたら、どつちやこつちやいふのも、おんなじことだ」

吉「何をいひなさるのじや。そしてけふハなんと思つて」
息「権八を遣《やろ》ふとおもつて」
吉「ごん八と名をかへなさつたのか」
息「イヤ、居候の権八やる気じやが、おまへ、おく気があるかどふじや知らんが、おれハいるきじや」
吉「おまへさん。居候のおしつけにござつたな。それハ随分置《おい》てあげまいものでもないが、しんぼうが出来ますかナ」
息「こんどハきつと辛ぼうするから、どふぞおいてくれ」
といはれて、此日より吉兵衛の内に居候をしてゐれど、はじめ五六日ハ随分朝寐《あさね》もせず、こまこまそこらを手つだい、家内のうけもよかりしか、十日十五日二十日と居なじむにしたがつて、ぶしやうになり、朝もお日さんが上つても二階にねてゐておきず。
めし時分にいつしよに食《くう》こととなし。
居候もこうなると、家内の気に入らぬやうになり、ある日女房、ていしゆの前へ来て、
女「もし、こちの人。世けんに居候もたんとあれども、わたしの内の居候ミるやうな居候ハ、マアあんまり有《あろ》ふとハおもハぬハ。おまへは毎日毎日商売に出なさることゆへ、内の事ハしらぬにじやけれど、わたしハ朝からばんまで、あの人と顔見やつて居るゆへ、あの人のあらすそがミてハゐられハせんな。マア、おととさま。おとといとて、おまへは朝から出て仕ま

ひなさると、わたしハおてん気がよいゆへ、一チ日はりものやら洗濯やらでうろうろしてゐるゐる、日の夕ぐれになつたよつて、飯ハとふじや知らんと、おひつのふたをとつて見れハ、あやにくに飯《まま》がたりないナ。マアおまへとわたしばかりなりやァ、おまへに上るだけあげて、残りの一チぜんか半ぜんのおめしたへて、あとハうどんの一つも買《かう》てすましてもおかれるけれど、他人が一人ゐてハもふそうハならず。寒いのに井戸ばたへ行て米をとぎ、ままを仕かけてたいてゐる。そして一度一度におさいもこしらへると、しん上《しょう》のためにもわるし、めんどうにもありと思ふて、豆をたいておかふと、鍋に仕かけてたいてる。またあつたかい飯のときにハ、しるをたけ、おつけをしろと、おまえが言なさるゆへ、是《これ》もてい主のすきなことと、せわしないにはしりへいつて、擂鉢へおむしを入レ、ごりごりとすつて、モウすれたから水をいれよふと水つぼの中へ手杓を入てみれバ、あいにく水はなし。汲《くみ》にゆく内にハおままハこげるだらふし、どふしたらよからふと、あの人の方をミれバ、あの人ハ火鉢のまへになをしが大仕事をするよふに、ぢよらをくんで、川どめの唐人をミるやうに、たばこばかりスッパスッパとすつてゐるでハないか。なんとそんな時にハ、水の一つりぐらいは汲でくれても、ばちもあたるまいとおもふがどふじやい。あんまりでハないか。もふもふわたしハ何も言まいとおもふても、いはずにハ居られず。あんな人を世話せにやならぬことなら、わたしハ爰《ここ》の内にハ辛抱ができぬゆへ、けふといふ今日ハいひだすからの事ゆへ、わたしをひまやりなと、あの人をたたき出しなと、二ツに一ツのかたをつけておくれ」

吉「やかましいわい。我が様にべろべろべろと、油紙へ火の付たやうにとハその事だハヘ。女さかしうて牛うれずといふは。それハわれがいはいでも、どふで若い衆の事ゆへ、いふことも気のつかぬ事もあるで有ふ。われが大きな声でそふいふから、爰へよんで異見やこごとをいふてミろ。ハハア、今かかめがいふたよつてじや。めん鳥すすめてをん鳥の時をつくるとやらだなんぞと、世間へいつていはれんならん。我がゐたらいいにくい。どこぞへいつて遊んでこい」
トいはれて、女房、きせるたばこを持《もち》でて行《ゆく》。
あとにててい主《しゅ》も不性《ぶしょう》とミへ、箒をさかさまにもち二かいうらをつつきながら、
吉「ヲヲイ、ヲヲイ、ヲヲイ」
息「なんじやへ、なんじやへ」
吉「用があるからおきなされ」
息「おきてゐる」
吉「すんならおりてお出《いで》」
息「おりよふと思ふたりおりたり、一度にハできぬ」
吉「何をいふのじやエ。早ふおりて来なされ」
息「なんなら、そちらから上つた方がはやからふ」
吉「コレ、うだうだいはずと、はやくおりなされ」

トいはれて、ふしやうぶしやうに下りてきて、

息「サアおりて遣《やつ》たが、どふじやナ」

吉「下りて遣つたとハなんじや。コレ若旦那。おまへさん、わたしの内なれバこそ、そんなことでも済《すん》であるが、あかの他人の所でハかた時もそれでハゐられませんぞへ。私とあなたハどふでもよいが、女房ハ他人でござり升ぜ」

息「それハ知れた事。兄弟づれで夫婦になれバちく生《しょう》じやが」

吉「そんなことをしつて居《い》なさるなら、他人の女房にハ、ちつとハ気がねをして遣ておくんなすつてもよかろふと思ふが、どふじやい」

息「気がねをしてゐるがな」

吉「そんなら朝もおなじやうにおきて、飯ぐらゐハいつしよにたべなさつても、ばちもあたり升まいが」

息「コレコレ、それもずい分承知してゐるけれど、こんな事をいふと、きたないよふじやが、ここの内へ来て、はら一ぱい飯も食たことハないぜ」

吉「あがれな」

息「イヤ、くへぬナ」

吉「ナゼ」

息「おいらは初手の内ハ朝も一しよにおきて膳へすハつてミたが、おまへの女房といふものハ、誠にひにくものだ。ナゼトいふてミい。おまえの膳にも、かかのぜんにも、飯もしるも香物《こうの》もつけてあつて、おれが膳にハなんにもなし。どふも居候のかなしさゆへ、茶碗をもつてうろうろしてゐると、おまへのかかのいふことにハ、モシ、こちらへおだしといふから、憚りじやがと出すと、茶わんを取て、もしお茶か、おめしかとぬかすナ。はじめから茶を呑むやつがあるか。イエ、お飯でござり升といふと、ふしやうぶしやうにおひつのふたをとり、あたたかな飯をしやもじで力ニまかせておさへつけ、つゥとすくうて茶わんへうつし、サアお上りといふて出す。ちよいとミると人目ハよい。うへから茶漬とか汁かけめしとかいふと、中ハがらんどう、ぴしやぴしや。おまえがたが一膳くう内にハ、わたしの方ハ二膳も三膳もくへる。どこの内でも茶づけといふと、さくさくさくとくうが、あたりまへじやが、ここの内のハ、さくりといふとなくなる。さくり切りの飯をくふハはじめてだ」
吉「そんな事をいふて、かかとゐせいあらそひを仕なさると、ながとくおせハか出来ませぬぜ」
息「そふサ。此様子でハ、ゐてやり度《たく》もいらせそふもない」
吉「居て遣りたいとハなんじやい。そんな口ごうはいな事いいなさつて、わたしが見はなしたら、こまんなさるであろふ」
息「ナニ、こまるものか。ここの内を出れバ、講釈でめしを食ッて見せるハ」
吉「おまへさんの講釈のきき人《て》があるくらいなら、燕旭堂《えんきょく》や呑襲《どんきょう》ハ、大坂中へ蔵をたて升ハ。

ばかばかしい。そんなことが出来るなら、どこへなといつて遣つてミなされ。きてがあるか」

息「ヲヲ、やらいでかい」

と、少しのふろしきづつミを持出《もちで》かけしか、はら立まぎれに、むやミとあるきしゆへ、ある山ミちへふミかかりし所、日ハ暮《くれ》かかる、人家はなし。

だんだんさむしき所ゆへ、
息「アア、なんたらさミしい所だナア。こんなめにあふといふも、親のはちじや。ヲヤなんじやい。くらがり二星のやうなぴかぴか光るものがある。なんじや知らん」
ト、すかしミれば、狼《おおかめ》なり。
息「ハア、おおかミじや。こりやどうしやうといふたてて、仕かたもなし。モシ、そこにならんでござる狼さまたちに、チトお願いがござり升る」
トいへば、
狼「ヲヲヲ」
息「ハイハイ、外の事でもござりませんが、わたしハ身のおき所なき者でござり升れど、あながたハどふやら仕たら、くひころそふトおぼしめして、そう遣て出ばつてござるハ御尤《ごもっとも》ながら、こう遣てゐながら、手や足からぽつぽつとくわれましてハどふもたまりませんから、私の好《すき》の道ハ講釈。それをおまへさまがたの前でやり升から、中ほどで夢中ニなりかかつたときに、かミなりとくひ付《つき》なりと、なされて下されまし」

息「ハイハイ、御承知でござり升か。さやうならやりまするでござりませふ」

狼「ヲヲヲ」

ト講釈。

息「扨《さて》、頃ハ治承四年、後白河の法王より前右兵衛佐《さきのひょうえのすけ》源ノよりともへ、平家追討の院宣《いんぜん》をたまハりしゆへ、安達判官盛長《もりなが》、軍勢催促す。味方に集るめんめんにハ、土肥実平《どいのさねひら》、同ク遠平《とおひら》、佐々木四郎高綱を始めとして其勢《そのせい》三千ン余騎、石橋山へと出陣せり。是を討んと大場景近を大将として、股野の五郎景久、梶原平蔵景時なり。頃は皐月《さつき》の中旬、関東の軍勢ナ五万三千余騎を引卒したる大将は、紺糸おどしの大鎧、同毛《おなじけ》に五枚しころ、鹿の角打ッたる兜を居首《いくび》にいただき、嵐鹿毛《あらしかげ》と号《なづけ》たる所の駿足に打またがり、敵中に無二無三《むざん》にふんごんで、大音上に呼ハりけるハ、城中のともがら、よつく承ハれ。我こそハ駿遠三《すいえんさん》にさる者ありとしられたる、関八州士の党のはたがしら、常陸坊《ひたちぼう》僧正遍昭弁慶なり。我と思ハんものハ打とつて高名にせよと、高ん高んに呼はりけり。城中是《これ》をきくよりも、憎きはん額女が高言かな。われ討とらんと、大手の門ナ八角に開き、根ノ井大弥太行重、主馬《しゅめ》ノ助、酒田の金ン時、北条泰時其外七ノ組の番頭。引続いて和田が三ン男小林の朝比奈、たき口上野《こうづけ》、日本駄右衛門、稲葉小蔵、中村歌右衛門、手柄山に立神《たてがみ》、蘘荷《しょうが》、陳平、韓信、張良、行徳篤眼《とくげん》寺の和尚なんど、得ものを得ものをたづさへて打てかかるといへども、本多壱人に追立《おったて》られ秋の木《こ》のはのちるごとく、ちりちりぱつと迯《にげ》さりける。きたなき敵のふるまひかな。揚まき見する法やある。引《ひっ》かへして勝負あれといふ声を、たれなるらんとふり返り見れバ、春のあしたの河風に、さそふくつはの音ハりんりん、是熊がへの次郎直実《なおざね》なり。望む所の相手ぞと、馬上ながらにむんづと組《くみ》、しばしが間もミ合《あい》しが、両馬があいにどふとおつ。熊がへ、かなハじやおもひけん。いち足出して迯ゆくを、本多、熊がへがしころをつかんで、エイと引《ひく》。たがひのちからに、しころ三枚引キちぎり、しり居にふしたる。その隙《ひま》に熊がへ、浜辺をさして迯参る。さてここに一つのふしぎなるハ、年の頃二八あまりの女、さげ髪にいたし、緋の袴を着し、白き絹をあらひおり升る。熊がへもあまり不思議におもひ升るゆへ、女ハ何ゆへきぬをあらふぞやととひ升ると、女なミだはらはらと打ながし、是にこそ悲しき物がたりの候。われこそハ坂東一の勇士とよばれたる毛谷村《けやむら》の六助が女房お安にて候。わがつま六助どのハ、大江山酒呑童子《しゅてんどうじ》がために引キさかれ候ト物がたる。さてハ六助が女房お安にてありしか。我もものがたれば、四年己前《いぜん》鬼かいが島へながされし鎮西《ちんぜい》八郎為朝也。四年己前の物がたりハ此船中にていたさんと、両人船にうち乗て、はるかあなたへ、十町ばかりこなたに敵の声あつて、ヤアその女こそ源氏がた、白はたかくし持たるぞ。うばひとれや、ばいとれと呼ハる声を、船にあり合ふひだの左衛門、きくよりも友綱どふと打きつて、海のふかミへ飛こんだり。むかひのきしにハ乱杭さかもぎ、それへわたらせたまふハ、桓武天皇九代の後胤《こういん》新中納ごん平《たいら》の知《とも》もり公にて候ハずや。馬のはるびが延《のび》候。くらかへされて、けが有なといはれてはつと心づき、馬のはるびに諸手をかけ、ゆりあげ引あげしつかとしめ、たとへ此《この》ままうろくずのえじきとなれバとて、此川わたらで置べきかと、一念ナ廿尋《はたひろ》はかりの大蛇となつて、日高川をやすやすと打こへ、道成寺にぞ着たりける。鐘楼堂のかねのおりたることとふしぎなりと、七まき半に巻《まき》、尾を持《もつ》て打たたけバ、後陣に扣《ひか》へし清盛入道、につくき大蛇のふるまひかな。誰《た》そあらん。いで討とれといふ声に、かしこまつて候と、下野《しもつけ》の国の住人奈須の与市、五人ばりに十五足、きりきりきりと引しぼり、ひやうどきつてはなてば、あやまつて三上山にある所のむかでのあたまに、はつしとたつ。ごめん候ふへ。手がらハ仕がち。播州赤穂の城主塩谷《えんや》判官高貞《たかさだ》の家来早野勘平光興《かんぺいみつおき》、行年《ぎょうねん》つもつて廿九歳の初陣と、山こすししに出合ひ、二ツ玉の露薬きつてはなせば、あやまたず、野田の城にある所の武田春信入道謙信信濃守信玄が胸いたに、ぱつしとあたる。その物音に驚いて松浦《まつら》佐世姫、おつとをしたひ、なすのの原にて殺生石となる所へ、沢庵和尚かけ来《きた》り、いそがずバぬれまじものを旅人の、あとよりはるる野路のむらさめと詠じける。此うたに敵も味方もかんしんして、左右へずいと引て仕まふ。此跡ハ大星由良之助、曽我の五郎時宗《ときむね》、はんくわいと達摩大師の組うちをおききに入れる」と、夢中になつてしやべつてゐるト、狼ミなミな、こそこそと谷の方へにげゆく。

狼の親かた、

親「ヤイ。わいらハなんで、人間一人ぐらゐにしやべられて逃てきた。いつて喰殺《くいころ》してこい」

トいへば、狼の小かた、

狼「あれハどふもくわれません」
親「ナゼ、くわれんぞ」
狼「ハイ、口からゑらふ鉄炮《てっぽう》を吐《はき》ます」

＊＊＊＊＊

本書に載せている二編目の「狼講釈」の土台が、この噺本へ記されているのです。

昔の言葉遣いだけに読みにくいと思いますが、辛抱して読み進めると、ほとんど現行の落語に近いことがわかりますし、「湯屋番」の原話でもあることも知れましょう。

さて、このネタで一番面白い所は、五目講釈（※いろんな物を入れた講釈のこと）の場面ですが、この趣向は「居候講釈」などにもあり、「狼講釈」に限ったことではありません。

私は頭の中の引き出しへ数多くの言葉を入れておき、その都度、高座でつなぎ合わせることにしています。

キチンと構成した講釈を語る方が形も良いのでしょうが、それでは面白くありません。

このネタの主人公も、命が助かりたいために、その場で思い付いた物をつなぎ合わせ、一席の講釈にしているのですから、それに私も準じることにしています。

プロの噺家として間違った姿勢かも知れませんが、私の場合、それが楽しみでもあり、喜びになっているだけに、高座へ掛ける時々で内容が全く違うことをお許し下さい。

大坂の噺家が主人公の「狼講釈」で面白いと思うのは、噺の舞台が芸州海田であることです。

現在の広島県安芸郡海田町ですが、この町が舞台になっている落語は珍しく、他に海田が出てくるのは、「仔猫」へ登場する女子衆・お鍋が、演者によっては、芸州海田の生まれにしているぐらいでしょうか。

世話になった家や宿屋から逃げるネタが、上方落語の旅ネタに数多くあり、「狼講釈」の他にも「高宮川天狗酒盛」「常太夫儀太夫」などが、それに値します。

昔は上方の噺家で講釈師を兼ねていた者もおり、三代目笑福亭松鶴の竹山人《ちくさんじん》、四代目桂文團治の杉山文山を、例に挙げることが出来ましょう。

本来の「狼講釈」のオチは、原話通り、鉄砲にちなんでいますが、鉄砲とはホラや出鱈目《でたらめ》を言うことです。

私はオチを替えていますが、観客に年輩や、落語に詳しい方が多い時は、従来のオチで演じる場合もありました。

噺家が主人公になる落語は、「深山がくれ」「べかこ」「能狂言」などがあります。

師匠をしくじったり、大坂では仕事が無いことで旅へ出る噺家ばかりですが、このようなネタがあること自体、落語界の可愛げにつながっているのではないでしょうか。

コラム・上方演芸の残された資料より

『桂文我上方落語全集』での連載コラムは、元・サンデー毎日の編集長であり、祇園小説に才を発揮し、織田作之助へも影響を与え、戦前戦後の噺家と付き合いも出来、落語研究家として、『落語の研究』という本まで著した、渡辺均氏の自筆原稿を採り上げている。

第六巻は、様々な会で講演した内容を纏めた「大阪落語の特質」を紹介するが、話の土台となっている大阪落語と東京落語の比較論は、当時の他の評論家や研究家が述べていない見方でなされており、誠に興味深い。

また、下座囃子についても、愛情を持って見ておられ、検証の仕方もユニークである。実際の講演では、どのように述べていたのか、録音があれば聞いてみたいが、その存在は期待出来ないであろう。

戦後、上方落語界の噺家の数が減り、壊滅状態とまで言われていた頃、このような方が側面で支えてくれたことは、あまり言われていない。

全盛時代ではなく、危機的状態になった時、人の本心や、物事の本質が見えてくる。雨が止んでから、傘を持ってきてくれても、何の役にも立たない。

この文を読むと、様々なことを考えさせてくれるのである。

大阪落語の特質 ⑰

渡辺 均

落語というものは、その起源においても、またその發達の経路においても、すべて都會を中心として進展したもので、これは純然たる都會藝術である。

一つは江戸に於て起り、江戸に於て発達したものと、他の一つは京大阪に於て起り、京大阪に於て發達したものと、この二つの大きな潮流に分けることが出来る。

前者は所謂江戸ばなし（今日の東京落語）であり、後者は所謂上方ばなし（今日の大阪落語）である。

しかし、今日に於ては、その話の筋からいへば、果してどれが東京落語であるか、又は大阪落語であるか、その区別すら、はっきりとは分らない位になってしまった。

甚だしきに至っては、東京の落語家が東京の言葉で東京の事を話せば東京落語で、大阪の落語家が大阪の言葉で大阪の事を話せば大阪落語だといふやうな漫然とした考へ方をする人さへ多く、更に又、東京と大阪とに分けて考へてみたことさへない人が多くなってきたやうである。

話そのものにしても、同じ筋や事件を取扱った同じやうな題名のものが東京にもあり大阪にもあるがために、そのやうな考へ方をする人が多くなったことは、寧ろ不思議でも何でもなく、當然の事ではあるかも知れない。

これは勿論、明治の終から大正へかけて、東西の交流が激しくなるにつれて、当然起った現象であり、強いていへば、ひとり落語家ならず、他の藝術に於ても見らるる事実で、更に又、藝術のみならず、他の社會生活一般に於ても同様のことが言ひ得るのであるが、殊に落語においては、大阪落語から東京落語として東京へ移植せられたものは数知れない位に多い。

私の試見として数へただけでも百數十種に上り、これは拙著「落語の研究」、又は「落語の鑑賞」の中に列挙しておいたが、例へばかの有名な先々代小さんの十八番とした「らくだ」の如きも、今では寧ろ立派な東京落語の中でも大物として切ネタに使はれ、これが元来大阪落語であったことを全然知らない人が多い位、東京落語になり切ってしまってゐる。

かやうにして先々代小さんが大阪へ来ては大阪のネタを持って帰って自家薬籠中の物に仕こなし、東京へ移植したものが甚だ多く、その他、故円右が移植したものや、數年前歿くなった円馬が移植したもの、円馬から習得して現在の文楽が移植したもの、等、等、実に數多く移植せられて、中にはそれらのものさへ、逆に東京が本籍で大阪へは寄留してゐるのだといふ風に思い込まれてゐるものすら多くなった位の状態であるが、東京から大阪へ移植したといふ話は殆んどないといっていい位で、東京落語として立派に通用してゐる切ネタの話が、その実大阪から移植したものであるやうなのが実に多いのである。

詳しい事は拙著の記述に譲って、一々例を挙げるの煩を避けることとするが、それほど多くのいい大阪落語が東京へどんどんと移植せられて東京落語になり切ってゐるので、一層前述のやうに、何が東京落語やら大阪落語やら分らなくもあり、従って、両者の根本的な差異区別なども考へてみられなくなって来た次第であらう。

然らば、両者の根本的な差異といふものは、どこにあるかといへば、最も単的に言へば、東京落語は、粋でアッサリしてゐて明快、単的に事件に突入して一元化した筋の進展と人物の描寫とに向って直截的に突進んで行くが、大阪落語は、モッサリしてゐて油濃くて悪どい、筋の進展の合間々々には屢々脇道へ入って、側面的な人物描寫とその場の雰囲氣や状景背景の描寫とに長々と道草を食ふ。

東京のはよく整理せられてゐて明確に割切れるが、大阪のは紛然雑然として寧ろムダを尚ぶ。

両者どちらがよくて、どちらが上かといふやうな優劣論は勿論今ここでは述べ難いが、そのやうな次第であるがために、東京落語の明快さと澄み切った感じに対して、大阪落語には悪どさとコクとがある。

従って東京落語が、ややもすれば屢々平面的に堕し易い傾向があるのに反して、大阪落語は主体的描寫であり、繪でいふ陰翳、かげ、ニュアンスといふものが浮き上ってくる。尤もこれは上手がやらなければそこまでは行かない事は言ふまでもないが、大阪落語の真諦はその陰翳、ニュアンスに在って、そこから一つの大きな盛り上ってくる主体的描寫がある。

予て、明快に割切れないムダに、得も言はれぬ味とコクとが澱んでゐると私は思ってゐる。

結論だけをいへば、東西落語の大きな差異はこの点にあるのである。

そこへ大阪落語には、あのモッサリした、悪どい、無粋な、割切れない、含蓄にとみ當んだ大阪言葉の特異性がこれにピッタリと結びついてゐることも忘れてはならない。

その点は、ひとり落語だけではなく、芝居の方でも東京歌舞伎と大阪歌舞伎との差異は右に述べた通り、彼の粋でアッサリして明快で澄み切ってゐるのに対して、是はモッサリしてゐて油濃くて悪どくてコクがある。

この明快とコクとの差異である。

次に、この雰囲気やその場の状景を色濃く表はさうがために、大阪落語では、ハメモノとしての下座をその場その場に應じて、これをふんだんに使ふのである。

お囃子や三味線が、それぞれに應じて入る。

これも東京落語にはないことで、東京落語が素咄であるのに対して、大阪落語は鳴物入りであり仕型咄の系統である。

大阪落語に下がかった咄が多いといふことは別として、その素咄でないといふ理由を以て直ちに大阪落語を下品であると断定することは、私は採らないのである。

お囃子が入るから下品だといふ理屈は決してない。

舞台面を夢の如くに想像させるこのお囃子のキッカケといふものは、大阪落語が持つ大きな特長の一つであり、咄の主体描寫に加へて更にそれを大きく効果づけるものであると思はれる。

従って大阪落語を演ずるためには、この下座のお囃子連中といふものは可なり重要な役割を持つ次第で、大阪落語に於ては、芝居咄は勿論のこと、例へば「浮かれの屑選り」や「掛取り」「辻占茶屋」の如き、このお囃子なしでは全然演ることが出来ないといふものさへ数多くある位で、ハメモノ程度としては、大抵の大阪落語にはこれが入るのである。

「菊江佛壇」でも「百年目」でも「莨の火」でも「猿廻し」でも「三枚起請」でも、お囃子とは切っても切れぬ有機的な関係にあるといへやう。

「片袖」の如きは、義太夫とのコンビである。

入れ込み咄のお囃子は、これは又、実にやかましい程騒然とこれが入るのであるが、これは、実をいへば、見台を叩く張扇と共に、客呼びの景氣づけといふ意味をも持ってゐるので、その点においては、別の問題となるが、この張扇の使ひ型といふものも、大阪での落語家修業の課程に於ては、大変むつかしいものの一つとなってゐる。

大阪の落語家はその修業時代、前座時代に於ては、下座における鉦や太鼓の打ち方を長年やらせられ、張扇の叩き方に十年もの間、苦労させせられるのである。

それほど、大阪落語に於てはお囃子は重要な役割を持ってゐる。

先頃、私が松鶴、春團治らと共に「上方寄席風物詩」といふ放送をBKから全國中継した折、吉井勇から「賑はしき　中に寂しさ　ほの見する　浪華落語の　秋となりぬる　吉井勇」といふ歌を寄せられて、これは勿論その放送の終にアナウンサーから伝へられる豫定にしてゐたのであったが、時間が非常に切迫して来て、最後があわただしくなったために、アナウンサーはこの歌をアナウンスすることを忘れてしまって甚だ残念だったほど、全く大阪落語の味をよく表現した歌として、流石に吉井勇氏の深い理解力に感嘆した次第だった。

お囃子の話が出たからついでに出囃子のことを簡単に述べたいと思ふが、大阪落語に於ては、この出囃子なるものは、決して単に落語家が舞台へ現はれるための知らせや調子づけのためのものではないのであって、この出囃子によって、既にその落語家の咄は始まってゐるものと見做さねばならない。

出囃子は咄の序詞として、咄の一部分を既に構成してゐるのである。

東京落語では、出囃子は、殆んど単に落語家の出と知らせ、又は調子をつけるだけの意味に使はれてゐて、それもここ十年程前までは、東京ではこの出囃子なるものさへなかった位であったが、大阪ではそんな簡単な意味のものではなく、出てくる落語家の地位や落しぶりによって、それぞれ出囃子が違ふのである。

地位からいへば、前座には石だんなど、二ツ目、三ツ目には赤猫、さらしくづしなど、格真打には、ジンジロ、越後獅子など、真打には中の舞、かっこ、のっと、六だん等といふ風に決まっており、真打ともなれば、各自が自分の好みの出囃子を使ふことが出来る。

芝居咄の故文我の如きは、必ず「せり」を使った。

これは芝居のせり上りに使ふ囃子で、彼は必ず、この「せり」の出囃子で舞台へ出て来た。

故春團治は賑やかな話しぶりだったが、出囃子もそれに相当した「かみなり」とか「だんじり」とかを使ったし、故円馬は、特別に「円馬ばやし」と名付ける出囃子を自分で考案して、どこででもこれを使ひ、故三木助は北の花月倶楽部では「連獅子」をいつも使った。

出囃子といふものは、かくして、大阪落語に於ては、落語の一部だといふことが出来るのである。

サゲ囃子に至っては更にこの意味が密接で、これこそサゲとサゲ囃子とは一にして二ならず、全然一体を成すものといはねばならない。

従って、サゲ囃子の調子一つでサゲが死んでしまふ場合さへ多いのである。

更に、大阪落語に存在する特異なものに「旅の咄」といふものがある。（略）

（北野田大美野文化會館　甲子園文化連盟　西宮文化會館　其他大阪落語新人会等の席上に於て講演したる草稿等を夫に集めて要約したもの）

文我さんの思い出と「文我落語」に期待するもの

関西大学名誉教授　井上 宏

私が桂文我さんの落語に接したのはいつ頃のことだったろうか。特に関心を持ったのは、私が大阪府立上方演芸資料館（ワッハ上方）の二代目館長に就任した時であったと思う。一九九九年四月で、私が六三歳の時であった。在任中に『ワッハ上方』という機関誌（年刊）を三号まで発行した。それが保存してあったので、文我さんとの出会いを思い出すべく繰ってみた。二〇〇〇年三月発行の第一号では、「情報発信の場『演芸ホール』～芸術祭参加公演で活気溢れる」のコーナーで、文我さんの「落語百席」達成の記事が見つかった。

当時の資料館は、三〇〇席程度の「演芸ホール」（ワッハホール）を運営し、演芸の上演で活況を呈していた。文我さんは、資料館が一九九六（平成八）年十一月にオープンして以来、毎月一回、百席のネタに挑戦するという「桂文我落語百席」を続けておられて、一九九九（平成十一）年十月七日に、三九歳で百席目を達成されたのであった。「水準も高く見事な『落語百席』であった。本人の努力に敬服すると同時に『ワッハ上方演芸ホール』の名誉ともなり、当館から『感謝状』を贈らせていただいた」と記している。

二〇〇一年三月発行の第二号では、「『演芸ホール』と私」のコーナーに文我さんが登場して、写真付きの原稿が収まっている。落語百席公演が終わって「実に爽快な三年間でした」と語り、「百席のほかに特番も数回はさみ、先代文我の追善会やネタ下ろしの会などを催せたのも、このホールなればこそでした」「演芸資料館が階下にあるので、ワッハのロビーで演芸資料の展示をしても違和感がありません」と語っている。実際に公演の時に、ロビーで文我さん持参の資料を展示した憶えがある。

館長の仕事は、二〇〇三年三月末までの三年間であったが、この間に私は、文我さんと舞台の上で対談をさせていただく機会もあった。落語の歴史はもちろん、浪曲や講談などの諸芸にも詳しく、私はその勉強ぶりに感心した。『落語百席』達成の後も文我さんの勢いは止まらず、その四年後の二〇〇三年度「芸術選奨」で「文部科学大臣新人賞」を受賞された。四三歳での受賞で、私は着々と積み上げられてきた「文我落語」が評価されたのだと思った。眠っている古典の研究や復活上演に熱心に取り組んでおられることは周知のことだったし、子供を対象にした「おやこ寄席」やその絵本化も注目されていた。

還暦を超えても文我さんの活動は止むことがない。各地での「文我独演会」の開催はよく知られているが、中でも伊勢内宮前おかげ横丁の「みそか寄席」が注目される。第一回が、一九九一（平成三）年六月三十日に始まり、現在も続く。三百回達成のときには、『みそか寄席』三百回達成〜足かけ二十五年の軌跡』（青蛙房、二〇一六）を出版。大阪の玉造にある「さんくすホール」での月例「猫間川寄席」も見逃すわけにはいかない。約十五年は続いているのであろうか。ここで演じられた噺は全て録音され、噺毎にCD化されると同時に『オーディオブックCD』としてまとめられている。

文我さんの著作に『上方寄席囃子大全集』（燃焼社、二〇〇四）がある。落語の記録ではなく、お囃子についての記録である。実際の録音CDに解説もつけて残された意義はすこぶる大きい。文我さん自身は、一九七九（昭和五四）年に桂枝雀師に入門し、「師匠から落語の教えと共に、鳴物の指導もしていただきましたことは、私に寄席囃子の重要さを実感させるに止まらず、落語観にも大きな影響を与えられたように思います」と言う。録音作業は大変で、桂枝雀夫人のかつら枝代さん、文我夫人のかつら益美さん、それに米朝師弟子の桂米輔さん、米平さん、枝雀師の弟子の紅雀さん、文我さん弟子のまん我さん、それに文我さんの七人で完成させた。

文我さんの古書店めぐりは有名で、落語の古い速記本を手に入れて帰る時などは、幸せな気分になるという。先人の残した資料は、創作のヒントになり、想像力をかき立ててくれるわけであろう。収集癖は、落語家が残した珍品や時代のブームともなったLDなどにも及ぶ。その模様を『メッケもん！　掘り出し珍品図鑑』（ポプラ社、二〇〇六）にまとめておられる。私はこの本を読んで、文我さんの記憶の良さ、その探究心に圧倒されてしまった。文我さんが余りに買い込むので、奥さんの逆鱗に触れ「この後は『天才バカボン』と『みなしごハッチ』しか購入しないことを約束します」という誓約書を書かされたという。

成果物を記録に残すのは、後世に伝えていくという点でとても大事な仕事である。同時代にあっては、音源・映像の再生が大事であるが、再生技術が変化していくことを考えると、再生機を必要としない紙媒体に残す意味はあるわけだ。これまで演じてきた噺が七百席以上あるというから、どこまで活字で残していただけるか、期待は膨らむばかりである。

●参考文献

桂米朝『続・米朝上方落語選』立風書房、一九七二年
桂米朝『上方落語ノート』四集、青蛙房、一九九八年
桂米朝『上方落語ノート』〈全四集〉岩波現代文庫、二〇二〇年
五代目笑福亭松鶴編『上方はなし』〈復刻版　上・下〉三一書房、一九七一〜七二年
左光挙『名工左甚五郎の一生』名工顕彰会版、一九七一年
東大落語会編『落語事典』〈増補〉青蛙房、一九六九年
前田勇編『上方演芸辞典』東京堂出版、一九六六年

（株）パンローリング・後藤康徳社長、岡田朗考部長、組版の鈴木綾乃さん、編集作業の大河内さほさん、校閲の芝光男氏に、厚く御礼を申し上げます。

■著者紹介

四代目 桂 文我（かつら ぶんが）

昭和35年８月15日生まれ、三重県松阪市出身。昭和54年３月、二代目桂枝雀へ入門し、桂雀司を名乗る。平成７年２月、四代目桂文我を襲名。全国各地で、桂文我独演会・桂文我の会や、親子で落語を楽しむ「おやこ寄席」も開催。平成25年４月より、相愛大学客員教授へ就任し、「上方落語論」を講義。国立演芸場花形演芸大賞、大阪市咲くやこの花賞、NHK 新人演芸大賞優秀賞、芸術選奨文部科学大臣新人賞など、多数の受賞歴あり。令和３年度より、東海テレビ番組審議委員を務める。

・主な著書

『桂文我 上方落語全集』第一巻～第五巻（パンローリング）
『上方落語『東の旅』通し口演 伊勢参宮神賑』（パンローリング）
『復活珍品上方落語選集』（全３巻・燃焼社）
『らくごCD絵本　おやこ寄席』（小学館）
『落語まんが　じごくごくらく伊勢まいり』（童心社）
『ようこそ！　おやこ寄席へ』（岩崎書店）など。

・主なオーディオブック（CD）

『桂文我 上方落語全集』第一巻～第五巻 各【上】【下】
『上方落語『東の旅』通し口演 伊勢参宮神賑』【上】【下】
『上方落語 桂文我 ベスト ライブシリーズ１～５』
『おやこ寄席ライブ 1～10』（いずれもパンローリング）など多数刊行。

2022年10月1日　初版第1刷発行

桂文我 上方落語全集 <第六巻>

著　者　桂文我
発行者　後藤康徳
発行所　パンローリング株式会社
〒160-0023　東京都新宿区西新宿7-9-18 6階
TEL 03-5386-7391　FAX 03-5386-7393
http://www.panrolling.com/
E-mail　info@panrolling.com
装　丁　パンローリング装丁室
組　版　パンローリング制作室
印刷・製本　株式会社シナノ

ISBN978-4-7759-4277-2